Veronika Fialka-Moser

# Hydrotherapie und Balneotherapie

Pflaum Physiotherapie
Herausgeberin: Ingeborg Liebenstund

Veronika Fialka-Moser

unter Mitarbeit von

R. Crevenna, O. Gillert, C. Gutenbrunner,
E. Harter, K. Kerschan-Schindl, C. Mittermaier,
T. Paternostro-Sluga, K. Pieber, W. Rulffs,
O. Schuhfried, R. Stemberger

# Hydrotherapie und Balneotherapie

Pflaum

**Autoren:**
Dr. Christoph Gutenbrunner
O. Univ. Prof. Dr. Veronika Fialka-Moser
Dr. Katharina Kerschan-Schindl
Dr. Christian Mittermaier
Ao. Univ. Prof. Dr. Tatjana Paternostro-Sluga
Dr. Othmar Schuhfried

**Anschrift:**
Univ. Klinik für Physikalische Medizin und Rehabilitation
Währinger Gürtel 18–20
1090 Wien
Tel. +43 1 40400 4330 oder –2309
Fax +43 1 40400 5281 oder –5280

**Impressum**

**CAVE / Warnhinweis:**
Bitte beachten Sie: Die medizinische Entwicklung schreitet permanent fort. Neue Erkenntnisse, was Medikation und Behandlung angeht, sind die Folge. Autoren und Verlag haben größte Mühe walten lassen, um alle Angaben dem Wissensstand zum Zeitpunkt der Veröffentlichung anzupassen. Dennoch ist der Leser aufgefordert, Dosierungen und Kontraindikationen aller verwendeten Präparate und medizinischen Behandlungsverfahren anhand etwaiger Beipackzettel und Bedienungsanleitungen eigenverantwortlich zu prüfen, um eventuelle Abweichungen festzustellen.

**Bibliografische Information Der Deutschen Bibliothek**
Die Deutsche Bibliothek verzeichnet diese Publikation in der Deutschen Nationalbibliografie; detaillierte bibliografische Daten sind im Internet über http://dnb.ddb.de abrufbar.

**ISBN 3-7905-0969-4**

© Copyright 2009 by Richard Pflaum Verlag GmbH & Co. KG
München • Bad Kissingen • Berlin • Düsseldorf • Heidelberg

Alle Rechte, insbesondere die der Übersetzung, des Nachdrucks, der Entnahme von Abbildungen, der Funksendung, der Wiedergabe auf fotomechanischem oder ähnlichem Wege und der Speicherung in Datenverarbeitungsanlagen, bleiben, auch bei nur auszugsweiser Verwertung, vorbehalten.
Die Wiedergabe von Gebrauchsnamen, Handelsnamen, Warenbezeichnungen usw. in diesem Werk berechtigt auch ohne besondere Kennzeichnung nicht zu der Annahme, dass solche Namen im Sinne der Warenzeichen- und Markenschutzgesetzgebung als frei zu betrachten wären und daher von jedermann benutzt werden dürften. Wir übernehmen auch keine Gewähr, dass die in diesem Buch enthaltenen Angaben frei von Patentrechten sind; durch diese Veröffentlichung wird weder stillschweigend noch sonst wie eine Lizenz auf etwa bestehende Patente gewährt.

Satz: Elisabeth Schimmer, Ergoldsbach
Druck und Bindung: Druckerei Sommer, Feuchtwangen

Informationen über unser aktuelles Buchprogramm finden Sie im Internet unter: http://www.pflaum.de

# Inhalt

| | | |
|---|---|---|
| **1** | **Therapeutische und physiologische Grundlagen der Hydrotherapie** | 9 |
| **1.1** | Einleitung und historische Anmerkungen | 9 |
| **1.2** | Wirksame Faktoren in der Hydro- und Balneotherapie | 10 |
| 1.2.1 | Wärmehaushalt und Thermoregulation | 11 |
| 1.2.2 | Auswirkungen des hydrostatischen Drucks auf Herz und Kreislauf bei thermoneutralen Verhältnissen | 18 |
| 1.2.3 | Reaktionen von Herz-Kreislauf und Atmung | 20 |
| 1.2.4 | Auswirkungen der regional beschränkten Applikation von Wasser oder anderen Temperaturträgern | 22 |
| 1.2.5 | Querbeziehungen zwischen Thermoregulation, durch Hydrotherapie induzierten hämodynamischen Veränderungen und Herz-Kreislauf-Regulation | 23 |
| **1.3** | Internistische Fragestellungen bei ausgewählten Anwendungen und Indikationen der Hydro- und Balneotherapie | 25 |
| 1.3.1 | Thermoregulation und Wahrnehmung thermischer Reize bei älteren Menschen | 26 |
| 1.3.2 | Kardiale Erkrankungen | 27 |
| 1.3.3 | Einschränkungen der Lungenfunktion und Lungenerkrankungen | 29 |
| 1.3.4 | Diabetes mellitus | 31 |
| 1.3.5 | Sauna bei Erkrankungen des Herz-Kreislauf-Systems und des Atemtrakts | 33 |
| 1.3.6 | Fallberichte von Komplikationen und gesundheitsschädlichen Auswirkungen von Hydrotherapie bei Erkrankungen aus dem internistischen Formenkreis | 37 |

## Inhalt

| | | |
|---|---|---|
| **2** | **Physikalische und physiologische Wirkungen der Hydrotherapie** | 47 |
| **2.1** | Wirkfaktoren der Hydrotherapie | 48 |
| 2.1.1 | Mechanische Wirkfaktoren | 48 |
| 2.1.2 | Thermische Wirkfaktoren | 50 |
| 2.1.3 | Chemische Wirkfaktoren | 51 |
| **2.2** | Unmittelbare Effekte | 52 |
| 2.2.1 | Mechanische Wirkungen | 52 |
| 2.2.2 | Thermische Wirkungen | 56 |
| **2.3** | (Adaptive) Langzeitwirkungen | 62 |
| 2.3.1 | Entlastung, Schonung | 63 |
| 2.3.2 | Hemmung und Bahnung, Habituation | 63 |
| 2.3.3 | Funktionelle Adaptationen | 64 |
| 2.3.4 | Trophisch-plastische Adaptationen | 69 |
| 2.3.5 | Neuroplastizität | 70 |
| 2.3.6 | Verhaltensänderung, psychische Umstellungen | 71 |
| **3** | **Einsatzbereiche der Hydro- und Balneotherapie** | 73 |
| **3.1** | Hydro- und Balneotherapie bei Arthrose und Rückenschmerzen | 73 |
| 3.1.1 | Arthrose | 73 |
| 3.1.2 | Rückenschmerzen | 77 |
| **3.2** | Entzündliche Gelenkerkrankungen und Osteoporose | 81 |
| 3.2.1 | Rheumatoide Arthritis | 82 |
| 3.2.2 | Ankylosierende Spondylitis | 85 |
| 3.2.3 | Osteoporose | 87 |
| **3.3** | Traumatologie und Orthopädie | 92 |
| **3.4** | Neurologische Erkrankungen | 96 |
| 3.4.1 | Indikationen der Bewegungstherapie im Wasser | 97 |
| 3.4.2 | Anwendungen unterschiedlicher Temperaturen und ihre Wirkung auf die Körperfunktionen | 97 |
| 3.4.3 | Andere Anwendungen | 99 |
| 3.4.4 | Kontraindikationen | 99 |

# Inhalt

| | | |
|---|---|---|
| **3.5** | Dekonditionierung | 100 |
| 3.5.1 | Folgen der Dekonditionierung | 101 |
| 3.5.2 | Therapieeffekte der Unterwassertherapie bei der Dekonditionierung | 101 |
| **4** | **Anforderungen an die Behandlungseinrichtungen** | 106 |
| **5** | **Hydro- und Balneotherapie in der Praxis** | 117 |
| **5.1** | Waschungen | 117 |
| 5.1.1 | Oberkörperwaschung | 119 |
| 5.1.2 | Unterkörperwaschung | 121 |
| 5.1.3 | Ganzwaschungen | 122 |
| 5.1.4 | Teilwaschungen | 123 |
| **5.2** | Güsse und Abreibungen | 123 |
| 5.2.1 | Kneipp-Güsse (Flachgüsse) | 123 |
| 5.2.2 | Abreibungen | 161 |
| **5.3** | Balneotherapie | 167 |
| 5.3.1 | Allgemeines zur Balneotherapie | 167 |
| 5.3.2 | Medizinische Bäder und ihre Anwendung | 179 |
| **5.4** | Wickel, Packungen, Auflagen | 240 |
| 5.4.1 | Wickel | 240 |
| 5.4.2 | Kalt- und Heißpackungen | 254 |
| **5.5** | Sauna | 290 |
| 5.5.1 | Physiologische Wirkungen der Sauna | 291 |
| 5.5.2 | Therapeutische Effekte der Sauna bei chronischen Erkrankungen | 292 |
| **5.6** | Wellness – eine Begriffsklärung | 296 |
| **6** | **Zusammenstellung bevorzugter Indikationen** | 298 |
| | **Sachregister** | 315 |

# 1 Therapeutische und physiologische Grundlagen der Hydrotherapie

E. Hartter

## 1.1 Einleitung und historische Anmerkungen

Die erstmalige Anwendung von Hydrotherapie wird dem schlesischen Bauernsohn Vinzenz Prießnitz (1799–1851) zugeordnet [1, 2, 3], der dafür die höchste zivile Auszeichnung der Österreichischen Regierung erhielt [2]. Seine einzige Veröffentlichung das *„Vinzenz Prießnitz'sche Familien Wasserbuch"* (Diktat an seine Tochter Hedwig) liegt im Institut für Geschichte der Medizin der Universität Wien [1]. Sein Landsmann Johann Schroth (ebenfalls Bauer), der Teile seiner Jugend bei Prießnitz verbrachte, entwickelte praktisch zeitgleich Anwendungen der „feuchten Wärme" [4, 5]. Recht bald wurde die Hydrotherapie auf Basis der Prießnitzschen Praktiken als „methodische Anwendung des Wassers in seinen verschiedenen Temperaturen und Aggregatzuständen zu diätetischen, prophylaktischen und therapeutischen Zwecken" vom *Internisten* Winternitz [6] in der Medizin „salonfähig" gemacht. Er habilitierte sich 1864 als erster im deutschsprachigen Raum für Hydrotherapie und gilt als der Begründer der wissenschaftlichen Wasserheilkunde. Sein Buch „Die Hydrotherapie auf physiologischer und klinischer Grundlage", die Errichtung einer hydrotherapeutischen

Station an der Wiener Poliklinik, seine Berufung an den weltweit ersten Lehrstuhl für Hydrotherapie in Wien (1899) und die Etablierung einer hydrotherapeutischen Klinik in Kaltenleutgeben begründeten seine weltweite Bekanntheit und Anerkennung [6].

Die Faszination dieser Therapieform liegt in der durch Intuition (aufgrund von Beobachtung) und Erfahrung geleiteten Anwendung von Wasser, Temperatur, mechanischen und zum Teil auch chemischen Einwirkungen in ihren nahezu unveränderten, natürlich vorkommenden Formen. Der Mensch ist daran durch die Evolution angepasst und hat ein Sensorium zur Wahrnehmung dieser physikalischen und chemischen Umweltdeterminanten. Diese ermöglichen und beeinflussen biologisch-physiologische Reaktionen zur Erhaltung des Lebens und der Gesundheit.

Hydro- und Balneotherapie sind anerkannte Bestandteile der „modernen Schulmedizin" und eine Domäne der Physikalischen Medizin und Rehabilitationsmedizin. Sie erleben eine „Renaissance" in Rahmen der „Wellness- und Lifestyle"-Medizin vor dem Hintergrund, dass unsere Lebensweise immer mehr Bedingungen aufweist, an die wir „physiologisch nicht angepasst" sind und die uns daher krank machen.

> **Beachte**
>
> Die schlesischen Bauernsöhne Prießnitz und Schroth gelten als die Begründer der Hydrotherapie. Die Etablierung als medizinisches Fach ist dem Wiener Internisten Winternitz zuzuschreiben, der auch in Wien den weltweit ersten Lehrstuhl für das Fach innehatte.

## 1.2 Wirksame Faktoren in der Hydro- und Balneotherapie

Die wesentlichsten Wirkfaktoren der Hydro- und Balneotherapie sind [7, 8, 9]:
- ▷ die Temperatur (und Luftfeuchtigkeit)
- ▷ der hydrostatische Druck

## 1.2 Faktoren in der Hydro- und Balneotherapie

▷ die Auftriebskraft des Wassers sowie dessen Reibungswiderstand
▷ mechanische Faktoren (Wasserstrahl, Abreibungen, Bürstungen ...)
▷ chemische Faktoren (im Wasser natürlich vorkommend oder hinzugefügt).

Die Einwirkung von Wärme oder Kälte hat über die Thermoregulation und die damit verbundene Blutumverteilung bzw. die Veränderungen des zirkulierenden Volumens erheblichen Einfluss auf das Herz-Kreislauf-System. Der beim Eintauchen ins Wasser wirksame hydrostatische Druck verursacht eine Vermehrung des Blutvolumens. Aufgrund der Häufigkeit von Herz-Kreislauf-Erkrankungen und damit assoziierter Krankheiten haben die Auswirkungen von Temperatur und hydrostatischem Druck aus internistischer Sicht einen hohen Stellenwert. Der Schwerpunkt der weiteren Ausführungen soll daher auf diesen beiden Wirkfaktoren liegen.

### 1.2.1 Wärmehaushalt und Thermoregulation

*Kerntemperatur, Wärmebildung, Wärmeabgabe und Wärmeaufnahme*

Der Mensch ist ein „Warmblüter", der reguläre Ablauf seiner Lebensvorgänge ist daran gebunden, dass die Temperatur der Kernbereiche des Körpers innerhalb enger Grenzen von 37 ± 0,6 °C konstant gehalten wird. Physiologische Regulationsmechanismen ermöglichen ein Leben bei Umgebungstemperaturen im „Regelbereich" zwischen etwa +3 °C und +60 °C bei Kerntemperaturen von etwa 36–38 °C. Die Einwirkung höherer oder niedrigerer Temperaturen wird nur kurzfristig überlebt. Die sogenannte *thermische Neutralzone* bzw. der Bereich der *Indifferenztemperatur* liegt für den unbekleideten, ruhenden Erwachsenen bei Windstille und einer relativen Luftfeuchte von 50% bei einer Temperatur von 28–30 °C für die Umgebungsluft und die strahlenden Raumflächen. Sie ist dadurch gekennzeichnet, dass die Wärmebildung (durch den Stoffwechsel) ein Minimum aufweist, die sogenannte „trockene Wärmeabgabe" (siehe unten) parallel dazu ebenfalls auf einem konstanten, niedrigen Niveau ist und auch, dass noch keine Schweißsekretion stattfindet [7, p 306–7]. Für kurze Aufenthalte (ohne Erreichen eines Adaptationsgleichgewichts) werden subjektiv Temperaturen der Umgebungsluft zwischen 22° und 24 °C als angenehm empfunden. Wasser wird bei 34–35 °C, Moorbreibäder werden sogar erst bei

etwa 38 °C als behaglich empfunden. Objektiv würde ein längerer Aufenthalt bei Raumlufttemperaturen von 24° allmählich zur Abkühlung führen.
Bestimmende Faktoren für den Wärmehaushalt sind die *Wärmeaufnahme* und *Wärmeabgabe* über die Haut und die Atmung/Lunge, die *Wärmebildung* durch den Stoffwechsel und der *Wärmetransport*, der praktisch ausschließlich durch *Konvektion* mit dem Blutstrom erfolgt. Wärmeaufnahme von der Umgebung und Wärmeabgabe an die Umgebung erfolgen – je nach den herrschenden Bedingungen (Luft, Wasser, Wärme-/Kältepackung...) – durch eine Kombination von im Wesentlichen drei Mechanismen:

1. Durch *Konduktion* (Leitung) in Kombination mit *Konvektion* (Fortbewegung des den Körper umgebenden Mediums). Der Transport von Wärme/Kälte durch Konvektion führt zu einem Temperaturgradienten zwischen Umgebung und Körperoberfläche. Die Wärmezufuhr oder Wärmeabgabe durch Konduktion ist linear proportional zur Temperaturdifferenz. Es gilt: $q_L = \alpha_L (T_H - T_g)$, [$q_L$ = Wärmestrom je Flächeneinheit; $\alpha_L$ = Wärmeübergangszahl; $T_H$ = Hauttemperatur $T_g$ = Temperatur der Grenzschicht zwischen Haut und umgebendem Medium]. Bei direktem Kontakt mit kühlerem oder wärmerem festen oder flüssigem Umgebungsmedium steigt die $\alpha_L$ relativ zu Luft an (bei Wasser um den Faktor 22), sodass ein wesentlich schnellerer Wärme/Kälteaustausch als in Luft erfolgt.
2. Durch *Wärmestrahlung*, den Wärmetransport durch langwellige Infrarotstrahlung. Es gilt: $q_s = \alpha_s (T_H^4 - T_U^4)$, [$q_s$ = Strahlungswärmestrom je Flächeneinheit; $\alpha_s$ = Wärmeübergangszahl für Strahlungswärme; $T_H$ = Hauttemperatur; $T_U$ = Temperatur des umgebendem (wärmestrahlenden) Mediums].
3. Wärmeabgabe durch *Wasserverdunstung* an der Hautoberfläche und in den Atemwegen. Die Wasserverdunstung erfolgt durch die (unmerkliche) *perspiratio insensibilis* und oberhalb einer Umgebungstemperatur von etwa 30 °C durch *Schweißsekretion (perspiratio sensibilis)*. Es gilt: $q_v = \alpha_v (P_H - P_L)$, [$q_v$ = Wärmeabgabe durch Verdunstung je Flächeneinheit; $\alpha_v$ = Verdunstungszahl; $P_H$ = Wasserdampfdruck der Haut; $P_L$ = Wasserdampfdruck der Umgebungsluft].

## 1.2 Faktoren in der Hydro- und Balneotherapie

> **Beachte**
>
> ▷ Zum optimalen Ablauf der menschlichen Lebensvorgänge ist die Einhaltung einer „*Körperkerntemperatur*" von 36–38 °C (Mittelwert: 37 ± 0,6 °C) nötig. Durch Thermoregulationsmechanismen ist der Mensch zur Aufrechterhaltung dieser Kerntemperatur bei Umgebungstemperaturen (Luft) zwischen +3 °C und 60 °C in der Lage.
> ▷ Die *thermische Neutralzone* für den unbekleideten, ruhenden Erwachsenen bei Windstille und einer relativen Luftfeuchte von 50% liegt für Luft bei 28–30 °C und für Wasser bei 34–35 °C.
> ▷ Bestimmende Faktoren für den Wärmehaushalt sind die *Wärmeaufnahme* und *Wärmeabgabe* über die Haut und die *Lunge*, die *Wärmebildung* durch den Stoffwechsel und der *Wärmetransport* mit dem Blutstrom.
> ▷ Mögliche Mechanismen des Wärmeaustausches zwischen Körper und Umgebung sind *Konduktion,* meist in Kombination mit *Konvektion, Wärmestrahlung* und *Verdunstung* (von Schweiß).

### *Thermosensoren und Stellglieder der Thermoregulation*

Die wesentlichen Glieder und Funktionen der Thermoregulation des Menschen sind die *Thermosensoren* (kutane Warm- und Kaltsensoren, thermosensitive Strukturen im Körperinneren), *Strukturen des ZNS* für die Verarbeitung der Informationen dieser Thermosensoren sowie deren *Efferenzen* zur Steuerung der *Vasomotorik der Hautgefäße,* der *Schweißsekretion* und der *Wärmebildung* durch den Stoffwechsel als Stellglieder der Thermoregulation. Die afferenten Informationen der kutanen Thermosensoren über die Umgebungstemperatur werden durch das ZNS mit denen der thermosensitiven Strukturen im Körperinneren (im vorderen Hypothalamus, der hinteren Bauchhöhle, in der Muskulatur, im unteren Hirnstamm, und im Zervikalabschnitt des Rückenmarks) „kombiniert verrechnet", die eine Information über die Kerntemperatur liefern. Das Ergebnis ist die Auslösung von *Kälte- oder Wärmeabwehrreaktionen,* falls dies nötig ist. Impulse von „Kaltsensoren" aktivieren Effektorneuronen zur Förderung von Wärmebildung durch Steigerung des Energieumsatzes und Wärmebildung im Stoffwechsel und hemmen gleichzeitig über Interneurone die Effektorneurone für Wärmeabgabe. Durch Impulse von „Warmsensoren" werden umgekehrt die Efferenzen für die Wärmeabgabe gefördert und über Interneurone die Efferenzen für die Wärmebildung gehemmt.

### Die Funktion der Hautdurchblutung

Die Haut gehört neben der Skelettmuskulatur, der Leber und dem Gastrointestinaltrakt zu den Organen mit stark wechselnden funktionellen Anforderungen. Die Haut hat eine herausragende Funktion für die Thermoregulation im Sinne eines regulierbaren „Wärmeaustauschers" mit dem Blutstrom als Wärmeträger bzw. Wärmetransporter. Sie verfügt über eine sehr effiziente und schnell ansprechende Steuerung der Hautdurchblutung („Vasomotorik") entsprechend den Erfordernissen zur Sicherung der Konstanz der Körperkerntemperatur: Dilatation der Gefäße und Erhöhung der Hautdurchblutung bei Wärmereiz, Konstriktion der Gefäße und Verminderung der Hautdurchblutung bei Kältereiz.

Die Durchblutung der Haut der Akren (vor allem Finger) ist aufgrund der günstigen Oberflächen-Volumenrelation für den Wärmetransport bedeutsam. Sie kann beim Übergang von kalter zu warmer Umgebung im Verhältnis 1:600 variieren. Vor allem die Durchblutung der als Wärmeaustauscher dienenden arteriovenösen Anastomosen spielt eine zentrale Rolle [7, p 312]. Bei Hitzebelastung kann die generelle Hautdurchblutung auf bis das 20fache des Indifferenzwertes ansteigen [7, p 192] und bis zu 7–8 l/min (50–70% des Herzminutenvolumens) betragen [12]. Die Regulation der Hautdurchblutung der Akren (Fuß, Hand, Lippen, Nase, Ohren) erfolgt über die Aktivierung oder Hemmung vasokonstriktorischer sympathischer noradrenerger Nerven. Die Wärme-Vasodilatation in diesen Bereichen der Haut erfolgt vornehmlich durch Hemmung der vasokonstriktorischen Aktivität [28, 33]. Die behaarten Hautbereiche (vor allem Rumpf und Extremitäten) sind sowohl mit vasokonstriktorischen als auch vasodilatatorischen Nervenfasern versorgt [33, 34, 13, 14]. Das vasokonstriktorische System weist eine tonische Aktivität auf und steuert die Reaktion auf Kälteexposition und die subtilen Änderungen des Gefäßtonus innerhalb der Bandbreite des thermoneutralen Bereichs [14].

Sowohl auf plötzlich einwirkende Kälte, als auch auf Wärmereize reagiert das gesunde Gefäßsystem der Haut zunächst mit einer Vasokonstriktion. Bei Ein-

## 1.2 Faktoren in der Hydro- und Balneotherapie

wirkung von Wärme erfolgt sehr rasch eine sekundäre Gefäßerweiterung mit vermehrter Blutdurchströmung zur Kühlung des durch Hitze „bedrohten" Hautbezirks. Diese Gefäßerweiterung wird bei andauernder Wärmeeinwirkung aufrechterhalten, die dadurch überschüssig aufgenommene Wärme durch die oben beschriebenen Wärmeabwehrmechanismen wieder abgegeben.

Der Reflex der Gefäßerweiterung bei thermischer Belastung besteht aus zwei Anteilen: der Hemmung der noradrenergen Vasokonstriktion und einer ausgeprägten aktiven Gefäßerweiterung, die gemeinsam mit der Schweißabsonderung einsetzt [12, 14, 33, 35] und sympathisch-cholinerg gesteuert ist [13]. Neurotransmitter ist jedoch nicht Acetylcholin, sondern möglicherweise das vasoaktive intestinale Peptid [14].

Bei Kälte und unter thermisch indifferenten Bedingungen werden die Hautgefäße durch die sympathisch-adrenergen vasokonstriktorischen Fasern enggestellt. Der kälteinduzierten primären Vasokonstriktion folgt ebenfalls zunächst eine sekundäre Vasodilatation mit reaktiver Hyperämie. Bei Andauern des Kältereizes kommt es letztlich zur dauerhaften Vasokonstriktion. Bei sehr kalter Umgebung und längerer Kälteeinwirkung beobachtet man eine periodisch sich wiederholende, temporäre *Kältevasodilatation* (Lewis-Reaktion [29]), die als (physiologischer) Schutzmechanismus gegen eine Mangelversorgung der Haut bei langer Kälteeinwirkung gelten kann [7, p 312].

Am Kopf (mit Ausnahme von Lippen, Nase, Ohren) und speziell an der Stirn haben vasomotorische Nerven kaum einen Einfluss, bei Kältebelastung tritt keine Vasokonstriktion auf. Wärme führt über die cholinergen sympathischen Nervenfasern zur Schweißabsonderung und Gefäßerweiterung [28].

Erwähnt werden soll hier auch die *spontane arterielle Vasomotion*. Diese besteht in autonom ablaufenden periodisch-rhythmischen Kontraktionen und Erschlaffung der Gefäßwände der präkapillären Arteriolen. Als Schrittmacher fungieren die Zellen an den Gefäßaufzweigungen der Mikrogefäße. Die periodischen Kontraktions- und Relaxationswellen pflanzen sich entlang der Mikrogefäße fort und entsprechen einer vom Herzen unabhängigen Pulsation. Die Vasomotion wird durch Temperaturreize beeinflusst und ist damit an der Thermoregulation beteiligt. Die angegebene Dissertation [28] enthält eine kurze Abhandlung und Diskussion zum Stellenwert der Vasomotorik und Vasomotion in der Thermoregulation.

## Kapitel 1 Grundlagen der Hydrotherapie

**Merke**

- Die Kerntemperatur wird durch Verarbeitung der von Thermosensoren gelieferten Informationen im ZNS und dadurch ausgelöste Steuerung der Hautdurchblutung, Schweißsekretion und Wärmebildung eingestellt.
- Die Durchblutung der Haut hat die Funktion eines schnell regulierbaren Wärmetauschers. Sie kann z.B. bei Übergang von sehr kalter auf sehr warme Umgebungstemperatur um das 20fache ansteigen und bis zu 7–8 l/min bzw. 50–70% des Herzminutenvolumens betragen.
- Der Regelbereich umspannt die sympathisch (adrenerg) gesteuerte maximale Vasokonstriktion bei Kälte, die Zunahme der Hautdurchblutung durch Gefäßerweiterung infolge Hemmung der sympathisch-konstriktorischen Aktivität mit steigenden Temperaturen und letzlich die ebenfalls sympathisch (cholinerg) gesteuerte aktive Gefäßerweiterung mit Beginn der Schweißabsonderung bei Temperaturen über der Neutralzone (etwa ab 30 °C).
- Von subtiler Bedeutung für die Thermoregulation sind auch periodische Kontraktions- und Relaxationswellen der Mikrogefäße, die sogenannte spontane arterielle Vasomotion.

### *Thermoregulation bei Luft als Umgebungsmedium*

Im Bereich der thermischen Neutralzone für unbekleidete erwachsene Menschen in Ruhe, und mit *Luft als umgebendes Medium* (s. o.) sind Wärmestrahlung und Wärmeleitung und -konvektion etwa zu 70% an der Wärmeabgabe zum Ausgleich der durch den Stoffwechsel produzierten Wärme beteiligt. Diese sogenannte „*trockene Wärmeabgabe*" wird durch die oben beschriebene Variation der *Hautdurchblutung* eingestellt. Die Wärmeabgabe durch Verdunstung von Wasser (perspiratio insensibilis) von Haut und Schleimhäuten beträgt etwa 20%. Etwa ab 30 °C beginnt die stoffwechselbedingte Wärmebildung anzusteigen, da nun Stoffwechselenergie für den „Wärmeabwehrmechanismus" der *Schweißsekretion* benötigt wird (aktiver Sekretionsvorgang). Mit steigender Temperatur erfolgt eine zunehmende Wärmeabgabe durch Schweißabson-

## 1.2 Faktoren in der Hydro- und Balneotherapie

derung, die Kerntemperatur nimmt langsam zu. Oberhalb von 35 °C ist die Wasserverdunstung über die Haut und den Atemtrakt (perspiratio insensibilis und sensibilis) praktisch die einzige Möglichkeit der Wärmeabgabe. Die perspiratio insensibilis kommt zum Erliegen, wenn die Hauttemperatur bei 100% wasserdampfgesättigter Umgebungsluft niedriger als die Umgebungstemperatur ist (Dampfdruck des Wassers in der Haut < als Dampfdruck des Wassers in der Umgebungsluft).

Bei Überschreitung einer Umgebungstemperatur von etwa 60 °C, der Obergrenze des Regelbereichs, steigen durch die temperaturbedingte Stoffwechselbeschleunigung die intrinsische Wärmeproduktion und damit auch die Kerntemperatur steil an. Das Ausmaß der Wärmeabgabe durch Schweißverdunstung erreicht einen Plateau-Wert (durch Erschöpfung der Kapazität des aktiven Transports). Es kommt zur *Hyperthermie*, die bei Erreichen einer Kerntemperatur von 40 °C zu Kreislaufversagen führen kann, bedingt durch die Mangeldurchblutung des Gehirns infolge der Blutumverteilung in das thermoregulatorisch weitgestellte Gefäßbett der Haut. Eine Kerntemperatur von 42°–43 °C ist fatal.

Bei *Kältebelastung* erfolgt primär eine Konstriktion der Hautgefäße zur Drosselung der Wärmeabgabe, akut kann Wärmebildung durch Erhöhung des Muskeltonus und Muskelzittern eine Kälteabwehr einsetzen. Die Kälteabwehr kann durch Muskelarbeit und die damit verbundene Wärmebildung durch den Stoffwechsel willkürlich gesteigert werden.

### *Thermoregulation im Kontakt mit Wasser oder anderen Medien mit hoher Wärmekapazität und Wärmeübergangszahl*

Die „thermische Kopplung" an den menschlichen Körper besteht auch in diesem Fall über die Haut und deren Kapillarbett. Die Wärmeübertragung erfolgt vom menschlichen Körper → Medium, falls die Körpertemperatur ($T_K$) höher als die des Mediums ($T_M$) ist (Abkühlung), und vom umgebenden Medium → Körper, falls $T_M > T_K$ (Erwärmung). Der Wärmeaustausch erfolgt praktisch ausschließlich durch Konduktion (Wärmeleitung) mit im Vergleich zu Luft viel höherer Geschwindigkeit und Effizienz (hohe Übertragungszahl), sodass bei intensivem Kontakt (z.B. Vollbad) auch ein deutlich höheres Risiko für Überhitzung oder Unterkühlung besteht.

Die Schweißbildung findet zwar auch an der im Wasser befindlichen Hautfläche statt, ihr Wärmeabwehrmechanismus ist aber nur über die Körperflächen wirksam, die in Kontakt mit der Umgebungsluft sind und damit eine Schweißverdunstung ermöglichen. Ein gewisses Maß der perspiratio insensibilis ist über die Ausatemluft möglich. Die Kälteabwehrmechanismen sind die gleichen, wie oben beschrieben.

### Merke

▷ Die Aufrechterhaltung der physiologischen Kerntemperatur beim unbekleideten Menschen bei thermoneutraler Raumluftumgebung erfolgt zu etwa 70% durch trockene Wärmeabgabe (Wärmestrahlung, Wärmeleitung und Konvektion) und zu etwa 20% durch Wasserverdunstung von der Haut (Perspiratio insensibilis). Ab etwa 30° Umgebungstemperatur beginnt zusätzlich die aktive Gefäßerweiterung mit Schweißsekretion als „Wärmeabwehrreaktion"

▷ In Wasser erfolgt die Wärmeabgabe praktisch ausschließlich über Wärmeleitung, die Wärmeabgabe durch Schweißverdunstung ist nur über nicht im Wasser eingetauchte Körperflächen möglich. Zusätzlich wird Wärme über die Atemluft abgegeben.

▷ Die durch Kälte ausgelöste Verengung der Hautgefäße verläuft im Wasser infolge der hohen Wärmeübergangszahl für Wärmeleitung sehr viel schneller als in Luft, die Wärmeabgabe ebenso. Als Kälteabwehrmechanismus steht lediglich die Bildung von Stoffwechselwärme durch aktive Bewegung oder „Kältezittern" zur Verfügung.

### 1.2.2 Auswirkungen des hydrostatischen Drucks auf Herz und Kreislauf bei thermoneutralen Verhältnissen

Eintauchen in thermoneutral temperiertes Wasser im Stehen bis etwa in Schulterhöhe führt bei gesunden jungen Personen zu einer Zunahme des Blutvolumens im intrathorakalen Raum von etwa 700 ml [15, 16]. Dabei nimmt das Herzvolumen (Summe des Volumens aller Kammern) um 180–240 ml zu

## 1.2 Faktoren in der Hydro- und Balneotherapie

[16; 17]. Eintauchen bis zur Hüfte im Stehen führt zur gleichen Volumenverschiebung wie Liegen mit Luft als Umgebung (etwa 130 ml). Das erhöhte zirkulierende Volumen resultiert aus der Erhöhung des Plasmavolumens und entspricht daher einer Hämodilution bzw. einer Reduzierung des Hämatokrits [49].

Schnelles Eintauchen ins Wasser bis zum Nacken im Stehen führt zu einer Volumenvergrößerung des Herzens um ca. 30% innerhalb von sechs Sekunden und zu einem Abfall der Herzfrequenz um ca 20% [18]. Der Druck im rechten Herzvorhof steigt parallel mit der Eintauchtiefe vom Xiphoid aufwärts auf bis zu 20 mmHg an [16, 19]. Diese Vorlasterhöhung führt über den Frank-Starling Mechanismus zu einer Erhöhung des Schlagvolumens um 35–45% [20, 21] sowie der Herzauswurfleistung („cardiac output"). Es kommt zu einer relativen Erhöhung der Durchblutung der peripheren Organe [21], der Blutdruck ändert sich nicht [22, 23] oder steigt nur gering an [21].

Das erhöhte Blutvolumen in der Lunge führt zur Reduktion der statischen und dynamischen Compliance (Dehnbarkeit) der Lunge (30–50%) und einem erhöhten Atemflusswiderstand (30–58%) [39]. Diese Effekte werden als Ursache für einen vorübergehenden Anstieg des Sauerstoffverbrauchs angesehen (während der ersten Minute des Eintauchens) [40]. Die hämodynamischen Veränderungen führen zu einer um etwa 65% erhöhten Atemarbeit, die Vitalkapazität wird um etwa 6% reduziert, die maximale willkürliche Ventilation um 15% und das exspiratorische Reservevolumen im Mittel um etwa 66%, [41–43]. Das Ventilations-Perfusionverhältnis und die Diffusionskapazität werden erhöht. In der Praxis verursachen diese Veränderungen der Lungenfunktion keine bedrohlichen respiratorischen Probleme bei Gesunden [44].

Der Effekt des hydrostatischen Drucks wird beim Eintauchen in nicht thermoneutrales Wasser durch die mit Hypothermie oder Hyperthermie verbundenen zusätzlichen Volumenverschiebungen und physiologischen Reaktionen überlagert.

## 1.2.3 Reaktionen von Herz-Kreislauf und Atmung

### Reaktionen beim Eintauchen in kaltes Wasser

Das Eintauchen des ganzen nackten Körpers in kaltes Wasser führt zu einem ausgeprägten und schnellen Abfallen der Hauttemperatur, wodurch die typischen Sofortreaktionen des sogenannten „Kälteschocks" ausgelöst werden. Bei Wassertemperaturen < 10 °C folgt auf einen anfänglichen, tiefen Atemzug eine etwa auf das vierfache gesteigerte, schnelle, praktisch unkontrollierbare Atmung, somit eine massive Hyperventilation mit Hypokapnie ($CO_2$-Abfall). Bereits dadurch können Muskelkrämpfe auftreten, die Ursache für Ertrinken sein können. Gleichzeitig steigen Herzfrequenz und Blutdruck massiv an, die peripheren Hautgefäße werden enggestellt [45, 37]. Diese Reaktion ist nach etwa 30 Sekunden maximal und dauert etwa 2–3 Minuten [44]. Die beschriebenen Reaktionen werden von den Kälterezeptoren der Haut ausgelöst und neural gesteuert. Auch bei Gesunden und Elite-Tauchern wurden ektope Herzschläge bei Eintauchen bis zum Hals in kaltes Wasser nachgewiesen [46], selten, aber doch wurden Herzstillstände als Todesursache festgestellt, wenn kaltes Wasser in die Nasenlöcher geraten ist [44]. Anhalten der Atmung führt auch bei nicht eingetauchtem Kopf/Gesicht in etwa 60% zu supraventrikulären und junktionalen Herzrhythmusstörungen [47]. Diese treten bei freier Atmung nicht auf [44] (siehe auch „Tauchreflex" im folgenden Kapitel).

Bewusstseinsverlust und Ertrinken infolge Hypothermie erfolgt in Wasser von 5 °C nach etwa einer Stunde, bei 10 °C nach etwa zwei Stunden und bei 15 °C nach etwa sechs Stunden [37, 38, 44].

Im Gegensatz zum Eintauchen bei thermoneutraler Temperatur scheint das gesamte zirkulierende Plasmavolumen bei Eintauchen im kalten Wasser um etwa 5% niedriger zu werden, der Anteil im zentralen Kreislauf aber höher zu sein. Dies manifestiert sich in einem deutlichen Anstieg des atrialen natriuretischen Peptids (ANP), einem von den Herzvorhöfen bei Volumen/Dehnungsbelastung freigesetzten Hormon. Eintauchen in kaltes Wasser führt somit zu einer Hämokonzentration mit relativ zu thermoneutralen Verhältnissen höherer Volumenbelastung des zentralen Kreislaufs [49]. Das Zitat [48] gibt eine Übersicht über die Pathophysiologie der Kälteexposition, speziell auch durch kaltes Wasser.

## 1.2 Faktoren in der Hydro- und Balneotherapie

### Reaktionen bei Eintauchen in warmes (hyperthermes) Wasser

Es werden dabei zwei Volumeneffekte wirksam: die Verschiebung von Volumen in die Zirkulation durch den hydrostatischen Druck und die Blutumverteilung zugunsten der Hautdurchblutung durch wärmebedingte Erweiterung der Hautgefäße. Das Schlagvolumen und die Herzauswurfleistung nehmen zu [21], die Herzfrequenz steigt im Gegensatz zum Eintauchen in thermoneutrales Wasser an [31, 72], der periphere Gefäßwiderstand allgemein und der Widerstand der Hautgefäße nehmen ab [31]. Diese kardiovaskulären Anpassungen dienen offensichtlich dazu, einen ausreichenden Blutdruck trotz reduziertem peripheren Widerstand aufrechtzuerhalten [21].

Hervorzuheben ist, dass bei längerem Eintauchen in hyperthermes Wasser (z.B. 40 °C) die Schweißabsonderung einsetzt. In Abhängigkeit von Zeitdauer, Temperatur und körperlicher Aktivität kann ein Flüssigkeitsverlust im Bereich von einigen Prozent des Körpergewichtes auftreten. Dieser Effekt ist in hyperosmolarem Wasser (z.B. Meer, Solebad) verstärkt ausgeprägt [32]. Beobachtet wurde bei gesunden Männern ein Ansteigen der Kerntemperatur (Ösophagus) nach 20 min bei Wassertemperaturen von 40 °C und 41,5 °C im Mittel auf 37,8 °C bzw. auf 38,3 °C. Die Schweißsekretion liegt im ersteren Fall im Mittel bei 0,32 kg/m$^2$/h, im letzteren bei 0,48 kg/m$^2$/h. Die maximalen Herzfrequenzen lagen bei jeweils 108 bzw. 123 pro Minute [72]. 41,5 °C Wassertemperatur wurden als deutlich unangenehmer empfunden als 40 °C. Bei vielen der Probanden trat beim Aufstehen aus dem Wannenbad ein Blutdruckabfall statt.

In einer rezenten Studie werden negative Auswirkungen auf die Herzfrequenzvariabilität (Zunahme des Very Low Frequency-Anteils) mit steigender Temperatur des Badewassers (38 °C im Vergleich mit 41 °C) und mit der Badedauer nachgewiesen. Die optimale Badedauer in einem „japanischen" Bad wäre < 5 min bei 41 °C und < 10 min bei 38 °C [73].

### Merke

▷ Eintauchen im Stehen bis zum Nacken in thermoneutral temperiertes Wasser führt zu einer schnellen Erhöhung des intrathorakalen Blutvolumens um ca 700 ml, zu einer Zunahme des Herzvolumens um etwa

180–240 ml, zu einem Abfall der Herzfrequenz um ca. 20%, zu einer Erhöhung des Herzschlagvolumens um etwa 35–45% und zur Erhöhung der Durchblutung der peripheren Organe.
▷ An der Lunge werden eine Erhöhung der Compliance, des Atemflusswiderstandes und der Atemarbeit gefunden. Die Vitalkapazität, die maximale willkürliche Ventilation und das exspiratorische Reservevolumen werden reduziert.
▷ Schnelles Eintauchen in kaltes Wasser (< 10 °C) führt zur „Kälteschockreaktion" mit schneller, unkontrollierbarer Atmung, maximaler Engstellung der Hautgefäße und einem ausgeprägten Anstieg von Blutdruck und Herzfrequenz. Eine weitere wesentliche Reaktion ist Hämokonzentration mit relativ zu thermoneutralen Verhältnissen höherer Volumenbelastung des zentralen Kreislaufs.
▷ Eintauchen in hyperthermes Wasser führt zur Verschiebung von Volumen in die Zirkulation durch den hydrostatischen Druck und zur Blutumverteilung zugunsten der Hautdurchblutung durch wärmebedingte Erweiterung der Hautgefäße. Das Schlagvolumen und die Herzauswurfleistung nehmen zu, die Herzfrequenz steigt an, der periphere Gefäßwiderstand allgemein und der Widerstand der Hautgefäße nehmen ab. Durch Schweißabsonderung kann besonders in hyperosmotischem Wasser (Meer, Solebäder) beträchtlicher Volumenverlust auftreten.

## 1.2.4 Auswirkungen der regional beschränkten Applikation von Wasser oder anderen Temperaturträgern

Die Applikation von Wasser in Form von kalten oder warmen Teilbädern, wechselwarmen Teilbädern, Kontrastbädern und (kurzdauernden) Tauchbädern ist in der Praxis wohl häufiger als Vollbäder. Bei diesen Formen der Anwendung werden komplexe physiologische Reaktionen ausgelöst. Der „revulsive Effekt" der Erhöhung der Durchblutung bestimmter Körperregionen wird vornehmlich durch alternierende regionale Anwendung von Wärme und Kälte erzielt. Der „derivative" Effekt der Erhöhung oder Erniedrigung des Blutvolumens in

## 1.2 Faktoren in der Hydro- und Balneotherapie

einer Körperregion stellt sich durch längere Applikation entweder von Wärme oder Kälte ein. In Regionen mit Versorgung des oberflächlichen und tiefen Gefäßbettes durch das gleiche Gefäß kann er als „Kollateralzirkulationseffekt" genutzt werden, um Blut zur Oberfläche (Warm-Anwendung) oder in die Tiefe (Kalt-Anwendung) zu verschieben. Über die Auslösung spinaler Reflexe können Veränderungen der Durchblutung (z.B. in Form der konsensuellen Reaktion an der kontralateralen Extremität), des Muskeltonus bzw. der Motilität und der sekretorischen Aktivität erzielt werden. Längeranhaltende Kalt- oder Warm-Anwendungen über dem Stamm eines Gefäßes führen über einen derartigen Reflex zur Engstellung bzw. Weitstellung der Gefäßverzweigungen. Reflektorische Reaktionen von Atmung und Herz-Kreislauf können ebenfalls ausgelöst werden.

Eintauchen des Gesichtes in kaltes Wasser löst über vagale Afferenzen des N. trigeminus zum Hirnstamm den sogenannten „Tauchreflex" aus: Bradykardie mit reduzierter Herzauswurfleistung und Kontraktion der Gefäße von Haut und inneren Organen [24, 25]. Die dabei häufig beobachteten Herzrhythmusstörungen dürften aber auf das Anhalten der Atmung zurückzuführen sein [44]. Es würde den Rahmen dieses Kapitels völlig sprengen, hier aus internistischer Sicht auf die Wirkungen näher einzugehen, die durch einzelne Anwendungen oder Kombinationen von lokal bzw. auf einen Körperbereich beschränkt applizierten balneo- und hydrotherapeutischen Maßnahmen bewirkt werden. Einzelne besondere Fälle sollen im Kapitel 1.3 „Internistische Fragestellungen bei ausgewählten konkreten Anwendungen und Indikationen der Balneo- und Hydrotherapie" vorgestellt werden.

### 1.2.5 Querbeziehungen zwischen Thermoregulation, durch Hydrotherapie induzierten hämodynamischen Veränderungen und Herz-Kreislauf-Regulation

Die Regelkreise für Aufrechterhaltung des Blutkreislaufs und der Kerntemperatur greifen ineinander [26]; die Mechanismen der Thermoregulation stehen jedoch an der Spitze der Hierarchie aller vegetativen Regelkreise [27, 28]. Diese Hierarchie weist eine stufenweise zunehmende Komplexität auf: von der untersten Ebene der lokal-chemischen Durchblutungsregelung (z.B. $O_2$-Mangel) über Beteiligung von Gewebshormonen (z.B. Endothelin; Bradykinin, VIP...) z.T. in Verbindung mit afferenten wie efferenten Vorgängen der autonomen Peripherie. Die nächsthöhere, spinosegmentale Integrationsstufe umfasst zahlreiche autonome Reflexmechanismen wie Vasomotorik, Pilomotorik und konsensuelle Beteiligungen sowie intersegmentale und kutiviszerale bzw. somatoviszerale Koordinationen. Diese sind noch nicht in der Lage, selbstständig eine vegetative Homöostase zu bewirken, haben aber bereits Projektionen zur Gehirnrinde. Die höchste Ebene stellt wohl die Steuerung durch die zentralen und peripheren Teile des vegetativen Nervensystems dar. Die Regelkreise sind auf verschiedenen Integrationsstufen miteinander „vernetzt", d.h., Regelkreise unterschiedlicher Hierarchiestufen können gemeinsame Teile haben. In Konkurrenzsituationen dominieren die gefäßerweiternden Mechanismen der Thermoregulation über die der Blutdruckregulation bzw. der Aufrechterhaltung des Blutkreislaufs [28]. Das nachstehende Beispiel erläutert dies.

Unter thermoneutralen Bedingungen führt eine Volumenreduktion im zentralen Kreislauf über den Barorezeptoren-Reflex zu einer Reduzierung der Durchblutung sowohl von Muskeln und Haut durch Vasokonstriktion ([30] und dort zitierte Arbeiten). Dadurch wird Blutvolumen zum Ausgleich der Hypovolämie in den zentralen Kreislauf verschoben. Unter Bedingungen der Hyperthermie („Hitzestress") ist die Hautdurchblutung durch zusätzliche aktive Gefäßerweiterung maximal erhöht. In diesem Falle ist der durch Hypovolämie ausgelöste Baroreflex zunächst nur in der Lage, die Hemmung der Vasokonstriktion aufzuheben, nicht aber die weiterhin bestehende aktive Gefäßerweiterung. Erst bei hochgradiger Reduktion des Volumens im zentralen Kreislauf kommt es zu einer (inkompletten) Aufhebung der aktiven Erweiterung der Hautgefäße [31, 32].

Diese Regelkreise können durch hydrotherapeutische Maßnahmen konditioniert werden im Sinne einer „Abhärtung" gegen Kälte und Hitze bzw. der Optimierung der Regulation der Hautdurchblutung bzw. der Thermoregulation und der damit verbundenen Herz-Kreislauf-Reaktionen an schnell wechselnde Umgebungstemperaturen. Klassisch ist der wechselwarme Reiz des Saunabadens mit „Kaltwasserabschreckung" sowie des Winterschwimmens [28, 51].

> **Beachte**
>
> Die Mechanismen der Thermoregulation stehen an der Spitze einer Hierarchie von stufenweise zunehmender Komplexität aller vegetativen Regelkreise. Diese reichen von der untersten Ebene der lokal-chemischen Durchblutungsregelung, über die spinosegmentale Integrationsstufe zahlreicher autonomer Reflexmechanismen zur höchsten Ebene der Steuerung durch die zentralen und peripheren Teile des vegetativen Nervensystems und sind miteinander „vernetzt". In Konkurrenzsituationen dominieren die gefäßerweiternden Mechanismen der Thermoregulation über die der Aufrechterhaltung des Blutkreislaufs.

## 1.3 Internistische Fragestellungen bei ausgewählten Anwendungen und Indikationen der Hydro- und Balneotherapie

Bereits in der Einleitung zu diesem Artikel wird darauf hingewiesen, dass die Hydro- und Balneotherapie bzw. deren AnwenderInnen häufig mit PatientInnen arbeiten, die an Erkrankungen der inneren Organe leiden. In vielen Fällen erfolgen die hydrotherapeutischen Maßnahmen auch gezielt zur Behandlung derartiger Erkrankungen. Im Folgenden soll daher versucht werden, anhand einer Auswahl von Erkrankungen mit Schwerpunkt Herz-Kreislauf und Respirationstrakt die Wirkungen, Indikationen und Kontraindikationen für hydrotherapeutische Maßnahmen darzustellen. Ein spezielles Kapitel ist der Altersabhängigkeit der Kälte- und Wärmeregulation gewidmet, auch vor dem Hintergrund, dass vor allem ältere Menschen Klienten der Hydrotherapie sind. Die Auswahl ist beschränkt und inkludiert vor allem Situationen, für die in der Fachliteratur Daten guter Qualität vorliegen.

## 1.3.1 Thermoregulation und Wahrnehmung thermischer Reize bei älteren Menschen

Ältere Menschen (> 60 Jahre) können verglichen mit Jungen bei Kältebelastung die Kerntemperatur weniger gut aufrechterhalten. Die Wahrnehmung von Kältereizen durch die Kältesensoren der Haut –auch subjektiv – ist herabgesetzt, die Kontraktion der Hautgefäße auf Kältereiz ist geringer als bei jungen Menschen. Die kälteinduzierte Aktivierung des Metabolismus fällt ebenfalls geringer aus. [52, 53]. Aerobe Fitness reduziert die bei Älteren vermehrt ausgeprägte Blutdrucksteigerung bei Kältereiz, dürfte zwar keinen zusätzlichen Vorteil bei der Kälteadaptation haben [52], könnte aber doch über den „Umweg" der Körperzusammensetzung eine Rolle spielen [54]. Kälte- und Wärmeempfindung in unterschiedlichen Körperregionen weisen eine Alters- und Geschlechtsabhängigkeit auf. Sowohl ältere Frauen wie auch Männer (55–65 Jahre) haben relativ zu Jungen (20–30 Jahre) an den Füßen eine reduzierte Wahrnehmung von Wärme- und Kältereizen [55].

Thermoregulation bei Hitzebelastung scheint bei Personen mittleren Alters (45–64 Jahre) mit guter aerober Ausdauer und einem entsprechenden Body-Mass-Index vergleichbar gut wie bei Jüngeren abzulaufen [56]. Lediglich bei einem physiologisch signifikanten Ausmaß an Dehydratation wird Hitzebelastung von Älteren schlechter toleriert, als von Jüngeren [56, 54]. Dazu dürften auch ein geringeres Durstgefühl und eine reduzierte Nierenfunktion beitragen [54]. Für Personen im Alter von 74 ± 5 Jahren wurde ein breiterer Temperaturbereich zwischen Einsetzen von Kältezittern und Beginn der Schweißabsonderung sowie eine reduzierte relative Vasokonstriktion (Reduktion der Durchblutung/°C Temperaturabfall) gefunden. Die Kerntemperatur weist somit einen breiteren Regelbereich auf [57].

Bei passiver Erwärmung bis zur individuellen Toleranzschwelle weisen ältere Personen (70 ± 3 Jahre) ein gegenüber Jungen geringeres Schlagvolumen und eine geringere Herzauswurfleistung auf, bei höherer relativer Herzfrequenz (in % der altersentsprechenden maximalen Sollfrequenz). Die Zunahme der Perfusion der Haut und auch der Abfall des peripheren Gefäßwiderstandes sind bei älteren Menschen deutlich geringer als bei jungen. Ältere Menschen scheinen bei Hitzebelastung weniger Volumen zur Thermoregulation in das Gefäß-

## 1.3 Internistische Fragestellungen

bett der Haut zu verschieben, zugunsten der Aufrechterhaltung der zentralen Durchblutung bei reduzierter Herzauswurfleistung. Trotzdem sind sie in der Lage, die Kerntemperatur im physiologischen Bereich zu halten [58].

**Beachte**
- Ältere Menschen haben eine reduzierte objektive und subjektive Wahrnehmung von Kälte und Wärme. Ihre Fähigkeit zur Thermoregulation bei Kälte ist verringert, die Blutdrucksteigerung fällt höher aus.
- Hitzebelastung hingegen scheint nur bei gleichzeitig bestehender Dehydratation deutlich schlechter toleriert zu werden.
- Die Kerntemperatur weist einen breiteren Regelbereich auf.
- Wärmebelastung führt verglichen mit Jungen zu geringerer Steigerung der Herzauswurfleistung, die Verschiebung des Blutstroms in die Hautgefäße ist ebenfalls reduziert, zugunsten der zentralen Durchblutung.

### 1.3.2 Kardiale Erkrankungen

Lietava et al. [59] konnten kürzlich bei Herzgesunden zeigen, dass Veränderungen der kardialen und peripher arteriellen Hämodynamik durch hyperthermale Balneotherapie (Immersion in Wasser mit 40 °C) verglichen mit symptomlimitierter Fahrradergometerbelastung eine deutlich geringere Belastung darstellen. Eintauchen ins Bad führt zu einer signifikanten Abnahme des Index für die linksventrikuläre Arbeit, der Kontraktilität und des Blutdrucks. Mit Erhöhung der Kerntemperatur um 2 °C (Kriterium für Ende der Immersion) wurde lediglich eine leichte Erhöhung der Herzfrequenz beobachtet. Die Autoren argumentieren, dass hypertherme Balneotherapie z.B. für PatientInnen mit koronarer Herzerkrankung weit weniger riskant ist, als die für die Diagnostik etablierte Fahrradergometrie.

Im Gegensatz dazu liegen ebenfalls neuere Daten [60] vor für die Auswirkung des Eintauchens von PatientInnen nach transmuralem Herzinfarkt und chronischer Herzinsuffizienz (CHF) bis zum Nacken und bei Schwimmen in Wasser mit einer Temperatur von 32 °C. Bei Infarktpatienten führten eine liegende

Ruheposition im Wasser und das Eintauchen bis zum Nacken und Schwimmen zu pathologisch hohen Werten für den pulmonalarteriellen und pulmonalkapillären Druck bei reduziertem oder gleich bleibendem Schlagvolumen. Eintauchen bis zum Xiphoid hatte keinen derartigen Effekt. Beim langsamen Schwimmen waren diese Druckerhöhungen als Zeichen einer Vorlasterhöhung noch am geringsten, der Abfall der gemischtvenösen $O_2$-Sättigung war bei Schwimmen geringer als bei Ergometrie. Die Herzfrequenz, die Konzentration von Laktat und Katecholaminen im Blut waren bei langsamem Schwimmen (20 m/min) so hoch, wie bei 100 Watt Ergometerbelastung. Schwimmen mit 27 m/min und 30m/min entspricht jeweils 150 W und 170 W am Ergometer. Trotz nachgewiesener pathologisch erhöhter Vorlast fühlten sich die Patienten bei diesen Belastungen wohl, was die Autoren auf die geringere Reduktion der gemischtvenösen $O_2$-Sättigung zurückführen. Wohlbefinden ist somit keine Garantie, dass die durch Eintauchen in Wasser bei Herzkranken verursachte Vorlasterhöhung gefährdungslos ist.

Eine weitere Studie neuen Datums kommt zu einer gegenteiligen Einschätzung. Cider und Mitarbeiter [61] haben bei älteren Patienten mit CHF (NYHA II–III) Blutdruckverhalten, Herzfrequenz und Blutgasanalyse als Kriterium für kardiovaskuläre Belastung durch Eintauchen in warmes Wasser (33–34 °C) in sitzender Position in Ruhe und bei Belastung im Vergleich zu Ruhe an Land untersucht. Die bei Gesunden gesteigerte $O_2$-Aufnahme in Ruhe im Wasser wurde bei den CHF-Patienten nicht beobachtet. Das Ausbleiben dieses Anstiegs der $O_2$-Aufnahme bei CHF-Patienten ist im Einklang damit, dass bei CHF-Patienten das Schlagvolumen beim Eintauchen in Wasser abfällt [60]. Die Autoren werten dies aber nicht als Indiz für eine erhöhte Vorlast, sondern schließen aus den sonstigen fehlenden Unterschieden zur gesunden Kontrollgruppe und dem Wohlbefinden der PatientInnen, dass Eintauchen in Wasser und körperliche Belastung im Wasser für CHF-Patienten zuträglich sind. Im Gegensatz zu [60] wurden in dieser Studie keine Parameter gemessen, die die tatsächliche kardiale Belastung objektiv erfassen; die Interpretation der Daten richtet sich lediglich nach dem Eindruck, wie die Hydrotherapie „toleriert" wird.

Ein deutliche Verbesserung von Lebensqualität und hämodynamischen Funktionen konnte durch externe Warm- und Kaltwasserapplikationen bei Patienten

## 1.3 Internistische Fragestellungen

mit chronischer Herzinsuffizienz (CHF; NYHA II–III) erzielt werden [62]. Nach sechswöchiger Therapie nahmen Befindlichkeit, körperliche Leistungsfähigkeit und Lebensfreude zu, die Herzfrequenz in Ruhe und bei 50 W Belastung nahm signifikant ab, der Blutdruck zeigte ebenfalls eine fallende Tendenz. Die Ergebnisse können als vorteilhafte adaptive Reaktion bei CHF-Patienten gelten.

Trotz den beschriebenen pathologischen hämodynamischen Veränderungen erscheint eine Hydrotherapie bei PatientInnen mit CHF mit dem Argument indiziert, dass dadurch eine Verbesserung der aeroben Ausdauer und eine Ökonomisierung der Herzarbeit erzielt werden kann, ebenso wie mit Ergometertraining. Voraussetzung ist in beiden Fällen eine regelmäßige ärztliche Betreuung.

### Beachte

▷ PatientInnen mit Herzinsuffizienz tolerieren trotz objektiv nachweisbaren Zeichen der kardialen Vorlasterhöhung thermoneutrale und warme Bäder. Eintauchen in Wasser ist eine geringere Belastung als symptomlimitierte Ergometerbelastung mit gleicher Herzfrequenz.
▷ Langsames Schwimmen (20 m/min) entspricht einer Ergometerbelastung von 100 Watt.
▷ Sowohl Warm- als auch Kaltwasserapplikation können bei PatientInnen mit CHF eine deutliche Verbesserung der Lebensqualität und der hämodynamischen Parameter bewirken.

### 1.3.3 Einschränkungen der Lungenfunktion und Lungenerkrankungen

Eintauchen in Wasser führt infolge der damit verbundenen Erhöhung des Blutvolumens in den zentralen Kreislauf bei Gesunden zu den in Kap. 1.2.3 beschriebenen Veränderungen respiratorischer Funktionen im Sinne einer Herabsetzung der Lungenfunktionsparameter. Personen mit durch *Tetraplegie* bedingter Einschränkung der Atemmechanik (ohne Zwerchfelllähmung) profitierten durch einen erhöhten hydrostatischen Druck (15 min Eintauchen in Wasser mit 34 °C bis zur Schulter) durch einer bis zu 25%igen Zunahme der Vitalkapazität und einer deutlichen Zunahme der Einsekundenkapazität [63]. Ursächlich dafür dürfte eine Kombination der Auswirkungen des hydrostatischen Drucks auf das Zwerchfell und die schlaffe Abdominalmuskulatur sein, ähnlich der Wirkung eines abdominellen Gürtels. Je weiter kaudal die Zwerchfellkuppe vor der Immersion war, desto ausgeprägter war der Effekt. Weitere Untersuchungen sollen zeigen, ob dieser positive Effekt durch wiederholte Therapie konditionierbar ist und ob eventuell bessere Ergebnisse z.B. durch Variation der Wassertemperatur, der Therapiedauer sowie weiterer Parameter erzielt werden können.

Bei Patienten mit ausgeprägter *Zwerchfelldysfunktion/lähmung* führte Eintauchen in Wasser bis zum Nacken im Sitzen zu einer deutlichen Reduktion der Vitalkapazität (ca. 35%) und einer Steigerung der Atemfrequenz (ca. 25%) bei gleich bleibendem Atemzugvolumen. Die Patienten hatten im Vergleich zu Gesunden auch einen drastisch erhöhten Atemantrieb (Zunahme um 280%), und somit eine dramatische Atemnot [64]. Eintauchen in Wasser ist für Patienten mit ausgeprägter Zwerchfelldysfunktion offensichtlich kontraindiziert.

Gesunde und Patienten mit *Asthma* unterschieden sich bei Eintauchen in Wasser nicht hinsichtlich der damit verbundenen Reduktion der Vitalkapazität (VC), der Einsekundenkapazität (FEV1), des Verhältnisses FEV1/VC und der Atemflussgeschwindigkeiten bei 25–75% Ausatemvolumen. Im Gegensatz zu Gesunden verschlechterten sich die oben angeführten Lungenfunktionsparameter bei Eintauchen in Wasser im Anschluss an aerobe körperliche Belastung (Fahrradergometer oder Laufen). Gesunde wiesen nach körperlicher Belastung eine Verbesserung auf [65].

Kurabayashi und Mitarbeiter konnten zeigen [66], dass Patienten mit Asthma und Emphysem durch ein Therapie- und Atemprogramm mit Eintauchen bis zur Schulter in Wasser mit 38 °C profitieren. Nach Eintauchen in das Wasser im Stehen atmeten die Patienten tief ein und langsam unter Wasser aus. Das zweimal täglich 20minütige Programm wurde für zwei Monate absolviert. In beiden Patientenkollektiven trat eine Steigerung von FEV1/VC und eine Reduktion von $PaCO_2$ (arterieller $CO_2$-Druck) ein, bei Patienten mit Emphysem nahm zusätzlich auch der $PaO_2$ (arterieller Sauerstoffdruck) zu. Die ebenfalls

## 1.3 Internistische Fragestellungen

in die Studie eingeschlossenen Patienten mit konstruktiver Lungenerkrankung profitierten nicht von der Therapie.

Die gleiche Gruppe konnte für Patienten mit *Lungenemphysem* auch zeigen [67], dass das oben genannte Programm zu einer Steigerung der Herzauswurffraktion und zur Reduktion des linksventrikulären enddiastolischen und systolischen Volumens des Herzens in Ruhe führt.

> **Merke**
> ▷ Einschränkung der Atmung durch Zwerchfellähmung ist eine Kontraindikation für tiefes Eintauchen in Wasser.
> ▷ Hingegen profitieren PatientInnen mit tetraplegisch bedingter Störung der Atemmechanik (keine Zwerchfellähmung) durch Verbesserung der Atemmechanik bei tiefem Eintauchen in thermoneutrales Wasser.
> ▷ Günstige Auswirkungen auf die Lungenfunktion wurden bei PatientInnen mit Asthma und COPD gefunden, die ein Atemprogramm unter Eintauchen in thermoneutrales Wasser bis zur Schulter absolvierten.

### 1.3.4 Diabetes mellitus

Bei Gefäßen von Diabetikern sind pathologische Muster sowohl der Vasokonstriktion als auch Vasodilatation beschrieben worden. Als Ursachen kommen unter anderem endotheliale Dysfunktion, Mikroangiopathie, (subklinische) neuronale Defekte, oxidativer Stress und $O_2$-Mangel in Frage [68]. Die prädominante Anomalie der Regulation der Hautdurchblutung ist nach Stansberry et al. [68] der Verlust der Fähigkeit der aktiven neurogen gesteuerten Vasodilatation (s.a. Kap. 2.1.3).

Eine rezente Studie [69] von Petrofsky und Mitarbeitern zeigt, dass Kontrastbäder bei Diabetikern offensichtlich aufgrund dieser Störung der Steuerung der Hautdurchblutung eine um etwa 50% geringere Wirksamkeit aufweisen, als bei Gesunden. Durch Durchführung der Kontrastbäder bei höherer Umgebungstemperatur (32 °C anstatt 19 °C) konnten bei Gesunden und insbesondere bei Diabetikern deutlich bessere Therapieergebnisse erzielt werden.

Diabetiker profitierten von täglicher (30 min dauernder), dreiwöchiger aerober körperlicher Belastung in sitzender Position bis zu den Schultern eingetaucht in Wasser mit Temperaturen zwischen 37,8 °C und 41,0 °C [70]. Erzielt wurden eine Reduktion der nötigen Insulindosis, Gewichtsabnahme, Absinken des Nüchternblutzuckers und des glykosylierten Hämoglobins. Dieser Artikel wurde kurzfristig mit zwei wesentlichen Einwänden von H. Neil [71] kommentiert. Demnach sei bei Eintauchen in hyperthermes Wasser gerade bei Diabetikern Vorsicht wegen der damit verbundenen Herz-Kreislauf-Belastung geboten, zudem sei auch ein nachweisliches Infektionsrisiko mit Pseudomonas aeruginosa gerade bei Diabetikern gegeben.

K. Bernstein [72] weist darauf hin, dass die Gefahr von Hitzeschäden infolge einer verminderten Fähigkeit der adäquaten Steigerung der Durchblutung bestünde, unter anderem auch wegen der von Diabetikern aufgrund der Neuropathie ausbleibenden Schmerzwahrnehmung bei Überwärmung. Außerdem würde durch die lange Dauer des Bades die Haut aufgeweicht („mazeriert"), womit eine erhöhte Verletzungs- und Infektionsgefahr einhergehe.

In seiner Antwort [73] lässt Hooper alle diese Einwände gelten mit der Feststellung, dass sicherlich die sanitären Voraussetzungen und eine sorgfältige Auswahl geeigneter Patienten und deren Betreuung gewährleistet sein müssen. Diese detaillierte Darstellung zeigt, dass Hydrotherapie – wie andere therapeutische Interventionen auch – in konkreten Fällen durchaus kontrovers gesehen werden kann. Das Abwägen zwischen Indikation und Kontraindikation bzw. Vorteil und Schaden fällt nicht selten schwer.

## Beachte

▷ Kontrastbäder bei erhöhter Raumtemperatur (32 °C) zeigen bei Diabetikern einen deutlich besseren Effekt auf die Durchblutung als bei 18 °C.
▷ Regelmäßige körperliche Belastung bei Sitzen in hyperthermen Wasser kann bei Diabetikern positive therapeutische Effekte bewirken wie Gewichtsabnahme, Verbesserung der Glukoseutilisation und Reduktion der nötigen Insulindosis. Zu beachten sind als relative Kontraindikation die damit verbundene Herz-Kreislauf-Belastung, die reduzierte Wahrnehmung von Hyperthermie und das erhöhte Infektionsrisiko von Diabetikern.

## 1.3.5 Sauna bei Erkrankungen des Herz-Kreislauf-Systems und des Atemtrakts

Eine Abhandlung des Themas Sauna aus physikalisch-medizinischer Sicht kann im Kapitel 5.5 dieses Buches nachgelesen werden. Thermoregulation und Herz-Kreislauf-Regulation bei Sauna sind recht gut studiert. Die Zitate [84–86] sind eine z.T. subjektive, weil gut leserliche Auswahl aus einer Reihe von Arbeiten.

Wie *Tabelle 1.1* zeigt, sind die wesentlichen Wirkungen der Sauna während der Aufwärmphase eine drastische Blutumverteilung zur Haut, gepaart mit einer deutlichen Steigerung des Herzminutenvolumens infolge einer ausgeprägten Erhöhung der Herzfrequenz. Das erhöhte HMV wird durch die erhöhte Herzfrequenz und nicht durch Erhöhung des Schlagvolumens bereitgestellt [84, 85]. Die Schweißabsonderung kann die erhöhte Wärmezufuhr letztlich auf keinen Fall kompensieren, sodass es zu einem Anstieg der Kerntemperatur kommt. Der „Aufguss" am Ende eines Saunaganges führt zu einer beträchtlichen (kurzfristigen) Höherbelastung des Herz-Kreislauf-Systems, da infolge der hohen Luftfeuchtigkeit der Schweiß nicht mehr verdunsten kann und damit keine Wärmeabgabe möglich ist. Der Aufguss führt in der Regel zu einem Blutdruckanstieg. In der Abkühlphase normalisiert sich die Kerntemperatur bei Anwendung einer kalten Dusche nach ca. fünf Minuten, bei Raumluft von 18–20° nach etwa 30 Minuten („Nachschwitzen" und direkte Wärmeabgabe), bei (eiskaltem) Tauchbad etwa nach drei Minuten. Der Blutdruck steigt durch die zunehmende Konstriktion der Hautgefäße und die damit verbundene zentrale Volumenbelastung an.

Bei rascher Abkühlung durch ein kaltes Tauchbad steigt der Blutdruck sehr deutlich an, der hydrostatische Druck verstärkt akut zusätzlich zur Vasokonstriktion die Volumenbelastung. Während der Abkühlphase sinkt die Herzfrequenz ab.

Normales Saunabaden steigert die Herzarbeit wie mittelschnelles Gehen, die Herzleistung und der $O_2$-Bedarf sind aber niedriger als bei physischen und emotionalen Belastungen, die zur gleichen Herzfrequenz führen [87]. Bei Einhaltung bestimmter Regeln kann durch Sauna bei kardiovaskulären Erkrankungen wie Hypertonie und chronischer Herzinsuffizienz und auch bei Asthma

## Kapitel 1 Grundlagen der Hydrotherapie

Tab. 1.1 Zusammenstellung der Veränderungen physiologischer Parameter durch Thermoregulation und Herz-Kreislauf-Regulation bei Sauna während der Aufwärmphase (entnommen aus [84–86]).

| Parameter | Veränderung | Bemerkung |
|---|---|---|
| Hauttemperatur | Anstieg (38–42 °C) | innerhalb weniger Minuten |
| Hautdurchblutung | Anstieg auf 50–70% des HMV | 20–40fache Zunahme |
| Muskeldurchblutung | Reduktion (gering) | um ca. 0,2 l/min |
| Durchblutung der Nieren | Reduktion | um ca. 0,4 l/min |
| Durchblutung im Versorgungsgebiet des N. splanchnicus | Reduktion (deutlich) | um ca. 0,6 l/min |
| Zirkulierendes Volumen | Abnahme | durch Schweiß |
| Strömungswiderstand der peripheren Gefäße | Reduktion um ca. 40% | |
| Herzminutenvolumen (HMV) | Anstieg um 60–70% | |
| Herzfrequenz | Anstieg auf bis zu doppelter Ruhefrequenz | abhängig von Intensität der Sauna und Gewöhnung |
| Schlagvolumen | keine Änderung | |
| Systolischer Blutdruck | keine Änderung, mäßige Reduktion oder Zunahme | Zunahme bei „Aufguss" |
| Diastolischer Blutdruck | keine Änderung oder Abnahme | |
| Atemfrequenz und Atemminutenvolumen | Zunahme | erhöhter $O_2$-Bedarf infolge Schweißabsonderung und erhöhter Herzleistung |
| Sauerstoffverbrauch | Zunahme | |
| Schweißabsonderung | Zunahme | 0,6–1,2 kg/h |

## 1.3 Internistische Fragestellungen

und chronisch-obstruktiver Lungenerkrankung eine deutlich positive therapeutische Wirkung erzielt werden.

### *Hypertonie*

Im Zit. [86] sind recht klare und differenzierte Empfehlungen für die Auswahl von HypertonikerInnen angegeben, für die einerseits eine Sauna sicher empfohlen werden kann und die auch davon profitieren. In mehreren voneinander unabhängigen Studien konnte bei milder Hypertonie durch Sauna eine deutliche Blutdrucksenkung zumindest unter Ruhebedingungen nachgewiesen werden. Unter Einschluss von „schonenden" Saunaformen könnte nach Ansicht der Autoren Sauna für etwa 80% aller HypertonikerInnen empfohlen werden.

*Ausschlusskriterien:* maligne arterielle Hypertonie, schwer einstellbare Hypertonie, Therapie mit Dreifach-Kombination, hypertensive Herzkrankheit mit myokardialer, koronarer oder rhythmogener Herzinsuffizienz, manifeste Zerebralinsuffizienz, Zustand nach Schlaganfall infolge einer hypertonen Krise unter Medikation, Vasolabilität oder Neigung zu hypertonen Krisen.

### Beachte

Bei Einhalten von gut definierten Ausschlusskriterien kann Saunabaden etwa 80% der HypertonikerInnen definitiv empfohlen werden, da damit eindeutig eine positive Beeinflussung der Erkrankung verbunden ist.

### *Koronare Herzkrankheit (KHK)*

Experimentelle Studien weisen darauf hin, dass Sauna von PatientInnen mit *stabiler KHK* gut vertragen wird ([84] und dort zitierte Arbeiten). Im Vergleich mit physisch-körperlicher Belastung (z.B. Fahrradergometrie) hatten Patienten in den meisten Studien bei Sauna weniger oder geringer ausgeprägte ischämische Veränderungen im EKG und weniger ektope Schläge. Das Ausmaß von szintigrafisch nachgewiesenen Perfusionsdefekten war bei Sauna zwar höher als in Ruhe, aber geringer als bei körperlicher Belastung mit gleicher Herzfrequenz [88]. Der Einsatz von Sauna als Teil eines Rehabilitationsprogramms von Patienten nach Herzinfarkt zeigte deutliche positive Auswirkungen: Steigerung der linksventrikulären Auswurffraktion um bis zu 8% und Senkung des Blutdrucks [89]. Ein Zusammenhang zwischen Sauna und Reinfarkt oder plötzlichem Herztod besteht nicht [90]. In Finnland traten lediglich 1,7% aller Fälle von plötzlichem Herztod während oder bis zu 24 h nach der Sauna auf, ca. 30% davon waren unfallbedingt (Alkoholeinfluss oder Ertrinken). Die Mehrzahl der verbleibenden Fälle war auf akute Myokardinfarkte unter Alkoholeinfluss zurückzuführen [91].

### Beachte

▷ Saunabaden (ohne Abkühlphase in Kaltwasser!) führt bei PatientInnen mit KHK im Vergleich mit (bezogen auf die Herzfrequenz) gleicher körperlicher Belastung (z.B. Ergometrie) in geringerem Ausmaß zu Ischämie, Perfusionsdefekten und Arrhythmien.
▷ Sauna als Teil des Reha-Programmes von Postinfarkt-PatientInnen hat deutliche positive Auswirkungen auf Hämodynamik und Blutdruck.
▷ Ein immer wieder behauptetes Reinfarktrisiko durch Sauna lässt sich nicht wirklich belegen.

### *Chronische Herzinsuffizienz*

Auch für diese Patientengruppe konnte ein vorteilhafter Effekt der Sauna auf die Hämodynamik gezeigt werden [84,85]. Voraussetzungen für eine Sauna-Empfehlung sind, dass die Herzinsuffizienz kompensiert ist, die Abkühlphase in Raumluft erfolgt und keine anderen Kontraindikationen bestehen.

### *Asthma bronchiale, chronisch-obstruktive Lungenerkrankung (COPD), chronische Bronchitis*

Sauna führt bei chronischer Bronchitis und Asthma subjektiv zu einer Verbesserung der Atemfunktion, objektiv lassen sich Verbesserungen der Vitalkapazität, der Einsekundenkapazität, des Atemzugvolumens und des Atemminutenvolumens nachweisen [92]. Ernst und Mitarbeiter berichteten über eine Reduktion von akuten respiratorischen Infekten durch regelmäßiges Sauna-Baden [93].

## 1.3 Internistische Fragestellungen

### 1.3.6 Fallberichte von Komplikationen und gesundheitsschädlichen Auswirkungen von Hydrotherapie bei Erkrankungen aus dem internistischen Formenkreis

Fallberichte über Komplikationen können für die Praxis nützlich sein, indem sie zum bedachten Umgang mit Therapieverfahren mahnen und in ähnlich gelagerten Fällen Komplikationen vermeiden helfen. Die folgende Auswahl ist sicherlich subjektiv, aber durchaus praxisrelevant.

*Kälteinduzierte Myokardischämie*

Zitat [50] dokumentiert einen Fall einer Myokardischämie bei einer Frau mit durch Koronarangiografie nachgewiesen unauffälligen Herzkranzgefäßen, ausgelöst durch einen Sturz in 8 °C kaltes Wasser. Die Myokardischämie ist durch EKG und Echokardiografie (Hypokinesie) sowie einen erhöhten Wert von Troponin-I verifiziert. Kälteinduzierte Myokardischämien sind bei Personen mit koronarer Herzkrankheit dokumentiert [74], der obige Fall ist der erste bei blanden Koronargefäßen.

*Heißes japanisches Bad als Risikofaktor für plötzlichen Herztod*

In einer rezenten Arbeit berichten Chiba und Mitarbeiter [75] über das gehäufte Auftreten von supraventrikulären Extrasystolen und ventrikulären Tachykardien bei klinisch nicht näher untersuchten älteren Menschen (koronare Gefäßerkrankungen somit nicht ausgeschlossen). Sie werten die Exposition des japanischen *heißen* Bades als Risikofaktor für ältere, kardiologisch nicht näher untersuchte Personen.

*Kälteinduzierte Fingernekrose durch Kontrastbad*

Ein Patient mit Polyarthropathie (und der im Nachhinein wahrscheinlichen Diagnose einer Polyarteriitis nodosa) erlitt sechs Wochen nach einer Therapieserie mit Kontrastbädern (heiß – eiskalt) eine Nekrose des Endglieds des rechten Zeigefingers [76]. Die Autoren weisen darauf hin, dass „Kälteschocks" auch bei Gesunden zur Pulslosigkeit der Zeigefingerarterie führen. Fazit: bei entzündlich rheumatisch bedingten Arthropathien/Arthritiden sollte man an eine gleichzeitig vorhandene Arteriitis/Vaskulitis denken und mit extremen Kaltanwendungen zurückhaltend sein.

### Lungenödem bei Eintauchen in Wasser und körperlicher Anstrengung

Koehle und Koautoren [77] geben einen Überblick über Berichte von Lungenödem bei gesunden Personen (auch Leistungssportlern) im Zusammenhang mit Flaschentauchen, Tauchen unter Anhalten der Luft und Schwimmen. Es tritt in kaltem Wasser häufiger auf, ist von relativ kurzer Dauer, tritt aber mitunter wiederholt bei neuerlicher Belastung auf. Als Mechanismus wird eine inadäquate Reaktion der Lungenkapillaren auf den hohen Pulmonalarteriendruck diskutiert, der durch Kälte und erhöhtes Atemzugvolumen erhöht wird. Personen mit einer erhöhten Gefäßreagibilität scheinen ein höheres Risiko zu haben.

### Asthma im Whirlpool

Ein ebenfalls rezenter Bericht [78] weist darauf hin, dass in der Einatemluft bei Whirlpools Substanzen enthalten sind, die irritativ-toxisch auf die Atemwege wirken. Gezeigt konnte werden, dass bei insgesamt acht Patienten mit Asthma im Anschluss an ein Bad im Whirlpool eine erhöhte Reagibilität (Methacholin) der Atemwege auftrat, bei sechs davon in erheblichem Maße. Als Ursache werden Chloramine angenommen, die als Reaktionsprodukte des zur Desinfektion verwendeten Hypochlorit mit Ammoniak oder Aminoverbindungen (aus Urin und Schweiß) entstehen können.

### Hot tub lung (Heißwasserbad-Lunge)

Ebenfalls neueren Datums sind mehrere Arbeiten über das vermehrte Auftreten von Pneumonitis vom Hypersensitivitätstyp in den USA im Zusammenhang mit Heißwasserbädern. Bei einer systematischen Untersuchung von 21 Patienten mit Lungen- und Atemwegsbeschwerden und regelmäßiger Heißwasserbadanwendung wurde in allen Fällen aus Bronchialsekret oder Lungenbiopsiematerial *Mycobakterium avium* isoliert, ebenso auch aus dem untersuchten Badewasser [82]. Die Bedeutung dieser Befunde liegt unter anderem darin, dass die Patienten mit Erstdiagnosen wie Sarkoidose, Bronchitis und Asthma zugewiesen wurden, 18 PatientInnen wurden auch biopsiert, offensichtlich wegen des granulomatösen Aussehens der Infektionsherde im CT! Einige PatientInnen erhielten sogar eine Steroidtherapie (Verdacht auf Sarkoidose). Bei Erkennen der Erkrankung ist die Therapie/das Verhalten der

Wahl ein Meiden der Exposition, die Erkrankung heilt dann üblicherweise ohne medikamentöse Therapie aus.

### *Schwere Rhabdomyolyse nach Sauna bei Sichelzellanämie*

Bei Personen mit Sichelzellenanämie besteht bei höherer körperlicher Belastung ein bekanntes erhebliches Risiko schwerster Komplikationen, speziell der Rhabdomyolyse mit Nierenversagen [79]. Bei Athleten gilt Sichelzellanämie als erheblicher Risikofaktor für Komplikationen bei belastungsbedingtem Anstieg der Kerntemperatur bzw. Hyperthermie [80]. Rezent haben Eisenbach und Mitarbeiter einen Fallbericht über das Auftreten ebendieser Komplikation nach einem Saunabesuch veröffentlicht [81].

### *Durch heißes Wasser/heißes Bad ausgelöste Epilepsie (HWE)*

Hot water epilepsy tritt auf bei Übergießen des Kopfes mit heißem Wasser (40–50 °C), aber auch bei Eintauchen in heißes Wasser oder heißem Duschen. Die folgenden Angaben sind einem Übersichtsartikel von Satishchandra [83] entnommen. HWE tritt in einzelnen asiatisch-fernöstlichen Regionen mit einer erheblichen Prävalenz auf: 60 Fälle pro 100 000 Einwohner in Südindien (entspricht etwa 7% aller Epilepsien), für die südindischen Provinz Karnataka wird sogar eine Prävalenz von 255 pro 100 000 EinwohnerInnen angegeben. Isoliert wurden aber auch Fälle aus Australien, USA, Kanada, UK, Irland, Japan und der Türkei berichtet. Männer sind häufiger betroffen als Frauen, das Auftreten nimmt mit der Häufigkeit der Heißwasseranwendungen zu. Etwa 30% der Anfälle laufen primär mit tonisch-klonischen Krämpfen ab. In bis zu 38% der Fälle tritt nach einigen Jahren eine spontane (nicht nur durch heißes Wasser induzierte) Epilepsie auf. In bis zu 22% finden sich in der Familie der/des Betroffenen weitere Personen mit Epilepsie. Generell werden bei den Betroffenen keine sonstigen neurologischen Auffälligkeiten gefunden.

*HWE sollte bei zunehmendem Anteil an Mitbürgern asiatischer und fernöstlicher Ethnien auch in Europa die nötige Aufmerksamkeit des hydro- und balneotherapeutisch tätigen medizinischen Personals erhalten.*

## Abschließende Bemerkungen

In diesem Artikel wird bewusst versucht, die Thermoregulation und die damit „vernetzte" Herz-Kreislauf-Regulation in den Vordergrund zu stellen, da sie aus internistischer Sicht unmittelbar und mit den akutesten Folgeerscheinungen durch die Hydro- und Balneotherapie verbunden sind. Es wird bewusst versucht, anhand von ausgesuchten Beispielen Einblick zu geben in das Wissen um die Zusammenhänge. In einer ausführlichen Literaturliste werden die Quellen dieses Wissens genannt und gezeigt, dass ein erheblicher Anteil unserer detaillierteren Kenntnisse um die (Aus)Wirkungen von hydrotherapeutischen Anwendungen auf die Temperatur- und Herz-Kreislauf-Homöostase aus rezenten Publikationen stammt. Sehr wohl gibt es aber bereits etwa ab den 60er Jahren des vorigen Jahrhunderts sehr gute Grundlagenarbeiten zu dem Thema, als Beweis der Bemühungen um die wissenschaftliche Begründung der „intuitiven" und vorwiegend auf praktischer Erfahrung beruhenden Anwendung von Wärme und Kälte.

Die Entwicklungen der medizinischen Mess- und Diagnoseverfahren der letzten 30 Jahre und deren leichte Verfügbarkeit haben es letztlich ermöglicht, die Wirkungen von Hydro- und Balneotherapie in Form von Messdaten wie z.B. Herzauswurfleistung, Änderungen der regionalen Durchblutung, respiratorische Parameter, Herzfrequenzvariabilität, usw. darzustellen. Die aus der praktischen Erfahrung stammenden Ergebnisse erhalten dadurch ihre wissenschaftliche Begründung. Die Hydro- und Balneotherapien erhalten damit den ihnen zustehenden Rang als effiziente und wirksame Therapieverfahren. Sie sind nicht selten komplexen und teuren medikamentösen Therapien deutlich überlegen, vor allem auch, was die Langzeitwirkungen und das Anhalten des Therapieerfolges betrifft.

Der Ersatz des Psychiaters durch die Sauna [73] ist auf den ersten Blick polemisch, auf den zweiten sicherlich eine auch aus internistisch-rheumatologischer Sicht sehr gute Option: Gäbe es Balneo- und Hydrotherapie nicht, wären die mit den Erkrankungen des Haltungs- und Bewegungsapparats gekoppelten psychisch-psychosomatischen Beschwerden in der Tat häufiger Ziel einer Therapie mit Psychopharmaka.

Dem Verfasser dieses Artikels ist es ein Anliegen, aufzuzeigen, dass neuere Forschungsergebnisse die hochpotente Langzeitwirksamkeit von einfachen hydrotherapeutischen Anwendungen auch bei Erkrankungen aus dem internistischen Formenkreis belegen und eine recht präzise Abschätzung der potentiellen Nebenwirkungen und Gefährdungen erlauben. Dies ist aus entwicklungsbiologischer Sicht nicht wirklich verwunderlich, da die Einwirkungen durch Hydrotherapie aus unserer natürlichen Lebensumwelt stammen, an die sich der Mensch seit Jahrtausenden angepasst hat.

In verallgemeinernder Abwandlung der Schlussbemerkungen einer rezent erschienenen Übersicht von T. Bender, et al. [9] hat Hydro- und Balneotherapie nach heutigem Kenntnisstand sicherlich den Rang einer eigenständigen Therapieform neben medikamentöser Therapie, in speziellen Fällen – z.B. Gefäßerkrankungen, Haltungs- und Bewegungsapparat – sogar neben, sicherlich aber ergänzend zu chirurgisch interventionellen Verfahren.

Das Fehlen von gut geplanten, kontrollierten klinischen Studien schwächt diese Feststellung zugegebenermaßen. Durch den erfolgreichen Einsatz der Hydro- und Balneotherapie z.B. in der „Lifestyle"-Medizin, der leistungsmedizinischen Rehabilitation und zunehmend auch im klinisch-rehabilitativen Bereich erhält sie zurzeit die Aufmerksamkeit, die sicherlich vermehrt Studien zum „wissenschaftlich abgesicherten" Nachweis ihrer Wirksamkeit zur Folge haben wird.

Nicht zuletzt ist Hydro- und Balneotherapie auch als im Vergleich zu anderen Verfahren kostengünstige Therapiealternative oder -ergänzung ins Blickfeld der Finanzierungsverantwortlichen des Gesundheitswesens geraten. Die an den Nachweis der Wirksamkeit gebundene Empfehlung ihrer Anwendung wird aber ebenfalls Studien erfordern.

## *Literatur zu Kap. 1*

[1] http://de.wikipedia.org/wiki/Vinzenz_Priessnitz
[2] http://health.enotes.com/medicine-encyclopedia/hydrotherapy
[3] http://people.freenet.de/naturheilverein-jena/vorstellung.htm
[4] http://www.naturheilkundelexikon.de/plaintext/ „Schroth" anklicken
[5] http.//de.wikipedia.org/wiki/Naturheilverfahren
[6] Regal W, Nanut M. Die Wasserdoktoren – der Arzt als Droge (Altes Medizinisches Wien 52). Auf Spurensuche im Alten Medizinischen Wien. Ärzte Woche 2003;17(40)

[7] Wärmehaushalt. In: Vegetative Physiologie. Thews G, Vaupel P (Hrsg.). Vierte, überarbeitete und korrigierte Auflage. Springer-Verlag, Berlin Heidelberg New York (2001): pp 302–322.

[8] Gillert O, Rulffs W. Hydrotherapie und Balneotherapie. (1990), 11. Auflage. Pflaum Verlag München.

[9] Bender T, Karagülle Z, Bálint GP, Gutenbrunner Ch, Bálint PV, Sukenik S. Hydrotherapy, balneotherapy, and spa treatment in pain management. Rheumatol. Int. 2005; 25: 220–224.

[10] Pratt JM. The healing qualities of water. Orthopedic Technology Review 2002;4(4). http://www.orthopedictechreview.com/issues/julaug02/pg30.htm

[11] Johnson JM, Proppe DW. Cardiovascular adjustments to heat stress In: Handbook of Physiology and Environmental Physiology. Bethesda, MD: Am Physiol Soc., 1996, sect. 4, vol. I, chapt. 11, p. 215–243.

[12] Crandall CG, Johnson JM, Kosiba WA, Kellogg DL Jr. Baroreceptor control of the cutaneous vasodilator system. J Appl Physiol (1996);81(5) :2192–98.

[13] Kellog DL Jr, Pergola PE, Piest KL, et al. Cutaneous active vasodilation in humans is mediated by cholinergic nerve cotransmission. Circ Res 1995;77(6):1222–28.

[14] Bennett LA, Johnson JM, Stephens DP, et al. Evidence for a role for vasoactive intestinal peptide in active vasodilatation in the cutaneous vascu-lature of humans. J Physiol 2003;552(Pt1):223–32.

[15] Arborelius M, Balldin UI, Liljia B, Lundgren CEG. Hemodynamic changes in men during immersion with the head above the water. Aerospace Med (1972); 43:592–598.

[16] Risch WD, Koubenec H-J, Beckmann U, Lange S, Gauer HO. The effect of graded immersion on heart volume, central venous pressure, pulmonary blood distribution, and heart rate in man. Pflügers Arch (1978);374:115–118.

[17] Lange L, Lange S, Echt M, Gauer OH. Heart volume in relation to body posture and immersion in a thermo-neutral bath. Pflügers Arch (1974);252:219–26.

[18] Risch WD, Koubenec H-J, Gauer OH, Lange S. Time course of cardiac distension with rapid immersion in a thermo-neutral bath. Pflügers Arch (1978);374:119–20.

[19] Gabrielsen A, Johansen LB, Norsk P. Central cardiovascular pressure during graded water immersion in humans. J Appl Physiol (1993);75:581–585.

[20] Epstein M. Renal effects of head-out water immersion in humans: a 15-year update. Physiol Rev (1992);72:563–621.

[21] Park KS, Choi LK, Park YS. Cardiovascular regulation during water immersion. Appl Hum Sci (1999);18(6):233–241.

[22] Epstein M. Renal effects of head-out water immersion in man: implication for an understanding of volume homeostasis. Physiol Rev (1978);58:1577–1585.

[23] Smith DE, Kaye AD, Mubarek SK, et al. Cardiac effects of water immersion in healthy volunteers. Echocardiography (1998);15:35–42

[24] Kawakami Y, Natelson BH, DuBois AR. Cardiovascular effects of face immersion and factors affecting diving reflex in man. J Appl Physiol. 1967 23(6):964–70.

## 1.3 Internistische Fragestellungen

[25] Kinoshita T, Nagata S, Baba R, et al. Cold-water face immersion per se elicits cardiac parasympathetic activity. Circ J 2006;70:773–776.
[26] Hildebrandt G, Gutenbrunner C (1998): Handbuch der Balneologie und Medizinischen Klimatologie. Springer. Pp 22,29,74f., 501.
[27] Cordes JC. Die thermische Hautreaktion unter Hydrotherapie für die Praxis. Z Physiother. 1972;24:413.
[28] Joachim Blaurock. Durchblutungsänderungen von Haut und Nasenschleim-haut durch Konditionierung mittels verschiedener gewohnheitsmäßiger hydro-therapeutischer Maßnahmen. Dissertation zur Erlangung des akademischen Grades Doctor medicinae. Aus der Klinik und Poliklinik für Physikalische Medizin und Rehabilitation der Medizinischen Fakultät der Charité – Universitätsmedizin Berlin, 2006.
[29] Lewis, G. Observations upon reactions in vessels of skin to cold. Heart (1930); 15:177–208
[30] Beiser DG, Zelis R, Epstein SE, Mason DT, Braunwald E. The role of skin and muscle resistance vessels in reflexes mediated by the baroreceptor system. J Clin Invest 1970; 49: 225–231.
[31] Bonde-Petersen F, Schultz-Pedersen L, Dragsted N. Peripheral and central blood flow in man during cold, thermoneutral, and hot water immersion. Aviat Space Environ Med 1992;63(5):346–50.
[32] Hope A, Aanderud L, Asbjørn A. Dehydration and body fluid-regulating hormones during sweating in warm (38 °C) fresh – and seawater immersion. J Appl Physiol 2001; 91: 1529–34.
[33] Roddie IC, Shepherd JT, Whelan RF. The contribution of constrictor and dilator nerves to the skin vasodilation during body heating. J Physiol 1957;136:489–497.
[34] Fox RH, Edholm OG. Nervous control of the cutaneous circulation. Br Med Bull 1963;19:110–114.
[35] Fox RH, Hilton SM. Bradykinin formation in human skin as a factor in heat vasodilation. J Physiol 1958;142:219–232.
[36] Colantuoni A, Bertuglis S, Coppini G, Donato L. Superposition of arteriolar vasomotion waves and regulation of blood flow in skeletal muscle microcirculation. Adv Exp Med Biol 1990; 277: 549–558.
[37] Tipton MJ. The initial responses to cold-water immersion in man. Clin Sci 1989; 77(6): 581–88.
[38] Survival in cold waters: staying Alive. Transport Canada Marine (AMSRE), Ottawa, ON K1A 0N8 (Hrsg.). 2003. http://www.tc.gc.ca/marinesafety/TP/Tp13822/chapter-3.htm
[39] Taylor NA, Morrison JB. Static and dynamic pulmonary compliance durig upright immersion. Acta Physiol Scand 1993;149:413–417.
[40] Mekjavic IB, Bligh J. The increased oxygen uptake upon immersion. Eur J Appl Physiol 1989;58:556–562.
[41] Craig AB, Dvorak M. Expitatory reserve volume ans vital capacity of the lungs during immersion in water. J Appl Physiol 1975;38:5–9.

[42] Jarret AS. Effect of immersion on intrapulmonary pressure. J Appl Physiol 1965; 20: 1261–1266.
[43] Dahlback GO, Jonsson E, Liner MH. Influence of hydrostatic compression of the chest and intrathoracic blood pooling on static lung mechanics during head-out immersion. Undersea Biomed Res 1978;5:71–85.
[44] Datta A, Tipton M. Respiratory responses to cold water immersion: neural pathways, interactions, and clinical consequences awake and asleep. J Appl Physiol 2006;100:2057–2064.
[45] Keatinge WR, McIlroy MB, Goldfien A. Cardiovascular responses to ice – cold showers. J Appl Physiol 1964;19:1145–50.
[46] Scholander PF, Hammel HAT, LeMessurier H, et al. Circulatory adjustments in pearl divers. J Appl Physiol 1962;17:184–90.
[47] Datta A, Barwood M, Tipton MJ. ECG arrhythmias following breathhold during head-out cold water immersion: putative neural mechanisms and implications for sudden death on immersion. In: Environmental Ergonomics XI: rdited by Holmer I, Kuklae K and Gao C Ystad, Sweden: Lund University 2005, p 247–250.
[48] Lorentz E Whittmers Jr. Pathophysiology of cold exposure. Minnesota Medicine Nov. 2001; 84. http://www.mnmed.org/publications/MnMed2001/November/Whittmers.html
[49] Stocks JM, Patterson MJ, Hyde DE, et al. Effects of immersion water temperature on whole –body fluid distribution in humans. Acta Physiol Scand 2004;182:3–10.
[50] Kolettis ThM, Katsouras ChS, Pappas K, Goudevenos J. Myocardial ischemia caused by cold-water submersion. Internat Journal of Cardiology 2005;99:467–469.
[51] Lindner J. Gewohnheitsmäßige hydrotherapeutische Maßnahmen und ihre Auswirkungen auf Kreislaufparameter, Hauttemperatur und konsensuelle Gefäßreaktion. Med. Dissertation München (1990).
[52] Smolander J. Effect of cold exposure on older humans. Int J Sports Med 2002;23(2):86–92.
[53] Young AJ, Lee DT. Aging and human cold tolerance. Exp. Aging Res 1997;23(1):45–67.
[54] Kenney WL. Thermoregulation at rest and during exercise in healthy older adults. Exerc Sport Sci Rev 1997;25:41–76.
[55] Harju EL. Cold and warmth perception mapped for age, gender, and body area. Somatosens Mot Res 2002;19(1):61–75.
[56] Pandolf KB. Aging and human heat tolerance. Exp Aging Res 1997;23(1):69–105.
[57] Anderson GS, Meneilly GS, Mekjavic JB. Passive temperature lability in the elderly. Eur J Appl Physiol Occup Physiol 1996;73(3–4):278–86.
[58] Minson ChT, Wladkowski SL, Cardell A, et al. Age alters the cardiovascular response to direct passive heating. J Appl Physiol 1998;84:1223–1332.
[59] Lietava J, Vohnout B, Valent D, Celko J. Comparison of hemodynamics during hyperthermal immersion and exercise testing in apparently healthy females aged 50–60 years. Ital Heart J 2004;5(7): 511–16.
[60] Meyer K, Bucking J. Exercise in heart failure: should aqua therapy and swimming be allowed ? Med Sci Sports Exerc 2004;36(12):2017–23.

[61] Cider A, Sunnerhagen KS, Schaufelberger M, Andersson B. Cardio-respiratory effects of warm water immersion in elderly patients with chronic heart failure. Clin Physiol Funct Imaging 2005;25(6):313–317.

[62] Michalesen A, Ludke R, Buhring M, Spahn G, et al. Thermal hydrotherapy improves quality of life and hemodynamic function in patients with chronic heart failure. Am Heart J 2003;146(4):728–33.

[63] Thomaz S, Beraldo P, Mateus S, et al. Effects of partial isothermic immersion on the spirometry parameters of tetraplegic patients. Chest 2005;128:184–189.

[64] Schoenhofer B, Koehler D, Polkey MI. Influence of immersion in water on muscle function and breathing pattern in patients with severe diaphragm weakness. Chest 2004; 125: 2069–2074.

[65] Leddy JJ, Roberts A, Moalem J, et al. Efects of water immersion on pulmonary function in asthmatics. Undersea Hyperb Med 2001;28(2):75–82.

[66] Kurabayashi H, Machida I, Yoshida Y, et al. Clinical analysis of breathing exercise during immersion in 38 degrees C water for obstructive and constructive pulmonary diseases. J Med 1999;30(1–2):61–66.

[67] Kurabayashi H, Machida I, Kubota K. Improvement in ejection fraction by hydrotherapy as rehabilitation in patients with chronic pulmonary emphysema. Physiother Res Int 1998; 3(4): 284–91.

[68] Stansberry KB, Peppard HR, Babyak LM, et al. Primary nociceptive afferents mediate the blood flow dysfunction in non-glabrous (hairy) skin of type 2 diabetes. A new model for the pathogenesis of microvascular dysfunction. Diabetes Care 1999;22(9):1549–1554.

[69] Petrofsky J, Lohmann III E, Lee S, et al. The influence of alterations in room temperature on skin blood flow during contrast baths in patients with diabetes. Med Sci Monit 2006;12(7):CR290–295.

[70] Hooper P. Hot-tub therapy for type 2 diabetes mellitus. N Engl J Med 1999;341:924–25.

[71] Neil H. Hot-tub therapy for type 2 diabetes mellitus. N Engl J Med 2000;342:218–19.

[72] Allison TG, Reger WE. Comparison of responses of men to immersion in circulating water at 40,0 and 41,5 degrees C. Aviation Space Environ Med 1998;69(9):845–50.

[73] Kataoka Y, Yoshida F. The change of hemodynamics and herat rate variability on bathing by the gap of water temperature. Biomed Biopharmacother 2005;59(Suppl 1):S92–99.

[73] Brenke R. Erspart die Sauna den Psychiater? MMW-Fortschr.Med. 2006;148(7):26–30

[74] Feldmann RL, Whittel JL, Marx JD, et al. Regional coronary hemodynamic responses to cold stimulation in patients without variant angina. The Amer J Cardiol 1982; 49(4): 665–673.

[75] Chiba T, Yamauchi M, Nishida N, et al. Risk factors of sudden death in the Japanese hot bath in the senior population. Forensic Sci Int 2005;49(2–3):151–58.

[76] Hanson JH, McAlindon TE. Possible danger of cold water. Brit J Rheumatol 1993; 32(6): 525–26.

[77] Koehle MS, Lepawsky M, McKenzie DC. Pulmonary edema of immersion. Sports Med 2005; 35(3): 183–90.

## Kapitel 1 Grundlagen der Hydrotherapie

[78] Stav D. Asthma and whirlpool baths. N Engl J Med 2005;353(15):1635–36.
[79] Koppes GM, Daly JJ, Coltman CA, Butkus DE. Exertion induced rhabdo-myolysis with acute renal failure and disseminated intravasal coagulation in sickle cell trait. Am J Med 1977;63(2):313–317.
[80] Binkley HM, Beckett J, Casa DJ, et al. National athletic trainers` association position statement: exertional heat illness. Journal of Athletic Training 2002;37(3):329–43.
[81] Eisenbach Ch, Pohl J, Dikow R, et al. Severe rhabdomyolysis and renal failure triggered by sauna visit in sickle cell trait: a case report. Clin Nephrol 2005;63(3):229–31.
[82] Hanak V, Kalra S, Askamit TR, et al. Hot tub lung: presenting features and clinical course of 21 patients. Respir Med 2006;100(4):610–15.
[83] Satishchandra P. Geographically specific epilepsy syndromes in India. Hot – water epilepsy. Epilepsy 2003;44(Suppl1):29–32.
[84] Hannuksela ML, Ellaham S. Benefits and risks of sauna bathing. Amer J Med 2001; 110: 118–126.
[85] Kauppinen K. Facts and fables about sauna. Thermoregulation: Tenth International Symposium on the Pharacology of Thermoregulation. Ann N Y Acad Sci 1977;813:654–662.
[86] Sanner B, Kreuzer I, Sturm A. Sauna bei arterieller Hypertonie. Dtsch med Wschr 1993; 118: 1698–1703.
[87] Luurila OJ. Arrhythmias and other cardiovasculart responses during Finnish sauna and exercise testing in healthy men and post – myocardial infarction patients. Act Med Scand 1980; 641(Suppl): 1–60.
[88] Gianetti N, Juneau M, Arsenault A, et al. Sauna – induced myocardial ischemia in patients with coronary artery disease. Am J Med 1999;107:228–233.
[89] Winterfeld HJ, Siewert J, Strangfeld D, et al. Die Saunatherapie bei koronarer Herzkrankheit mit Hypertonie nach Bypassoperation, bei Herzwand-Aneurysma-Operation und bei essentieller Hypertonie. Z Gesamt Inn Med 1993;48:247–250.
[90] Eisalo A, Luurila OJ. The finnish sauna and cardiovascular diseases. Ann Clin Res 1988; 20: 267–270.
[91] Luurila OJ. Cardiac arrhythmias, sudden death and the Finnish sauna bath. Adv Cardiol 1978; 25:73–81.
[92] Laitinen LA, Lindqvist A, Heino M. Lungs and ventilation in sauna. Ann Clin Res 1988; 20: 244–248.
[93] Ernst E, Pecho E, Wirz P, Saradeth T. Regular sauna bathing and the incidence of common colds. Ann Med 1990;22:225–227.

# 2 Physikalische und physiologische Wirkungen der Hydrotherapie

Christoph Gutenbrunner

Die Wirkungen der Hydrotherapie leiten sich aus den physiologischen Wirkungen der äußerlichen Anwendung des Wassers ab. Dabei kann das Wasser je nach Anwendungsmodus mechanische und thermische Wirkungen haben. Chemische Effekte spielen bei der äußeren Anwendung einfachen Wassers keine entscheidende Rolle. Sie können aber bei Anwendung von Heilwässern (Balneotherapie), Bädern mit meist pflanzlichen Zusätzen (Medizinische Bäder) wesentlich zur Wirkung beitragen. Die mechanischen und thermischen Eigenschaften des Wassers können im Körper direkte Reaktionen auslösen, die in der Regel den Charakter von Gegenreaktionen auf die veränderten Bedingungen des äußeren Milieus haben. Diese physiologischen Antworten auf die verschiedenen Reizqualitäten überdauern die Anwendungsdauer meist um einige Minuten bis (maximal) Stunden. Für längerfristige therapeutische Effekte sind sie insofern von Bedeutung, als sie längerfristige funktionelle Adaptationen triggern können, die die Regulationskapazität des Körpers verbessern und hygiogenetischen[1] Charakter haben (Gutenbrunner u. Hildebrandt 1998).

---

[1] Hygiogenese = Erhaltung bzw. Entwicklung von Gesundheit (vgl. Gutenbrunner u. Hildebrandt 1998)

## Kapitel 2 Wirkungen der Hydrotherapie

## 2.1 Wirkfaktoren der Hydrotherapie

### 2.1.1 Mechanische Wirkfaktoren

Mechanische Wirkungen hydrotherapeutischer Anwendungen sind vor allem beim *Vollbad* wichtig (Schnizer u. Mitarb. 1986; Hildebrandt u. Gutenbrunner 1998). Der *hydrostatische Druck*, der beim Eintauchen in das Wasser auf den Körper wirkt, beträgt pro Meter Eintauchtiefe 76 mmHg. Er übersteigt den Druck im venösen Kreislaufschenkel und führt somit zu einer Kompression peripherer Venen. Eine Ausnahme bilden die im Thorax befindlichen Venenabschnitte, die durch die starre knöcherne Thoraxwand vor der Druckeinwirkung geschützt sind. Weiterhin sind die Weichteile des Abdomens dem erhöhten Druck ausgesetzt, was zu einer mechanischen Höherverlagerung des Zwerchfells führt. Die Rückwirkungen dieser Mechanismen auf Kreislauf und Atmung werden in Abschnitt 2.2 dieses Kapitels abgehandelt.
Der *Auftrieb*, der bei der Immersion des Körpers in Wasser entsteht, entspricht quantitativ dem Volumen des vom Körper verdrängten Wassers. Somit kann im Vollbad der Körper praktisch in Schwerelosigkeit gelagert werden. Der Auftrieb im Bad nimmt mit dem spezifischen Gewicht des Bademediums zu und ist daher bei höher konzentrierten Solen[1] und bei Peloidbädern (Moor oder Schlammbäder) im Vergleich zu einfachem Wasser gesteigert. Der Auftrieb im Vollbad bewirkt vor allem eine mechanische Entlastung von Extremitätengelenken und den Bewegungssegmenten der im Bad befindlichen Wirbelsäulenabschnitte einschließlich der Bandscheiben.
Die im Vergleich zu Luft größere *Viskosität* des Wassers führt bei Bewegungen im Wasser (Bewegungsbad) zu einem erhöhten Reibungswiderstand. Dieser nimmt mit dem Quadrat der Bewegungsgeschwindigkeit zu. Er kann zu gezielten dynamischen Muskelanspannungen genutzt werden und bedarf einer besonderen Dosierung im Bewegungsbad (Anleitung durch den Therapeuten), auch in Kombination mit den Effekten des Auftriebes.
*Einige neuere Konzepte der Bewegungstherapie im Wasser verändern die Effekte des Auftriebs und Bewegungswiderstandes im Wasser durch Auftriebskörper (luftgefüllte*

---

[1] Sole = Natrium-Chlorid-Wasser mit einer NaCl-Konzentration von über 240 mVal/l

## 2.1 Wirkfaktoren der Hydrotherapie

*Manschetten, weiche Schaumstoffteile, sog. Nudeln) oder Gewichte. So werden z.B. im sog. Gewichtsbad nach Moll durch Anhängen von Gewichten im körpertiefen Wasser Wirbelsäulenextensionen durchgeführt.*

Bei den klassischen Güssen nach Sebastian Kneipp (Kneippguss) spielen die mechanischen Wirkfaktoren keine wesentliche Rolle. Das Übergießen eines Körperteils mit geringem Druck aus großlumigen Rohren[1] oder Schläuchen vermeidet jede mechanische Druckwirkung, was insbesondere bei der Anwendung über Varizen therapeutisch relevant ist (Brüggemann, 1986). Anders sieht dies hingegen beim *Blitzguss* aus, bei dem ein Wasserstrahl mit hohem Druck und aus größerer Entfernung z.B. auf den Rücken des Patienten gerichtet wird. Hier kommt der lokale Druck im Sinne einer Massagewirkung als zusätzlicher Wirkfaktor zum Tragen. Entsprechendes gilt auch für die *Unterwasserdruckstrahlmassagen*, bei denen im Bad ein Wasserstrahl mit hohem Druck auf die behandelten Körperabschnitte gelenkt wird. Er führt primär bereits zu erheblichen Gewebsverformungen im Sinne einer Massagewirkung *(Abb. 2.1a–c)*.

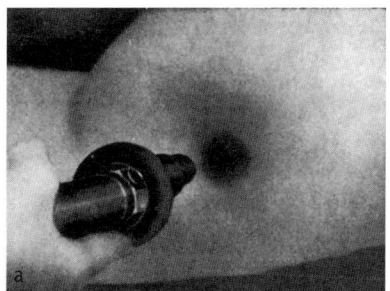
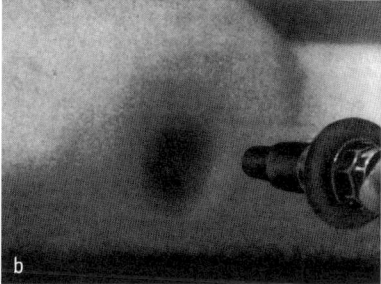
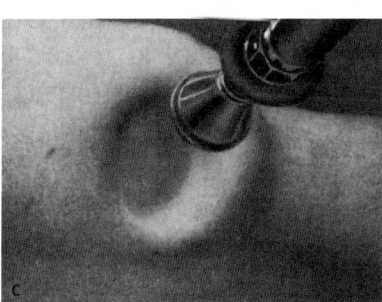

**Abb. 2.1** Unterwasserdruckstrahlmassage.

---

[1] Im Original nach Kneipp: aus der Gießkanne

## Kapitel 2 Wirkungen der Hydrotherapie

### 2.1.2 Thermische Wirkfaktoren

Für die Beurteilung der thermischen Wirkungen von Wasseranwendungen sind die thermophysiologischen Unterschiede zwischen gasförmigen und flüssigen Medien von entscheidender Bedeutung. So erfolgt die *Wärmeabgabe* an die Umgebung in Luft zum größten Teil über Strahlung und zu einem kleineren Teil über Konvektion und Wärmeleitung *(Abb. 2.2)*. Hinzu kommt die Möglichkeit über die Verdunstung von Schweiß zusätzlich Wärme abzugeben. Im Wasser geschieht der Wärmeübergang hingegen ganz überwiegend über Leitung und Konvektion. Hinzu kommt ein geringerer Anteil des Wärmeübergangs über Strahlung. Die Möglichkeit der Wärmeabgabe durch Verdunstung entfällt vollständig. Aus diesen Gründen ist der Wärmeaustausch zwischen Wasser und dem Körper sehr viel intensiver als zwischen Luft und Körper. Der thermische Toleranzbereich ist folglich im Wasser deutlich geringer.

Die geschilderten Unterschiede der thermophysikalischen Eigenschaften von Luft und Wasser haben auch Rückwirkungen auf den *Thermoneutralpunkt*, d.h. die Temperatur, bei der dem Körper weder Wärme zugeführt noch entzogen wird. Während er bei Luft im Bereich von 28 °C liegt, beträgt er für Wasser 35–36 °C. Dies entspricht auch dem thermischen Komfortbereich (Hildebrandt 1990). Wasseranwendungen mit Temperaturen über 36 °C führen somit

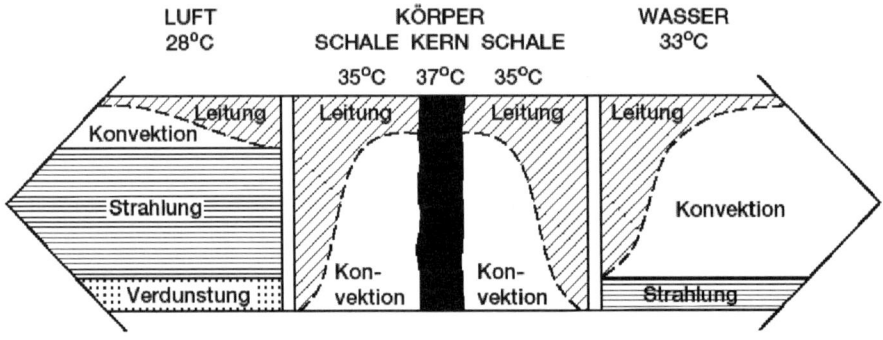

**Abb. 2.2** Unterschiede der Wärmeabgabe in Wasser und in Luft (nach Hensel et al. 1973, aus Gutenbrunner u. Hildebrandt 1998).

## 2.1 Wirkfaktoren der Hydrotherapie

Wärme zu und werden als hypertherm bezeichnet. Bei Temperaturen unter 35 °C wird Wärme entzogen (hypotherme Anwendungen). Wasseranwendungen im Bereich von 35–36 °C werden als isotherm bezeichnet.

*Isotherme Bäder werden immer dann angewendet, wenn nur die mechanischen oder chemischen Wirkungen zum Tragen kommen sollen, bzw. wenn das Wasser als Medium für andere Wirkfaktoren (elektrischer Strom/Stangerbäder, Ultraschall) dient.*

### 2.1.3 Chemische Wirkfaktoren

Die äußere Anwendung von Wasser beinhaltet grundsätzlich auch die Möglichkeit für chemische Wirkungen, die insbesondere bei Heilwasser- und medizinischen Zusatzbädern eine Rolle spielen. Sie können aus folgenden Mechanismen bestehen:

▷ Adsorption (Anlagerung) von Heilwasserinhaltsstoffen an die Hautoberfläche (z.B. NaCl)
▷ Deposition (Ablagerung) von Wasserinhaltsstoffen in die Haut (z.B. von Kochsalz)
▷ Absorption (Aufnahme) von Wasserinhaltsstoffen über die Haut (z.B. $CO_2$, Terpene)
▷ Elution (Herauslösung) von in der Haut befindlichen löslichen Stoffen in das Bademedium (z.B. Harnstoff, Urocaninsäure) (insbesondere bei höher konzentrierten NaCl-Bädern).

Die Wasseraufnahme im Bad beträgt 1 µl/cm² · h. Für gasförmige Badeinhaltsstoffe und solche, die gleichzeitig lipophil und hydrophil sind, kann diese Zahl bis zu 100mal höher liegen *(Abb. 2.3)*. Für die Gesamtwasserbilanz spielt die Aufnahme von Wasser in den Körper über die Haut im Bad keine wesentliche Rolle. Die Veränderungen des Hautwassergehaltes sind bei der Betrachtung möglicher Bäderwirkungen allerdings in Rechnung zu stellen.

# Kapitel 2 Wirkungen der Hydrotherapie

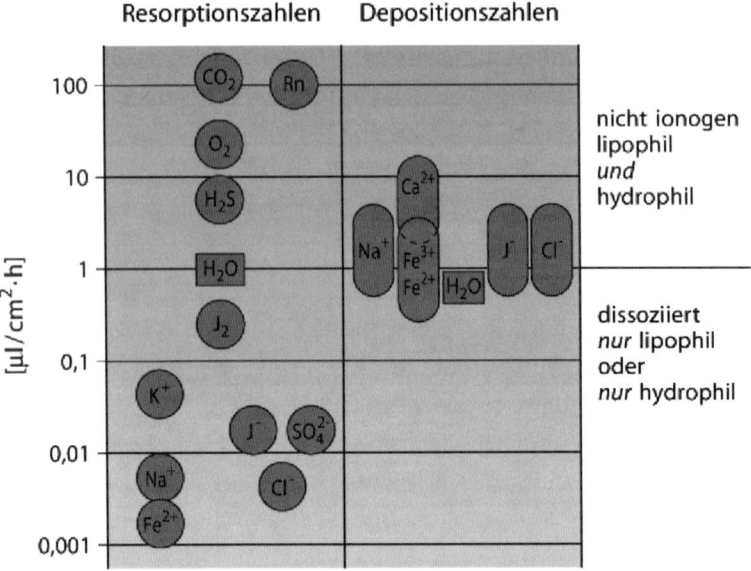

**Abb. 2.3** Resorptions- und Depositionszahlen für verschiedene Badeinhaltsstoffe (nach Drexel et al. 1970, aus Gutenbrunner u. Hildebrandt 1998).

## 2.2 Unmittelbare Effekte

### 2.2.1 Mechanische Wirkungen

#### Herz-Kreislauf-System

Für mechanische Bäderwirkungen auf das Herz-Kreislauf-System ist vor allem der *hydrostatische Druck* der Immersion von Bedeutung. An Extremitäten und Abdomen setzt er sich praktisch unvermindert in das Körperinnere fort. Der Thorax leistet dagegen einerseits wegen seines knöchernen Gerüstes der Kompression Widerstand, andererseits können hier Volumenänderungen durch die frei mit der Atmosphäre kommunizierenden Atemräume ohne wesentlichen Druckanstieg ausgeglichen werden (Literaturübersicht s. Hildebrandt u. Gutenbrunner, 1998). Im Bad entsteht somit ein Druckgefälle zum Thorax hin. Diesem Druckgefälle folgend werden die beweglichen Körperflüssigkeiten (Blut, Gewebeflüssigkeit), soweit sie nicht unter einer entsprechend hohen

## 2.2 Unmittelbare Effekte

Eigenspannung stehen (arterielles System), zum Thoraxinneren hin verdrängt. Auch die verschieblichen Abdominalorgane folgen dem Druckgefälle und wölben das Zwerchfell in den Thorax vor *(Abb. 2.4)*.

Die größten Volumenverschiebungen finden im Niederdrucksystem des Kreislaufs statt, zu dem außer den Venen des großen Kreislaufes auch das gesamte pulmonale Gefäßsystem und das Herz gehören. Das aus den extrathorakalen Abschnitten verdrängte Blut sammelt sich in den intrathorakalen Blutspeichern an, was röntgenologisch an einer mit der Eintauchtiefe zunehmenden Verbreiterung der Gefäßschatten und einer Zunahme des Herzvolumens nachweisbar ist. Dies entspricht einer Steigerung des zentralen Venendruckes und damit des venösen Füllungsdruckes des Herzens, wobei allerdings auch Anhalte dafür vorliegen, dass die großen Volumenzunahmen der intrathorakalen Abschnitte mit einer Abnahme des Wandmuskeltonus einhergehen. Die hydrostatische Gewebedrucksteigerung verschiebt das Gleichgewicht der für den

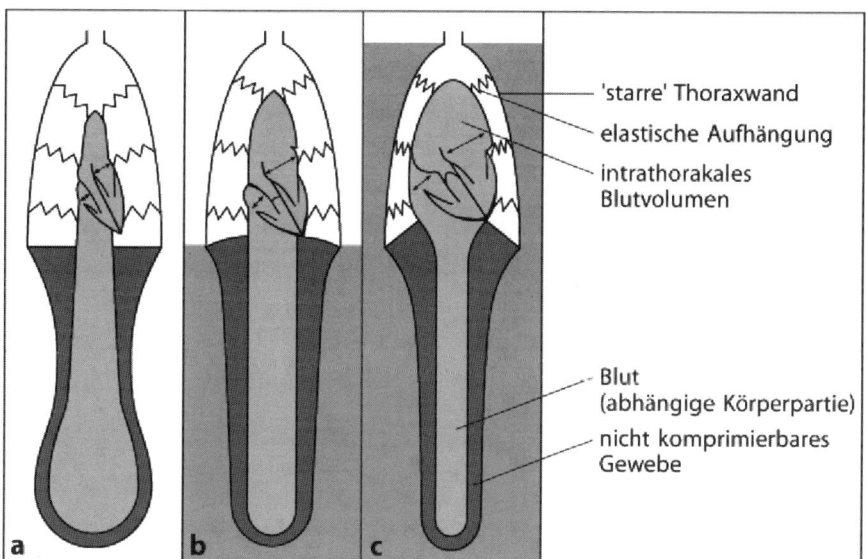

**Abb. 2.4** Schematische Darstellung der Einflüsse des hydrostatischen Drucks im Bad auf das Herz-Kreislauf-System und die Atmung. **a.** ohne Bad; **b.** bei Badehöhe bis zur unteren Thoraxapertur; **c.** im Vollbad (Head-out water-immersion) (nach Gauer 1955, aus Gutenbrunner u. Hildebrandt 1998).

peripheren Flüssigkeitswechsel zwischen Blut und Gewebe maßgeblichen Kräfte in Richtung auf eine Gewebeentwässerung, so dass im thermoindifferenten Bad eine Hydrämie nachweisbar ist. Über die initiale Volumenverschiebung im Niederdrucksystem hinaus besteht auch eine hydrostatisch bedingte Förderung des venösen Rückflusses mit Verkürzung der Verweilzeiten des Blutes in den peripheren venösen Kreislaufabschnitten. Im arteriellen System sinken sowohl systolischer als auch diastolischer Blutdruck ab. Darüber hinaus führt die hydrostatisch bedingte Verminderung des transmuralen Druckgradienten der Arterien zu einer Abnahme der Gefäßwandspannung. Diese ist im Bereich des Aortenwindkessels auch an einer Abnahme der Pulswellengeschwindigkeit nachweisbar.

Auffällig ist, dass das Schlagvolumen des Herzens trotz des erhöhten venösen Angebotes im Vollbad nur geringfügig zunimmt. Das vergrößerte Herz muss demnach mit einer erhöhten Restblutmenge arbeiten. Da im thermoindifferenten Bad die Herzfrequenz in der Regel leicht absinkt, kommen nur geringe Steigerungen des Herzzeitvolumens (5–25%) zustande. Ob das Absinken des peripheren Kreislaufwiderstandes zentralnervös vermittelt wird oder ob hieran überwiegend vasodilatatorische Hormone (ANF) beteiligt sind, ist noch nicht abschließend geklärt (Literaturübersicht s. Schnizer u Mitarb., 1989).

Eine weitere Folge der Steigerung des intrathorakalen Blutvolumens stellt die Badediurese dar, die erst einsetzt, wenn der Wasserspiegel den unteren Brustkorbrand übersteigt. Dieser Effekt, der Bestandteil der Volumenregulation ist, lässt sich experimentell durch Reizung der Dehnungsrezeptoren im linken Vorhof auslösen, wobei eine Reihe hormoneller Veränderungen beteiligt sind, z.B. die Freisetzung des natriuretisch und vasodilatatorisch wirkenden atrialen natriuretischen wirkenden Faktors (ANF) und die Hemmung der ADH-Ausschüttung aus der Neurohypophyse *(Abb. 2.5)* (Schnizer u. Mitarb., 1989).

> **Beachte**
>
> Praktisch bedeutsam ist die Kenntnis der hydromechanischen Bäderwirkungen auch zur Verhütung von Gefahren für den Patienten bzw. zur Abgrenzung von Gegenindikationen der Bäderbehandlung. So kann die Steigerung des Wasserspiegels über den unteren Brustkorbrand hinaus ein insuffizientes

## 2.2 Unmittelbare Effekte

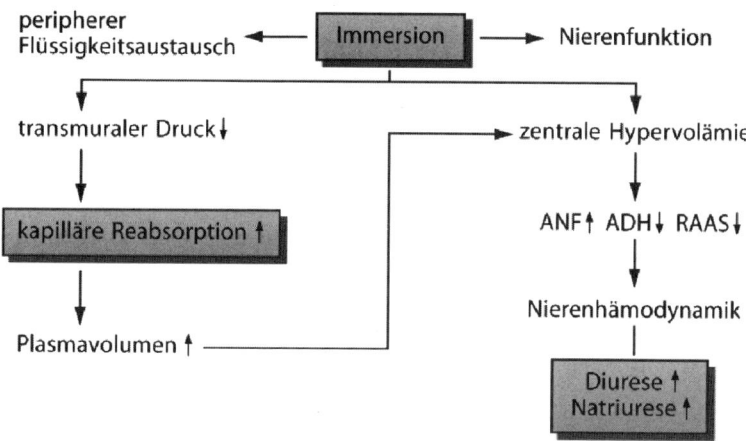

**Abb. 2.5** Schematische Darstellung der hormonellen Reaktionen auf den hydrostatischen Druck im Vollbad und die daraus resultierende Badediurese (nach Schnizer 1992, aus Gutenbrunner u. Hildebrandt 1998).

oder vorgeschädigtes Herz überfordern, insbesondere, wenn ohnehin pathologische Drucksteigerungen im kleinen Kreislauf bestehen (Mitralstenose, Cor pulmonale) und bei pathologisch erhöhtem Blutvolumen und eingeschränkter Coronarreserve. Die schnelle Rückverlagerung des Blutes in die abhängigen venösen Kreislaufabschnitte kann beim Verlassen des Bades einen orthostatischen Kollaps hervorrufen.

Wichtig ist der hydrostatische Druck im Vollbad auch in Bezug auf eine ödemausschwemmende Wirkung sowie in der Behandlung der Varikosis. Da er den Venendruck überschreitet, kommt es zu einer klinisch relevanten Verbesserung des venösen Rückstroms. Thermische Nebenwirkungen sind bis zum Thermoneutralpunkt nicht vorhanden.

### *Atmung*

Wie erwähnt, führt der *hydrostatische Druck* im Vollbad zu einer Höherverschiebung des Zwerchfells. Hierdurch wird die Einatmung erschwert und die Ausatmung erleichtert. Die Gasaustauschfläche der Lunge wird durch die Blutvolumenverschiebung und den Thorax zusätzlich eingeschränkt. Hieraus ergibt sich eine zusätzliche Kontraindikation, und zwar bei restriktiven Ventilationsstörungen mit respiratorischer Insuffizienz.

### *Bewegungsapparat*

Für die mechanischen Wirkungen des Vollbades auf den Bewegungsapparat ist der *Auftrieb* entscheidend. Wie erwähnt, führt er zur mechanischen Entlastung der Gelenke und ihres Kapsel-Bandapparates. Hierdurch reduziert sich der über die Propriozeptoren der Gelenkkapseln und Bänder vermittelte reflektorische Reiz auf die Skelettmuskulatur. Es resultiert eine – auch mittels EMG-Messungen bestätigte – Detonisierung der Rumpf- und Extremitätenmuskulatur. Sie erleichtert die Übungstherapie und ist ein wesentliches Wirkprinzip des Bewegungsbades. Gleichzeitig ermöglicht die mechanische Entlastung des Gelenkknorpels und der Bandscheiben eine Flüssigkeitsaufnahme, die zur Verbesserung des Quellungszustandes führt.

Auf die aufgrund der *Viskosität* des Wassers möglichen dynamischen Widerstandsübungen wurde oben bereits hingewiesen. Sie können zur Verbesserung von Muskelkraft und -ausdauer therapeutisch genutzt werden.

*Die lokale Druckausübung* bei Blitzgüssen und im Rahmen von Unterwasserdruckstrahlmassagen führt einerseits zu einer reaktiven Durchblutungssteigerung, die sowohl die Haut als auch die Muskulatur betreffen kann. Gleichzeitig können durch die Massagewirkung der Muskeltonus vermindert und Muskelverspannungen und lokale Myogelosen beseitigt werden. Hier bestehen bei der Unterwasserdruckstrahlmassage synergistische Effekte mit der auftriebsbedingten Muskelrelaxation.

## 2.2.2 Thermische Wirkungen

Der Begriff der Thermotherapie beschreibt dem Wortsinn nach sowohl die Therapie mit Wärme als auch mit Kälte. Umgangssprachlich wird er häufig aber ausschließlich für die Wärmetherapie verwendet, während die Kältetherapie häufig als Kryotherapie bezeichnet wird.

## 2.2 Unmittelbare Effekte

### Lokale oder systemische Wirkungen

In Bezug auf Wirkmechanismen und Therapieziele muss bei der Thermotherapie prinzipiell zwischen zwei grundverschiedenen Prinzipien unterschieden werden *(Tab. 2.1)*:

1. Therapien, die auf die unmittelbaren Wirkungen der Wärme oder Kälte abzielen. Ziele sind z.B. die Hemmung oder Förderung der Durchblutung oder der Stoffwechselaktivität oder die Beeinflussung der Nervenleitgeschwindigkeit. Bei diesen Therapieformen sind Gegenregulationen als unerwünschte Nebenwirkungen einzustufen. Sie werden in der Regel für längere Zeiträume (über mehrere Minuten bis Stunden) und lokal begrenzt angewendet.
2. Therapien, bei der die indirekten gegenregulatorischen Wirkungen therapeutisch genutzt werden sollen, und zwar entweder zu kurzfristigen Veränderungen von Durchblutung oder Muskeltonus oder aber zur Auslösung langfristiger funktioneller Adaptationen (s.u.). Hier sind die gegenregulatorischen und adaptiven Antworten des Organismus die eigentlichen Wirkungen. Diese Anwendungen werden in der Regel sehr kurz (wenige Minuten) angewendet. Sie betreffen häufig den ganzen Körper und müssen wiederholt (seriell) appliziert werden.

Typische Vertreter für das erste Therapieprinzip sind Wärme- oder Kältepackungen, für das zweite die Hydrotherapie oder die Sauna.

### Lokale Wärmewirkungen

Bei lokaler Wärmezufuhr kommt es gegenregulatorisch rasch zu einer Vasodilatation mit gesteigerter Durchblutung. Sie bleibt auf die Haut beschränkt. Die Muskeldurchblutung kann kompensatorisch zur Aufrechterhaltung eines ausreichenden peripheren Gesamtwiderstands sogar gedrosselt werden. Die gesteigerte Durchblutung während hyperthermer Anwendungen kann auch den Abtransport von Stoffwechselprodukten steigern. Lokale Wärmeanwendungen haben darüber hinaus bei muskuloskelettalen Beschwerden schmerzlindernde Effekte. Sie stehen vermutlich mit einer reflektorischen Herabsetzung des Muskeltonus in Verbindung.

**Tab. 2.1** Klassifizierung der Therapie mit Wärme und Kälte in Therapieformen, die auf unmittelbare und solche, die auf adaptive Wirkungen abzielen (aus Gutenbrunner u. Glaesener 2007).

| Therapieform | Temperatur | Dauer | Areal | Wirkung |
|---|---|---|---|---|
| **Sauna, heiße Vollbäder** | bis 100 °C (Luft), bis 48 °C[1] (Wasser) | wenige Minuten | ganzer Körper | „Training" der Thermoregulation, *funktionelle Adaptation* |
| **Peloidpackungen, Infrarot, Hochfrequenz** | bis 57 °C (Peloide), bis 42 °C (Wasser) | Minuten bis Stunden | begrenzte Areale | *Lokale Hyperthermie* mit Stoffwechsel- und Durchblutungssteigerung |
| **Eispackungen, Kaltlufttherapie** | bis 0 °C (Wasser, Eis), bis −60 °C (Luft) | Minuten bis Stunden | begrenzte Areale | *Lokale Kühlung* mit Hemmung von Stoffwechsel, Durchblutung und Nervenleitgeschwindigkeit |
| **Hydrotherapie, Kältekammer** | bis −4 °C (Wasser), bis −120 °C (Luft) | wenige Minuten | ganzer Körper | „Training" der Thermoregulation, *funktionelle Adaptation* |

---

[1] Bäder dieser Temperatur werden nur in der traditionellen japanischen Balneologie angewendet.

## 2.2 Unmittelbare Effekte

> **Beachte**
> 
> Wegen der durchblutungssteigernden Effekte sollten lokale Wärmeanwendungen im Bereich akuter lokaler Entzündungen und im Bereich von Ödemen (Lymphödem, venöse Ödeme) sowie bei Varikosis nicht angewendet werden.

Eine Sonderform lokaler Wärmeanwendungen stellen temperaturansteigende Teilbäder der Extremitäten dar (z.B. Armbäder nach HAUFFE). Ihre Wirkung ist überwiegend reflektorischer Natur. So sind auch bei Patienten mit arterieller Verschlusskrankheit im Verlauf von ansteigenden Armbädern signifikante Zunahmen der peripheren Durchblutung der Beine nachgewiesen. Weiterhin kommt es zu einem leichten Abfall des arteriellen Blutdrucks. Veränderungen der Muskeldurchblutung konnten bisher nicht nachgewiesen werden. Nennenswerte Kreislaufbelastungen entstehen durch ansteigende Teilbäder nicht.

### *Systemische Wärmewirkungen*

Hypertherme Vollbäder mit Wassertemperaturen oberhalb der Indifferenztemperatur bewirken Anstiege der Körperkerntemperatur von bis zu 2 °C und entsprechenden Umstellungen von Kreislauf und Stoffwechsel. So steigen Herzfrequenz und Herzzeitvolumen bei sinkendem peripherem Kreislaufwiderstand an. Während die Gesamtdurchblutung an den Extremitäten zunimmt, werden die Muskeldurchblutung und der Blutfluss in der Hirnstrombahn nachweislich gedrosselt (Gutenbrunner u. Mitarb., 1997). Im endokrinen Bereich sind im Überwärmungsbad Veränderungen im Sinne einer allgemeinen vegetativen Stressreaktion nachgewiesen, so z.B. erhöhte Katecholamin-, ACTH, Renin, Prolaktin-Spiegel (Literaturübersicht s. Schnizer u. Mitarb., 1989). STH und β-Endorphin werden ebenfalls vermehrt freigesetzt. Die Daten über eine Beeinflussung des Immunsystems sind heute noch nicht einheitlich. Es ist allerdings anzunehmen, dass insbesondere bei serieller Anwendung Immunantworten im Sinne einer Stimulierung der Abwehrlage angestoßen werden. Zusammen mit den mechanischen Wirkungen der Immersion bewirkt das Überwärmungsbad eine Abnahme des Muskeltonus mit schmerzlindernden Effekten. Nach

Muskelüberlastung bewirken Überwärmungsbäder im Gegensatz zu thermoneutralen Vollbädern eine Verminderung der Überlastungssymptome (Engel u. Mitarb., 1996).

### *Lokale Kältewirkungen*

Lokale Kältewirkungen z.B. als Eisbeutelapplikation bestehen primär in der Abkühlung des Gewebes, die bei Eisanwendungen mehrere Zentimeter Tiefe erreichen kann. Hierdurch kommt es zu einer Durchblutungsdrosselung, einer Verminderung des Gewebsstoffwechsels. Durch Verminderung der Nervenleitgeschwindigkeit haben sie analgetische Wirkungen. Ödeme können reduziert werden. Wenn die lokalen Kältewirkungen therapeutisches Ziel der Anwendung sind, sollte eine brüske Anwendung vermieden werden, um die reaktive Hyperämie zu vermeiden.

Bei den vielfältigen Anwendungen der Hydrotherapie werden vor allem die gegenregulatorischen Temperatureffekte der Wasseranwendungen therapeutisch genutzt. Ihr Wirkungsmechanismus ist somit überwiegend der Reiz-Reaktionstherapie zuzurechnen. So reagiert der Organismus zur Erhaltung der Homoiothermie auf jeden Wärmeentzug mit Gegenregulationen. Gemäß der topographischen Verteilung der Kaltrezeptoren an der Körperoberfläche ist der Mensch am Körperstamm und im Gesicht besonders kaltempfindlich. Primär reagiert der Organismus auf Kälte stets mit einer Vasokonstriktion, auf die im weiteren Verlauf eine Vasodilatation folgen kann (Kältevasodilatation und reaktive Hyperämie). Die Erhöhung des peripheren Kreislaufwiderstandes bewirkt dabei auch eine Erhöhung des systolischen und diastolischen Blutdrucks sowie weitere Kreislaufumstellungen (Literaturübersicht s. Hildebrandt, 1990). Für die Beurteilung der Wirkungen einer seriellen Kaltreiztherapie ist aber insbesondere die Tatsache von Bedeutung, dass sie einen adaptogenen Reiz für die Verbesserung der Thermoregulation darstellt (s.u.). Dies ist an den vielfach nachgewiesenen endokrinen Mitreaktionen (Katecholamin- und Cortisolfreisetzung sowie Aktivierung des Renin-Angiotensin-Aldosteron-Systems) zu erkennen. Die im Therapieverlauf einsetzende verbesserte Thermoregulation kann sowohl an einer verbesserten Thermoregulation sowie am thermischen Komfort abgelesen werden. Im Sinne positiver Kreuzadaptationen kommt es im Verlauf von Wochen auch zu adaptiven Normalisierungen der Kreislauf-

## 2.2 Unmittelbare Effekte

regulation und anderer vegetativ gesteuerter Funktionen sowie im Immunsystem mit Steigerung der unspezifischen Resistenz.

Die wichtigsten Indikationen für eine Hydrotherapie mit Kaltreizen sind somit vegetative Regulationsstörungen. Bei Erkrankungen des Bewegungssystems können auch pathologisch erhöhte Schmerzschwellen positiv beeinflusst werden. Im Rahmen somato-psychischer Wechselwirkungen kommt es auch zu deutlichen Besserungen des Allgemeinbefindens sowie zum Rückgang psychovegetativer Beschwerden.

### *Systemische Kältewirkungen*

Systemische Kältewirkungen bestehen in erster Linie in einer Reizsetzung auf den Organismus. Daher sind Kaltanwendungen, insbesondere kalte Tauchbäder, immer auf sehr kurze Anwendungszeiten beschränkt. Primär kommt es innerhalb weniger Minuten zu einer maximalen Hautgefäßkonstriktion. Durch überschießende Reaktionen können initiale Körpertemperatursteigerungen entstehen, vor allem bei Patienten mit stärkeren Hautfettpolstern. Bei niedrigen Temperaturen kommt es weiterhin zu Muskeltonussteigerungen und gegebenenfalls zum Kältezittern.

Die Einschränkung der Hautdurchblutung und die eintretende Steigerung der Wärmeproduktion bedingen naturgemäß auch Veränderungen der Kreislauffunktion sowie des respiratorischen Gaswechsels. Auffälligste Reaktion ist die Zunahme des peripheren Kreislaufwiderstandes mit starken Anstiegen des diastolischen Blutdruckes. Herzfrequenz, Herzminutenvolumen, elastischer Kreislaufwiderstand nehmen unterhalb 35 °C Badetemperatur bis etwa 28–30 °C weiter ab, wobei auch das Schlagvolumen vermindert wird. Infolge der kompensatorischen Blutumlenkung in die Kerngebiete und in die Muskulatur, wo die Durchblutungszunahme bis zu 300% betragen kann, braucht die Kreislaufleistung auch bei einsetzender erhöhter Wärmeproduktion nicht gesteigert werden.

In kalten Bädern wird die Wärmeproduktion allerdings nicht nur durch Veränderung des Ruhestoffwechsels gesteigert. Vielmehr kommt es zu einem deutlichen Bewegungsimpuls, durch den der Muskelstoffwechsel angeregt wird. Es ist allerdings zu berücksichtigen, dass die Wärmeverluste in kalten Bädern durch aktive Bewegungen über eine Zerstörung der haftenden Grenzschicht (s. o.) erheblich angehoben wird. Trotz der geschilderten gegenregulatorischen Reaktionen kommt es bei kalten Seebädern in Abhängigkeit zu der Badedauer zu deutlichen Abfällen der Körperkerntemperatur, die das Ende des Bades überdauern kann. Insgesamt bedeuten kalte Bäder somit einen starken vegetativen Reiz, der bei wiederholter Applikation zu funktionellen Adaptationen der Thermoregulation sowie von Kreislauf- und Immunfunktionen führen kann (Literaturübersicht. s. Hildebrandt u. Gutenbrunner, 1998).

## 2.3 (Adaptive) Langzeitwirkungen

Der Körper reagiert auf äußere Reize, die die gewohnten Umgebungseinflüsse nach Art oder Intensität überschreiten, kurzfristig mit Gegenregulationen und langfristig mit Adaptationen. Ihr Sinn ist es, die Toleranz gegenüber neu auftretenden Reizen zu steigern, bzw. die Regulationskapazität zu erhöhen. Die Veränderungen der körperlichen Regulationen können dabei auf sehr unterschiedlichen Ebenen erfolgen (Literaturübersicht s. Hildebrandt, 1990, 1998):

▷ Bereits die peripheren Gewebe besitzen die Möglichkeit, autonom und außerordentlich rasch ihre Toleranz gegenüber Reizen zu steigern und Schutzmechanismen auszubilden (z.B. auf $O_2$-Mangel).
▷ Der auf Reize folgende afferente Erregungseinstrom kann auf Rückenmarksebene nerval gehemmt werden, was z.B. zu einer Erhöhung der Schmerztoleranz führen kann.
▷ Mitreaktionen vegetativ gesteuerter Systeme können auf der Ebene der Formatio reticularis kurzfristig gedämpft werden (Habituation).
▷ Längerfristige vegetative Umschaltungen führen zu funktionellen Adaptationen verschiedener autonom gesteuerter Funktionen wie Blutdruck- oder Thermoregulation (funktionelle Adaptation).
▷ Einen großen Zeitbedarf von Wochen bis Monaten haben Anpassungsreaktionen, die mit Gewebewachstum verbunden sind, wie z.B. das Muskeltraining (trophische und plastische Adaptationen).
▷ Im Prinzip können auch Lernprozesse als Adaptationen auf kortikaler Ebene aufgefasst werden.

## 2.3 (Adaptive) Langzeitwirkungen Effekte

In *diesem Zusammenhang wird häufig fälschlicherweise von „unspezifischen Reizen"* gesprochen. Dem widerspricht, dass alle äußeren Reize wie Wärme, Kälte, Druck, Vibration, Kraft u.a. auf spezifische Rezeptoren oder Rezeptorsysteme treffen. Auch chemische Reize rufen in der Regel für eine Substanz typische Primärwirkungen hervor. Allerdings kommt es – wie erwähnt – beim Überschreiten gewisser Kapazitätsgrenzen zusätzlich zu generalisierten Mitreaktionen des vegetativen Nervensystems und von hormonellen Systemen (insbesondere Hypophysen-Nebennierenrinden-Achse), die für verschiedene Reizqualitäten identisch sein können. Dies führt dazu, dass unterschiedliche Reize durchaus zu ähnlichen Anpassungsreaktionen führen. Es gibt also keine unspezifischen Reize, sehr wohl aber unspezifische Reaktionsanteile.

### 2.3.1 Entlastung, Schonung

Sie ist ein sehr altes therapeutisches Prinzip, dem kranken Organismus durch Schonung eine raschere Ausheilung zu ermöglichen (z.B. Bettruhe bei akuten Erkrankungen, Ruhigstellung nach Knochenbrüchen). Aus adaptationsphysiologischer Sicht führt jede Schonung in erster Linie zu sog. Deadaptationen, das Adaptationsniveau sinkt bei Ruhigstellung relativ rasch ab (Muskelatrophie bei erzwungener Ruhigstellung, Calcium-Verlust des Knochens bei Bettruhe). In der Hydrotherapie ist die dosierte Entlastung von Gelenken und Wirbelsäulenabschnitten durch Auftrieb dem Prinzip der Schonung zuzurechnen. Sie kann z.B. akut gereizte Gelenke entlasten und zur Lösung reflektorischer Muskelverspannungen beitragen. So gelingt eine physiotherapeutische Gelenkmobilisierung z.B. der Schulter unter Immersion deutlich besser als im Trockenen.

### 2.3.2 Hemmung und Bahnung, Habituation

Ein dem genannten Prinzip der Verminderung eines krankhaft verstärkten Erregungseinstroms ähnliches Therapieprinzip stellt die Hemmung (Inhibition) und Bahnung (Fazilitation) dar. Grundprinzip ist, dass durch adäquate Reizung von Propriozeptoren von Muskulatur und Gelenken Bewegungsabläufe erleichtert oder gehemmt werden können. Auch diese überwiegend auf Rückenmarksebene gesteuerten reflektorischen Reaktionen sind vor allem zur Überwindung pathologischer Aktivierungen oder Hemmungen der Skelettmuskulatur, wie sie oft im Rahmen neurologischer Erkrankungen vorkommen, therapeutisch nutzbar und stellen häufig eine wichtige Voraussetzung für die Anwendung anderer übender oder trainierender Techniken dar. Auch thermische Reize können im Sinne der Hemmung eingesetzt werden, z.B. bei Spastizität und bei reflektorisch gehemmter Muskulatur.

Die sog. Habituation stellt einen auf der Ebene der Formatio reticularis gesteuerten Hemmmechanismus dar. Durch sie werden reizbegleitende autonome Reaktionen (z.B. Blutdruckanstieg, Herzfrequenzanstieg) innerhalb von Minuten gedämpft, wobei die Stärke der Reaktionsminderung stark vom Reizintervall abhängig ist. Die Ergebnisse dieser Adaptationsform sind nach heutigem Wissen instabil und bilden sich innerhalb von Minuten bis Stunden wieder zurück. Über die therapeutische Bedeutung der Habituation ist allerdings wenig bekannt. In der Hydrotherapie trägt sie aber sicherlich zur Verbesserung der Verträglichkeit von Reizen bei. Dies dürfte auch der Grund dafür sein, dass in der Hydrotherapie nach Kneipp insbesondere die Kaltreize kurz und in rascher Folge wiederholt appliziert werden (vgl. Gussführung).

### 2.3.3 Funktionelle Adaptationen

Bei wiederholter Anwendung verschiedener physikalischer und balneologischer Therapieverfahren können im Verlauf mehrerer Wochen funktionelle Adaptationsprozesse verschiedener vegetativ gesteuerter Funktionen (z.B. Blutdruck, Thermoregulation) ausgelöst werden. Dabei sind Kreuzadaptationen auch in nicht unmittelbar gereizten Funktionssystemen möglich (z.B. Immunsystem, Gastrointestinalsystem). Die funktionelle Adaptation wird über Nebennierenrinden-Hormone gesteuert. Sie ist vor allem durch folgende Phänomene charakterisiert:

▷ die adaptive Normalisierung von Funktionsgrößen
▷ eine phasisch-periodische Reaktionsstruktur und
▷ eine starke Abhängigkeit der Reaktion vom individuellen vegetativen Reaktionsvermögen.

## 2.3 (Adaptive) Langzeitwirkungen Effekte

Als *adaptive Normalisierung* bezeichnet man das folgende Phänomen: Im Verlauf mehrwöchiger funktioneller Adaptationsprozesse eintretende Veränderungen eines Messwertes sind vom individuellen Ausgangswert abhängig: hohe Werte nehmen ab, niedrige zu und Normalwerte verändern sich im Mittel nicht *(Abb. 2.6)*. Das bedeutet, dass sich die entsprechenden Funktionswerte auf einen Zielwert hin bewegen *(Abb. 2.7)*. Definitionsgemäß muss dieser Zielwert bei der funktionellen Adaptation einem regulativen Optimum entsprechen.

Die Abbildungen verdeutlichen dies am Beispiel des systolischen Blutdrucks im Verlauf komplexer Heilverfahren: In Abbildung 2.6 ist die Konvergenz der Blutdruckwerte in dem mehrwöchigen Behandlungsverlauf gut zu erkennen. (Der Abfall des Blutdrucks in den ersten Behandlungstagen ist auf eine Entspannungs- bzw. Entlastungsreaktion zurückzuführen.) Abbildung 2.7 zeigt, dass der Bereich, der keine Werteveränderung aufweist und dem Ziel-

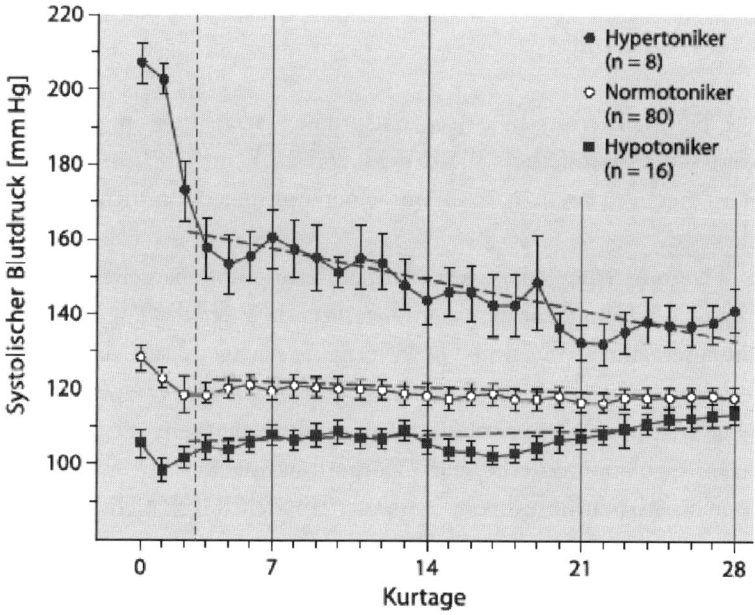

**Abb. 2.6** Konvergenz des systolischen Blutdrucks im Verlauf medizinischer Heilverfahren (nach Gutenbrunner und Ruppel 1992; aus Gutenbrunner u. Glaesener 2007).

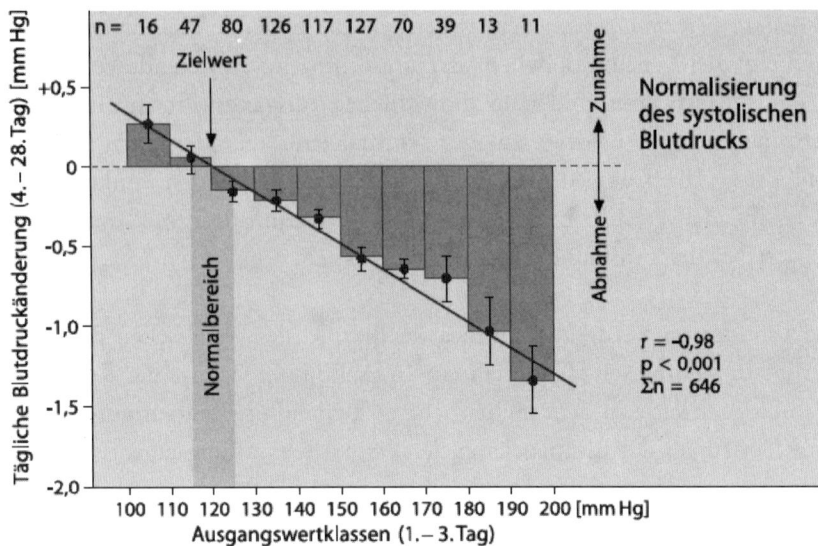

**Abb. 2.7** Veränderung des Blutdrucks bei medizinischen Kuren in Abhängigkeit vom Ausgangswert. Schraffierter Bereich: Zielwert der Konvergenz (nach Gutenbrunner und Ruppel 1992; aus Gutenbrunner u. Glaesener 2007).

wert des Normalisierungsprozesses entspricht, tatsächlich im Bereich des Normwertes des systolischen Blutdrucks von 120 mmHg liegt. Für diesen Bereich ist nachgewiesen, dass er mit einer optimalen Blutdruckregulation verbunden ist.

Die am Phänomen der adaptiven Normalisierung ablesbare Regulationsverbesserung ist der Grund für eine das Therapieende überdauernde Stabilität der Behandlungsergebnisse. So sind Therapieeffekte nachgewiesen, die das Therapieende bis zu zwei Jahren überdauern *(Langzeitbehandlungserfolg, sog. Hafteffekt)*. Die adaptiven Normalisierungsprozesse betreffen sehr verschiedene, der vegetativen Regulation unterliegende, Körperfunktionen.

Funktionelle Adaptationsprozesse verlaufen in der Regel nicht linear, vielmehr zeigen sie eine *phasisch-periodische Verlaufsstruktur*, bei der sich ergotrope Phasen (mit erhöhter vegetativer Labilität) und trophotrope Phasen ablösen *(Abb. 2.8)*. Dominierende Zeitstrukturen sind dabei eine gedämpft ausklingende etwa siebentägige Periodik (reaktive Zirkaseptanperiodik). Es kommen aber auch fünf- und zehntägige Perioden vor (Zirkadekan- und Zirkasemide-

## 2.3 (Adaptive) Langzeitwirkungen Effekte

kanperiodik), letztere überwiegend bei älteren Menschen und bei Patienten mit vermindertem vegetativem Reaktionsvermögen. Dabei stellen die genannten Periodendauern nur statistische Häufungen dar, die einen gewissen Streubereich besitzen.

*Auch spontane Heilungsverläufe weisen eine entsprechende Verlaufsstruktur auf, was den Schluss nahe legt, dass es sich bei diesem Adaptationstyp um einen natürlichen Heilungsvorgängen sehr ähnlichen Prozess handelt.*

Die Kenntnis der periodischen Verlaufsstruktur ist insofern von Bedeutung, als die ergotropen Auslenkungen um den 7., 14. und 21. Behandlungstag mit erheblichen Befindensstörungen (sog. Therapiekrisen) und vorübergehenden Verschlechterungen des objektiven Befundes einhergehen können (z.B. Blutdruckanstieg, muskuläre Verspannungen).

Naturgemäß besitzt die Auslösung von Anpassungsprozessen eine starke *Abhängigkeit vom individuellen vegetativen Reaktionsvermögen*. Als Parameter der Reaktionsprognostik eignet sich das in Ruhe bestimmte Frequenzverhältnis von Puls und Atmung ($Q_{P/A}$). So zeigen Ruhewerte des $Q_{P/A}$ von unter 4,0, d.h. weniger

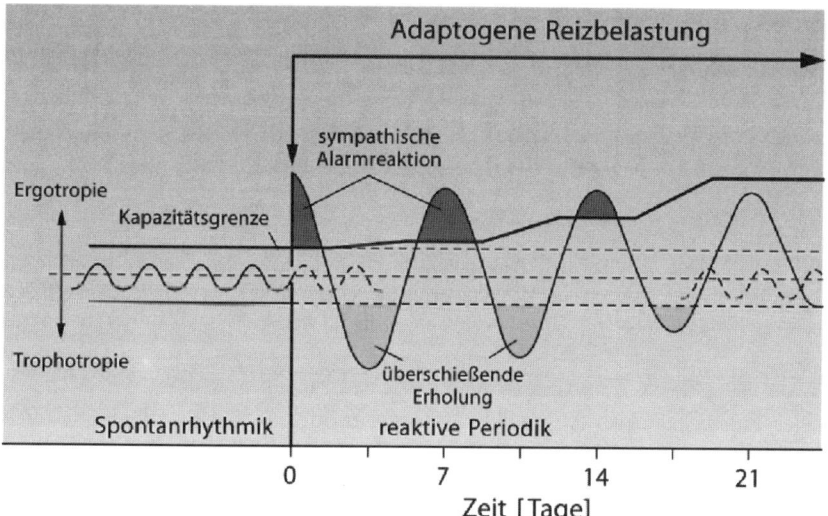

**Abb. 2.8** Schematische Darstellung eines phasisch-periodischen Adaptionsverlaufs (nach Hildebrandt 1998, aus Gutenbrunner u. Glaesener 2007).

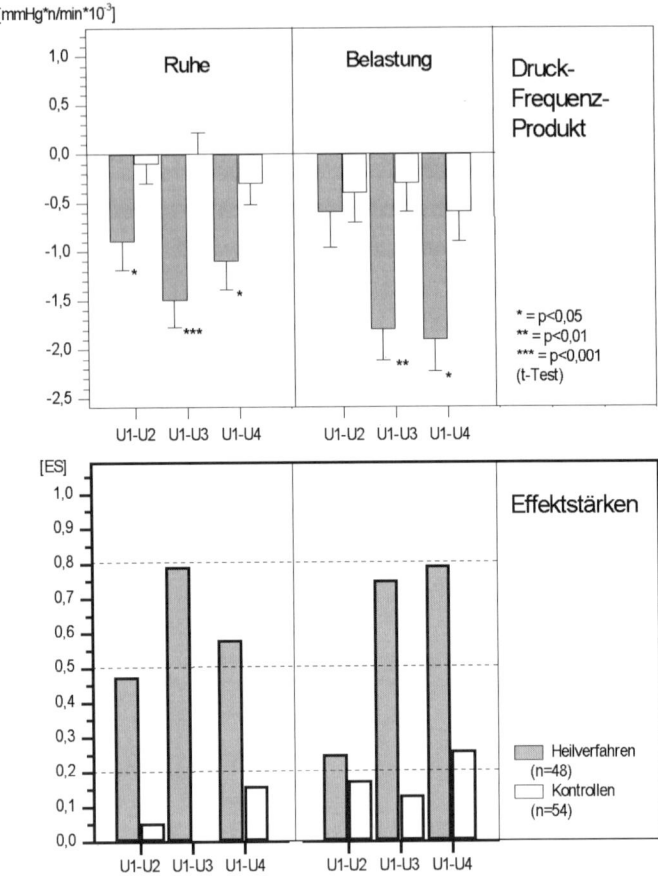

**Abb. 2.9** Veränderung des Druckfrequenzproduktes während und ein Jahr nach Kneippkuren bzw. einer Kontrollperiode ohne Kur bei Patienten mit psycho-vegetativen Syndromen. Im unteren Teil sind die Effektstärken (nach Cohen) der Veränderungen aufgetragen. Klammern: Mittlere Fehler der Mittelwerte (Daten von Baier u. Gutenbrunner, unveröffentlicht).

als vier Pulsschläge pro Atemzyklus, ein vermindertes, darüber liegende Werte ein erhöhtes vegetatives Regulationsvermögen an. Eine Verminderung der vegetativen Reaktionsfähigkeit ist auch bei chronischen Krankheiten sowie im höheren Lebensalter beschrieben. Für den Therapieverlauf bedeutet das verminderte Reaktionsvermögen das gehäufte Auftreten sog. spätreaktiver Verläufe mit der stärksten ergotropen Auslenkung in der dritten Behandlungswoche.

Insbesondere in der Hydrotherapie sind an zahlreichen unterschiedlichen Körperfunktionen funktionelle Adaptationen nachgewiesen, die auch klinische Relevanz haben. So konnten z.B. bei Patienten mit funktionellen Blutdruckregulationsstörungen im Verlauf von Kneippkuren Blutdrucknormalisierungen mit das Therapieende überdauernder Stabilität nachgewiesen werden. Diese waren bei Patienten mit Grenzwerthypertonie von der antihypertensiven Medikation weitgehend unabhängig. Ähnliche Effekte wurden in kontrollierten Studien auch für das Druckfrequenzprodukt als Parameter des myokardialen Sauerstoffverbrauchs *(Abb. 2.9)* und für verschiedene Lungenfunktionsparameter nachgewiesen. Die mit der funktionellen Adaptation verbundene Verbesserung vegetativer Regulationen dürfte wesentlich auch für die gute Wirksamkeit von Kneippkuren bei vegetativen Syndromen und chronischen Erschöpfungszuständen sein. Da funktionelle Adaptationen nachweislich auch die unspezifische Abwehr beeinflussen, dürften auch die präventiven Effekte von Kneippanwendungen auf einem solchen Mechanismus beruhen. Hier sind allerdings noch weitere differenzierende Untersuchungen notwendig.

## 2.3.4 Trophisch-plastische Adaptationen

Im Gegensatz zu den weitgehend unspezifischen Reaktionen der funktionellen Adaptation stellen die durch Übungsreize auslösbaren trophischen und plastischen Adaptationen hochspezifische Anpassungsprozesse dar. Sie sind durch Wachstumsprozesse von Geweben gekennzeichnet, wobei das Wachstum sowohl die Zellzahlen (z.B. Erythropoese) als auch die Zahl einzelner Zellorganellen (z.B. Myofibrillen) betreffen kann. In der Regel werden trophisch-plastische Adaptationsprozesse von spezifischen Hormonsystemen (z.B. Erythropoietin, STH) gesteuert und haben längere Zeitkonstanten (Wochen bis Monate) als die funktionelle Adaptation.
Die Ergebnisse trophisch-plastischer Adaptationen sind bei Wegfall des adaptogenen Reizes wieder rückläufig, so dass zur Aufrechterhaltung des Adaptationsergebnisses eine Fortsetzung der Therapie, gegebenenfalls mit geringerer Reizdichte, erforderlich ist. Naturgemäß führen trophisch-plastische Adaptationen zu Spezialisierungen. Positive Kreuzadaptationen sind nicht bekannt; im Gegenteil scheint die Spezialisierung zu Funktionseinschränkungen in anderen

Systemen zu führen. So weist z.B. eine einseitig auf Kraftentwicklung trainierte Muskulatur u.U. eine verschlechterte Feinmotorik auf. Für die Hydrotherapie spielen trophisch-plastische Adaptationen nach heutigem Wissenstand keine wesentliche Rolle

## 2.3.5 Neuroplastizität

Ein aktuelles Modell für adaptive Reaktionen auf therapeutische Reize stellt die sog. Neuroplastizität dar. Sie wird definiert als eine „anhaltende Änderung der Stärke kortikaler Verbindungen, repräsentationaler Muster und Ordnungen oder intrinsischer neuronaler Eigenschaften, die entweder morphologischen oder funktionalen Charakter" haben. Das bedeutet, dass es sich einerseits um längerfristige (anhaltende) Veränderungen der funktionellen oder anatomischen Verknüpfungen zwischen verschiedenen Hirnarealen oder der Neubildung von Representationsfeldern für bestimmte Körperfunktionen in der Hirnrinde handelt. Andererseits können die funktionellen Eigenschaften von Nerven, wie z.B. die Nervenleitung, verändert werden. In beiden Fällen kann es sich um funktionelle Veränderungen oder aber auch um ein strukturelles Wachstum handeln.

Die *kortikale Plastizität* wurde in den achtziger Jahren des vorigen Jahrhunderts zunächst im Tierversuch nachgewiesen, und zwar durch Darstellung einer ausgeprägten Änderung der Somatotropie von Körperrepräsentationen im sensorischen Kontext nach peripheren Nervenläsionen. Eine systematische Verlinkung dieses auf morphologischen und biochemischen Prozessen basierenden Reaktionsmodells mit den physiologischen Adaptationsmodellen (s.o.) ist bisher nicht erfolgt.

Inzwischen ist bekannt, dass kortikale Plastizität zu einem erheblichen Teil induzierbar ist, und zwar durch Läsionen des zentralen Nervensystems, durch motorisches Training und durch repetitive Reizung bestimmter Hirnareale. Diese Prozesse lassen sich nach neueren Untersuchungen auch durch gezielte Übungen erreichen. Ob dies auch für hydrotherapeutische Reize gilt, ist bisher allerdings nicht untersucht.

## 2.3.6 Verhaltensänderung, psychische Umstellungen

Im Prinzip sind auch Verhaltensänderungen und Lernprozesse als Adaptationen aufzufassen, und zwar auf kortikaler Ebene. Dieses Prinzip spielt in der modernen Rehabilitationsmedizin aber auch in Präventionsprogrammen eine wichtige Rolle. Sie sind aber nicht Gegenstand der Hydrotherapie selbst, spielen in den komplexen Kurprogrammen nach dem Kneipp-Konzept aber zweifelsohne eine Rolle (vgl. Brüggemann, 1986). Auch ist nachgewiesen, dass serielle hydrotherapeutische Anwendungen auch psychische Veränderungen mit sich bringen. Hier ist eine Abgrenzung gegenüber den funktionellen Adaptationen der vegetativen Reaktionen bislang allerdings nicht erfolgt. Demgegenüber ist für die Beeinflussung psychischer Funktionen durch aktive Bewegungen nachgewiesen, dass beim körperlichen Ausdauertraining im Verlauf mehrerer Wochen signifikante und klinisch relevante Veränderungen von psychischen Parametern eintreten können, z.B. für Depressivität und Angst.

Der Mechanismus für diese psychischen Wirkungen ist noch nicht vollständig aufgeklärt. Vermutlich spielen aber funktionelle Adaptationen mit Veränderung der vegetativen Tonuslage eine Rolle. Darüber hinaus können sich im Rahmen des Therapiefortschrittes durch den Rückgang von Beschwerden und das verbesserte Körpergefühl positive psychische Wechselwirkungen ergeben. Hinzu kommen Einflussmöglichkeiten über die soziale Aktivierung, die insbesondere bei der Gruppentherapie einen hohen Stellenwert einnimmt.

### *Literatur zu Kap. 2*

Brüggemann W (Hrsg.): Kneipptherapie. 2. Aufl. Springer-Verlag, Berlin Heidelberg-New York-Tokyo 1986

Brüggemann W: Technik der Kneipp-Therapie. In: Brüggemann W (Hrsg.): Kneipptherapie. 2. Aufl. Springer-Verlag, Berlin-Heidelberg-New York-Tokyo 1986, S. 73–88

Engel P, Afflerbach F, Müller C, Gutenbrunner Chr, Moog R: Zur therapeutischen Wirksamkeit von Ganzkörper-Hyperthermien beim schmerzhaften Muskelüberlastungssyndrom. Phys Med Rehab Kuror 1996; 6: 113–117

Gutenbrunner Chr, Glaesener JJ (Hrsg.): Rehabilitation, Physikalische Medizin und Naturheilverfahren. SpringerMedizin Verlag, Heidelberg 2007.

Gutenbrunner Chr, Hildebrandt G (Hrsg.): Handbuch der Balneologie und medizinischen Klimatologie. Springer-Verlag, Berlin-Heidelberg-New York-Barcelona-Budapest-Hongkong-London-Mailand-Paris-Santa Clara-Singapur-Tokyo 1998

Gutenbrunner Chr, Kaiser K, Gehrke, Th, Gehrke A: Veränderungen der Blutflussgeschwindigkeit in der Arteria cerebri media (BFV$_{a.c.m.}$) bei Überwärmungsbädern. Phys Med Rehab Kuror 1997; 7: 97–99

Hildebrandt G (Hrsg.): Physiologische Grundlagen, Thermo- und Hydrotherapie, Balneologie und medizinische Klimatologie. In: Drexel H, Hildebrandt G, Schlegel KF, Weimann G (Reihenherausgeber): Physikalische Medizin. Hippokrates-Verlag, Stuttgart 1990

Hildebrandt G: Therapeutische Physiologie. In: Gutenbrunner Chr, Hildebrandt G (Hrsg.): Handbuch der Balneologie und medizinischen Klimatologie. Springer-Verlag, Berlin-Heidelberg-New York-Barcelona-Budapest-Hongkong-London-Mailand-Paris-Santa Clara-Singapur-Tokyo 1998, S. 5–84.

Hildebrandt G, Gutenbrunner Chr: Balneologie (Bäderheilkunde). In: Gutenbrunner Chr, Hildebrandt G (Hrsg.): Handbuch der Balneologie und medizinischen Klimatologie. Springer-Verlag, Berlin-Heidelberg-New York-Barcelona-Budapest-Hongkong-London-Mailand-Paris-Santa Clara-Singapur-Tokyo 1998, S. 187–476.

Schnizer W, Gehrke A, Drexel H, Pratzel H: Physiologische Grundlagen der Hydrotherapie und Bäderheilkunde. In: Brüggemann W (Hrsg.): Kneipptherapie. 2. Aufl. Springer-Verlag, Berlin-Heidelberg-New York-Tokyo 1986, S. 25–72

# 3 Einsatzbereiche der Hydro- und Balneotherapie

## 3.1 Hydro- und Balneotherapie bei Arthrose und Rückenschmerzen
Veronika Fialka-Moser

### 3.1.1 Arthrose

Die Arthrose ist die häufigste Gelenkserkrankung. Die Inzidenz und Prävalenz der Arthrose steigen ab dem 50. Lebensjahr. Der Erkrankung liegt ein Missverhältnis zwischen Knorpelregeneration und Knorpelabbau zu Grunde. Auslösende Faktoren sind bei der primären Arthrose noch nicht geklärt. Bei der sekundären Arthrose sind gestörte Biomechanik, Alter, Überlastung und Übergewicht die häufigste Ursache.
Folgeerscheinungen sind Schmerzen im betroffenen Gelenk, eingeschränkte Beweglichkeit, Muskelschwäche sowie eine gestörte Propriozeption. In der Funktion der unteren Extremitäten wirkt sich die Arthrose je nach Gelenklokalisation vor allem als Beeinträchtigung der Fortbewegung aus. Die Ganggeschwindigkeit ist vermindert, die Schrittlänge verkürzt, die Standphase sowie die Gelenkbeweglichkeit von Hüfte, Knie und Sprunggelenk sind eingeschränkt. Die Einschränkung der Funktion führt zu einer Beeinträchtigung der Aktivität und Partizipation, wie Kommunikation, Selbstversorgung, Mobilität

und einer Einschränkung im sozialen Leben. Mit zunehmendem Alter nimmt auch die Abhängigkeit von Hilfspersonen aufgrund der Beeinträchtigung erheblich zu.

Ziel der Rehabilitation ist es deshalb, die Krankheitsprogression zu stoppen, den Schmerz zu reduzieren, die Gelenkbeweglichkeit zu verbessern und die Muskelbalance wiederherzustellen. Aktivität und Partizipation sollen erhalten bzw. verbessert werden.

Schon lange sind die Bewegungstherapie im Wasser und in jüngerer Zeit auch die Trainingstherapie ein wesentlicher Bestandteil des Rehabilitationskonzeptes von muskuloskelettalen Störungen. Neben der Kräftigung wirkt sich das Wasser auch auf das psychische und vegetative Wohlbefinden positiv aus (Strauss-Blasche et al, 2000). Die Effizienz von Hydrotherapie und Balneotherapie bei Arthrosen ist wissenschaftlich jedoch nur spärlich belegt. Vorteile der Hydrotherapie in der Behandlung der Arthrose sind die Druckentlastung der Gelenke, die Entspannung der Muskulatur, ein verringertes Verletzungsrisiko sowie der Auftrieb, der eine teilweise bis vollständige Gewichtsentlastung ermöglicht.

Insbesondere für übergewichtige Arthrosepatienten werden die Vorteile der Hydrotherapie genützt. Aufgrund des Auftriebs sind die Gelenke geringer belastet, durch die höhere spezifische Wärme und Thermokonduktivität des Wassers erfolgt eine vermehrte Wärmeabgabe des Körpers. Dadurch ist der Wärmestress während des Trainings geringer.

Für die Bewegungstherapie im Wasser bei Arthrosen werden unterschiedliche Geräte eingesetzt, wie: Schlangen, Hanteln, Handschuhe, Flossen, Neopren-Westen, Schwimmreifen, Schwimmgürtel, Kick-Boards und Schwimmbretter. Verschiedenste hydrotherapeutische Techniken, wie Watsu, Budenko, Jahava, Aquatic Feldenkrais, Tai Chi, Waterdance, Healing Dance, Bad Ragazer Ringmethode, Halliwick-Methode kommen zur Anwendung.

In der Therapie und Rehabilitation sind die Bad Ragazer- und die Halliwick-Methode die gebräuchlichsten Methoden. Grundlage der Halliwick-Methode nach McMillan ist ein hierarchisch aufgebautes 10-Punkte-Programm, das sich der physikalischen Gesetzmäßigkeiten bedient und zum Lernziel das selbstständige Fortbewegen im Wasser hat *(Tab. 3.1)*.

Zum Training im Wasser haben sich Aqua-Joggen, Ballettbewegungen, Unterwassergehen, Laufen, Aerobic, Ergometrie und Laufband bewährt. Bei Überge-

## 3.1 Arthrose und Rückenschmerzen

**Tab. 3.1** 10-Punkte-Programm.

| | |
|---|---|
| Geistige Anpassung (Wassergewöhnung) | 1. Psychische Anpassung |
| | 2. Loslösen, selbstständig werden |
| Wiedererlangung des Gleichgewichtes | 3. Vertikale Rotation |
| | 4. Laterale Rotation |
| | 5. Kombinierte Rotation |
| Hemmung | 6. Auftrieb |
| | 7. Gleichgewicht in Ruhe |
| Fazilitation | 8. Gleiten mit Turbulenzen |
| | 9. Einfache Fortbewegung |
| | 10. Elementare Schwimmbewegung |

wichtigen empfiehlt sich das Aqua-Training, bei dem sich der Patient langsam etwa 20 Meter/Minute vorwärts bewegt. Anfänger gehen insgesamt 20 Minuten, Fortgeschrittene maximal 45 Minuten.

Es konnte gezeigt werden, dass Gehen im Wasser die großen Muskelgruppen, besonders der unteren Extremitäten, beansprucht. Die Aktivität erfolgt über den vollen Bewegungsumfang unter Minimierung der Belastung der Gelenke (Tasuku Miyoshi et al, 2004; 26: 12: 724–732).

### Bewegungstherapie im Wasser bei Arthrose

Bei Patienten mit retropatellaren Kniegelenksschäden wurde ein Aqua-Funktionstraining 2 × 30 Minuten pro Woche in Kombination mit einem ambulanten Rehabilitationsprogramm 4 × pro Woche 120 Minuten acht Wochen lang durchgeführt. In der Landgruppe erfolgte ein muskuläres Aufbautraining an auxotonischen medizinischen Trainingsgeräten 60 Minuten pro Therapieeinheit zusätzlich zum ambulanten Training. Die Wassergruppe trainierte mit vergrößerten Widerstandsflächen an den unteren Extremitäten. Es konnte gezeigt werden, dass in der Wasser-Gruppe sowohl die Dehnfähigkeit und die Kraft der Oberschenkelmuskulatur, als auch die Belastungssymmetrie während des Gehens und die subjektive Funktion signifikant über dem Niveau der Standard-Gruppe und der Land-Gruppe gesteigert werden konnten (Dalichau S, Scheele K, 1999). Die Autoren empfehlen deshalb das Funktionstraining im Wasser als Therapiemittel der Wahl in Ergänzung zum ambulanten Rehabilitationsprogramm bei retropatellaren Kniegelenksschäden.

In einer weiteren Publikation konnte gezeigt werden, dass Aerobics im Wasser bestehend aus Aqua-Joggen im seichten und tiefen Wasser sowie modifizierte Übungen bei Wasser in Brusthöhe im Vergleich zu einer Gruppe mit reinen Bewegungsübungen am Land die aerobe Kapazität, den 50-Fuß-Gehtest, Depression, Ängstlichkeit und physische Aktivität nach 12 Wochen Training 3 × pro Woche jeweils eine Stunde, signifikant besserte. Die Besserung entsprach jener Gruppe, die ein Gehtraining am Land durchführte (Minor M et al, 1989).

In einer weiteren rezenten Studie konnte derselbe Effekt auf klinische Parameter und Funktion registriert werden. In dieser Studie führten die Arthrose-Patienten das Training zweimal wöchentlich für 45 Minuten insgesamt acht Wochen lang durch. Auch hier fanden sich sowohl in der am Land trainierenden Gruppe sowie in der im Wasser trainierenden Gruppe gleiche signifikante Effekte auf die funktionelle Fitness, auf die Aktivitäten des täglichen Lebens, die isometrische Kraft, während keine Veränderungen in der Kontrollgruppe registriert werden konnten.

47 Patienten mit Osteoarthrose der Hüfte (Green J et al, 1993) konnten keine zusätzliche Besserung durch Hydrotherapie erzielen, wobei beide Gruppen ein supervidiertes Heimtherapieprogramm erhielten, das sie zweimal täglich anwenden sollten. Die Hydrotherapie erfolgte zweimal wöchentlich über sechs Wochen. Die Autoren schließen, dass auch ein individuell adaptiertes und supervidiertes Heimtherapieprogramm für die Behandlung der Osteoarthrose der Hüfte ausreichend ist.

### *Balneotherapie bei Arthrose*

Einige Studien überprüften die Wirksamkeit von Balneotherapie bei Osteoarthrose (Nguyen M et al, 1997; Wigler I et al, 1995; Elkayam O et al, 1991; Szucs L, 1989). Es wurden entweder Mineralbäder und Packungen im Ver-

## 3.1 Arthrose und Rückenschmerzen

gleich zu Leitungswasserbädern und Kontrollgruppen überprüft. Die Therapiedauer lag bei zwei bis drei Wochen. In allen Studien zeigten sich in jener Gruppe, die Mineralwasserbäder und Packungen erhielt, die größten Effekte auf Schmerz, Schmerz bei Beweglichkeit und Analgetika-Medikation sowie funktionelle Beeinträchtigung und Lebensqualität. Wenngleich in drei der Studien die Patientenanzahl gering war, weisen die Studien daraufhin, dass Balneotherapie sehr wohl Folgeerscheinungen der Arthrose positiv beeinflusst.

### Beachte
▷ Beim Gehen im Wasser sind große Muskelgruppen besonders der unteren Extremitäten involviert. Die Belastung der Gelenke ist minimiert.
▷ Für übergewichtige Arthrosepatienten ist die Bewegungstherapie im Wasser gegenüber einer Bewegungstherapie im Trockenen von Vorteil.
▷ Bei Patienten mit Arthrose kann Unterwassergymnastik Muskelkraft, aerobe Kapazität und die Aktivitäten des täglichen Lebens verbessern.
▷ Balneotherapie beeinflusst positiv die Folgeerscheinungen der Arthrose.

### 3.1.2 Rückenschmerzen

Zirka 60–80% der Bevölkerung leiden mindestens einmal im Leben unter Rückenschmerzen. 90% von ihnen erholen sich spontan nach einer akuten Schmerzattacke. Rezidive sind häufig und treten in verschiedensten Formen auf. Rückenschmerzen sind auch eine der häufigsten Ursachen für Krankenstände. Die individuellen, sozialen und ökonomischen Kosten sind beträchtlich. Die Ursachen sind vielfältig und nur zum Teil geklärt. Auslöser und Pathophysiologie der Chronifizierung von Wirbelsäulenschmerzen sind derzeit noch nicht zufrieden stellend erkannt.

Bei akuten Wirbelsäulensyndromen steht neben der schmerzlindernden Therapie die Aufklärung des Patienten über die Art der Erkrankung und ihrer vorwiegend guten Prognose im Vordergrund. Patienten mit chronischen Wirbelsäulenbeschwerden werden mittels multidisziplinärer Behandlungskonzepte betreut. Ein Teil dieses Behandlungskonzeptes ist die Hydrotherapie. Wie bei der rheumatoiden Arthritis und bei der Arthrose ist die Effizienz von Hydro- und Balneotherapie beim Rückenschmerz nur spärlich belegt.

### *Bewegungstherapie im Wasser bei Rückenschmerzen*

In einer neuen Studie konnte die Wirkung des aqualen Funktionstrainings für jeweils 30 Minuten bei chronischen Rückenschmerzpatienten nachgewiesen werden (Dalichau S et al, 2003). Es wurde als vorbereitende Maßnahme für das Muskeltraining an auxotonischen Geräten durchgeführt. Das Rückentrainingsprogramm erfolgte über fünf Wochen, zweimal wöchentlich, je 30 Minuten. Am Ende der Intervention waren Schmerzintensität, Funktionseinschränkungen bei Alltagsaktivitäten, Balance der Rumpfmuskulatur und der Güte der spinalen Propriozeption gebessert. Die Autoren weisen daraufhin, dass das Problem, die Belastungsintensität bei aqualen Bewegungsformen exakt zu dosieren, noch nicht ausreichend gelöst ist.

Barker K et al, 2003 empfehlen eine Belastungsintensität zwischen 55% und 85% der altersbezogenen maximalen Herzfrequenz. Sie konnten nachweisen, dass die Borg-Skala auch bei der Hydrotherapie mit der relativen Belastungsintensität korrelierte.

Hinsichtlich Wiederaufnahme der Arbeit konnten zwei verschiedene Gruppen von Rückenschmerzpatienten, die ein Aqua-Fitness-Training sowie Kraft- und Ausdauertraining über acht Wochen durchführten, identifiziert werden. Bei beiden Gruppen war die körperliche Fitness nach acht Wochen gebessert. Jene Patienten, die zur Arbeit zurückkehrten, zeigten eine deutliche Besserung der Schmerzsymptomatik, der Beeinträchtigung, der Angst und der Energie. Selbstachtung und Affekt blieben stabil. In der Gruppe, die die Arbeit nicht wieder aufnahm, konnte keine Veränderung in der Schmerzintensität und in der Beeinträchtigung gefunden werden. Das psychische Wohlbefinden verschlechterte sich. Die besten Prädiktoren für eine Wiederaufnahme der Arbeit waren das erstmalige Auftreten von Rückenschmerzen sowie eine Stabilität in der Selbstachtung (LeFort S et al, 1994).

Bei 20 Patienten mit chronischen Kreuzschmerzen zeigte sich eine Reduktion des Schmerzes, eine Besserung der thorakolumbalen Mobilität nach vier Wochen Bewegungstherapie im Wasser über 30 Minuten dreimal pro Woche. Nach drei Monaten war der Effekt jedoch nicht mehr vorhanden. Die Autoren

## 3.1 Arthrose und Rückenschmerzen

schließen daraus, dass die Therapie weitergeführt werden soll, um den therapeutischen Erfolg aufrechtzuerhalten (Smit T et al, 1991).

### *Balneotherapie bei Rückenschmerzen*

Balneotherapie erhielten 158 Patienten mit Rückenschmerzen. Die Patienten wurden in drei Gruppen unterteilt (Immersion im warmen mineralhaltigen Wasser, Unterwassermassage, 37 Grad Celsius Atmosphäre 10 cm, Unterwassertraktion). Die Therapie dauerte vier Wochen. Kontrolluntersuchungen erfolgten nach vier Wochen und 12 Monaten. Alle drei Gruppen hatten sich hinsichtlich Analgetika-Konsum (kurzfristig und langfristig) und hinsichtlich Schmerz deutlich gebessert (Konrad K et al, 1992).

In einer französischen Studie wurde Unterwassermassage 2,5 Minuten mit mineralhaltigem Wasser 36 Grad durch 10 Minuten sowie Schlammpackungen 45 Grad 20 Minuten 6 × pro Woche appliziert. Die Wirkung wurde nach drei Wochen überprüft. Im Vergleich zu der Kontrollgruppe ohne Therapie zeigte sich eine deutliche Besserung des Disability Scores nach Therapie sowie nach sechs Monaten. Auch Unterwassermassage bei 36 Grad Celsius durch 15 Minuten und bei 31–36 Grad Celsius durch drei Minuten zeigte im Vergleich zu einer Kontrollgruppe kurzfristig und langfristig eine Besserung von Schmerz, eine Reduktion der Analgetikaeinnahme sowie eine verbesserte Wirbelsäulenbeweglichkeit. Kurzfristig war auch der funktionelle Status gebessert, der jedoch nach sechs Monaten wieder den Ausgangszustand erreichte (Guillemin F et al, 1994).

150 Patienten mit chronischen Rückenschmerzen unterzogen sich einer Kur in Bad Tatzmannsdorf und erhielten Schlammpackungen, $CO_2$-Bäder, Massagen, Bewegungstherapie, spinale Unterwassertraktionen und Elektrotherapie. Sechs Wochen danach konnte nachgewiesen werden, dass Bewegungstherapie sowohl kurzfristig wie auch mittelfristig positiv auf das Wohlbefinden und den Schmerz wirkt. Schlammpackungen und Massage haben jedoch nur einen kurzfristigen Effekt. Erstaunlicherweise hatte die spinale Traktion im Thermalwasser eine positive mittelzeitige Wirkung. Auffallend ist, dass sich die Lebenszufriedenheit umso mehr besserte, je weniger Massagen und $CO_2$-Bäder die Patienten erhielten. Die Autoren vermuten, dass hier die hohe Erwartungshaltung zur Massage eine große Rolle spielt. (Strauss-Blasche G et al, 2002).

## Kapitel 3 Einsatzbereiche

In einem zusammenfassenden Übersichtsartikel präsentiert Yurtkuran seine Studienergebnisse zur Balneotherapie, die zwischen 1993 und 2003 publiziert wurden. Zur Anwendung kam Bädertherapie mit Thermalwasser bei Patienten mit Arthrose, rheumatoider Arthritis, Fibromyalgie, tiefsitzendem Rückenschmerz und Osteoporose, jeweils mit unterschiedlicher Anwendungsdauer und Badetemperatur. Im Vergleich zur alleinigen Übungstherapie zeigten die Thermalbäder und Übungstherapien im Thermalbad bessere Ergebnisse hinsichtlich Schmerz und klinischer Parameter.

### Merke

▷ Bei chronischen Rückenschmerzen kann Bewegungstherapie im Wasser empfohlen werden.
▷ Die Bewegungstherapie erfolgt entweder in Form von Bewegungsübungen oder als Trainingstherapie bei einer Intensität von 55–85% der altersbezogenen maximalen Herzfrequenz.
▷ Balneologische Applikationen in Form von Bädern, Massagen, Traktionen und Packungen haben sich beim Rückenschmerz bewährt.

### *Literatur zu Kap. 3.1*

Barker K et al: Perceived and Measured Levels of Exertion of Patients with Chronic Back Pain Exercising in a Hydrotherapy Pool. Arch Phys Med Rehabil 2003;84:1319–1323

Dalichau S, Scheele K: Aquales Funktionstraining als alternatives Behandlungsregime in der Rehabilitation von Patienten mit retropatellaren Kniegelenksflächen. Phys Rehab Kur Med 1999;9:172–178

Dalichau S et al: Stellenwert des aqualen Funktionstrainings in der Therapie chronischer Rückenschmerzen. Phys Med Rehab Kurort 2003;13:35–41

Elkayam O et al: Effect of Spa Therapy in Tiberias on Patients with Rheumatoid Arthritis and Osteoarthritis. The Journal of Rheumatology 1991;18:12,

Green J et al: Home exercises are as effective as outpatient hydrotherapy for osteoarthritis of the hip. British Journal of Rheumatology 1993;32:812–815

Guillemin F et al: Short and Long-Therm Effect of Spa Therapy in Chronic Low Back Pain. British Journal of Rheumatology 1994;33:148–151

Konrad K et al: Controlled trial of balneotherapy in treatment of low back pain. Annals of the Rheumatic Diseases 1992;51:820–822

LeFort S et al: Return to Work Following an Aquafitness and Muscle Strengthening Program for the Low Back Injured. Arch Phys Med Rehabil 1994;75:1247–1255

Minor M et al: Efficacy of physical conditioning exercise in patients with rheumatoid arthritis and osteoarthritis. Arthritis and Rheumatism 1989;32(11):1396–1405

Nguyen M et al: Prolonged effects of 3 week therapy in a spa resort on lumbar spine, knee and hip osteoarthritis: follow-up after 6 month. A randomized controlled trial. British Journal of Rheumatology 1997;36:77–81

Smit T et al: Hydrotherapy and chronic lower back pain: A pilot study. Australian Physiotherapy 1991;37(4):229–234

Strauss-Blasche G et al: Contribution of Individual Spa Therapies in the Treatment of Chronic Pain. The Clincial Journal of Pain 2002;18:302–309

Szucs L: Double-Blind Trial on the Effectiveness of the Puspokladany Thermal Water on Arthrosis of the Knee-Joints. J.R.S.H. 1989;1:7–9

Strauss-Blasche et al: The Change of Well-Being Associated with Spa Therapy. Forsch Komplementärmed Klass Naturheilk 2000;7:269–274

Tasuku Miyoshi et al: Effect of the walking speed to the lower limb joint angular displacements, joints moments and ground reaction forces during walking in water. Disability and Rehabilitation 2004;26:12:724–732

Wigler I et al: Spa therapy for gonarthrosis: a prospective study. Rheumatol Int 1995;15:65–68.

# 3.2 Entzündliche Gelenkerkrankungen und Osteoporose

Katharina Kerschan-Schindl

Auch wenn die medikamentöse Therapie ganz entscheidenden Einfluss auf den Krankheitsverlauf hat, sind die physikalisch medizinischen und rehabilitativen Maßnahmen – die Hydrotherapie eingeschlossen – aus der Grundversorgung rheumatologischer Patienten nicht wegzudenken. Die Hydrotherapie soll die Gelenkbeweglichkeit verbessern, muskuläre Verspannungen reduzieren und die Schmerzen lindern. Manchmal werden Bäder mit Training kombiniert. Der große Vorteil der Unterwassergymnastik liegt darin, die Muskulatur bei relativ geringer Belastung der Gelenke zu kräftigen.

## 3.2.1 Rheumatoide Arthritis

Die rheumatoide Arthritis ist die häufigste, primär entzündliche rheumatische Erkrankung; sie betrifft etwa 0,5 bis 1 Prozent der Bevölkerung mit einem Altersgipfel in der vierten bis sechsten Dekade. Leider gibt es weder eine Prophylaxe noch eine Heilung. Ziele einer komplexen Rehabilitation sind das Verhindern der entzündlichen Prozesse, die Schmerzreduktion, der Funktionserhalt soweit möglich oder die Entwicklung von „coping"-Strategien. Bäder und Kuren sind bei Patienten mit rheumatoider Arthritis sehr beliebt.

Zur Effizienz dieser Anwendungen gibt es einige wissenschaftliche Untersuchungen. Eine zweiwöchige Kur mit Bädern im Toten Meer, Sulphur-Bädern und auch deren Kombination führte, verglichen mit einer Kontrollgruppe, die sich am Toten Meer aufhielt, aber keine spezifische Therapie hatte, zu Verbesserungen bezüglich der Morgensteifigkeit, Gehgeschwindigkeit, Handkraft, den Aktivitäten des täglichen Lebens, der Krankheitseinschätzung durch die Patienten und dem Ritchie Index, einem Maß für die Anzahl der aktiven Gelenke (Sukenik et al, 1995). Die meisten dieser positiven Effekte hielten drei Monate an. Zwei andere jeweils über zwei Wochen durchgeführte Studien, die Totes-Meer-Salz-Bäder mit Natriumchlorid-Bädern (Sukenik et al, 1990) oder Bädern in normalem Wasser (Elkayam et al, 1991) verglichen, fanden nur in manchen klinischen Parametern positive Effekte; die Handkraft wurde in beiden Studien durch die Bäder im Meerwasser verbessert. Eine qualitativ hochwertige Arbeit von Franke und Koautoren (2000) zeigte bei Patienten mit rheumatoider Arthritis eine Verbesserung von Schmerz, Funktion und psychologischer Beeinträchtigung durch natürliche Radonbäder (15mal, jeweils 20 Minuten). Diese positiven Ergebnisse waren auch noch sechs Monate nach Therapieende nachweisbar. Regelmäßig angewendete, 20 Minuten dauernde Sulphurbäder, auf die Extremitäten und den Rücken aufgelegte Schlammpackungen und die Kombination dieser beiden Therapieformen scheinen in Hinblick auf die Morgensteifigkeit, die Handkraft, die Gehgeschwindigkeit und die Krankheitsaktivität (Einschätzung durch die Patienten, Schwellung der Fingergelenke, Ritchie Index) effektiv zu sein (Sukenik et al, 1990). Unterwassertherapie ist der „normalen" Physiotherapie, Relaxationsübungen und Sitzbädern überlegen (Hall et al, 1996). Der Vergleich der Hydrotherapie mit einer Plazebobehandlung ist

## 3.2 Entzündliche Gelenkerkrankungen und Osteoporose

sehr schwierig, zumindest als Doppelblindstudie nicht durchführbar. Basierend auf einer prä-post Analyse schlossen Sukenik und Mitarbeiter auf die positiven Effekte der Hydrotherapie und Schlammpackungen verglichen zu keiner Therapie (Sukenik et al, 1990 und 1995). Die Schlussfolgerung der Cochrane Database Collaboration (Verhagen et al, 2003) ist, dass die positiven Ergebnisse der Hydrotherapie nicht negiert werden können, dass aber wegen methodischer Mängel der meisten Arbeiten die wissenschaftliche Evidenz nicht ausreichend ist.

Patienten mit rheumatoider Arthritis schränken wegen der schwellungs- und entzündungsbedingten Schmerzen den Bewegungsumfang im entsprechenden Gelenk ein. Eine ausgeprägte Schwellung – vor allem im Bereich der unteren Extremitäten – behindert manchmal auch die umgebende Muskulatur in der Kontraktion. Die Folge ist die Atrophie des entsprechenden Muskels. Diese führt im Zusammenspiel mit Dysbalancen zwischen Agonisten und Antagonisten und der eingeschränkten Gelenkbeweglichkeit zu einer mangelnden biomechanischen Integrität, welche aufgrund der inkorrekten Gelenkbelastung die Schmerzsymptomatik weiter verstärkt (Hicks, 1990). Die Inaktivität hat aber nicht nur Auswirkungen auf lokaler Ebene. Eine lokal reduzierte muskuläre Aktivität führt auf Dauer zu einer reduzierten funktionellen Kapazität des muskulo-skelettalen Systems. Die dadurch weiter eingeschränkte Aktivität bewirkt auch eine reduzierte funktionelle Kapazität des kardio-vaskulären Systems. Aufgrund der allgemeinen Dekonditionierung schränken die Patienten ihre Aktivitäten weiter ein. Dies wirkt sich auf den Krankheitsverlauf und die Selbstständigkeit negativ aus. Früher hielt man für Patienten mit Arthritis Ruhe für die Therapie der Wahl (Smith and Polley, 1978), doch heute versucht man häufig der Dekonditionierung entgegenzuwirken. Obwohl *Unterwassertraining* bei Patienten mit rheumatoider Arthritis ein effektives Trainingsmittel darstellt (Melton-Rogers et al, 1996), gibt es zum Thema Unterwassergymnastik/-training bei Patienten mit rheumatoider Arthritis nicht sehr viele Arbeiten. Vor mehr als einem Jahrzehnt wurde ein sechswöchiges Unterwassertraining als sinnvoller Bestandteil der Therapie von Kindern mit juveniler rheumatoider Arthritis beschrieben (Bacon et al, 1991). Sowohl Übungen unter Wasser als auch normales Gehtraining führten nach 12 Wochen bei Patienten mit rheumatoider Arthritis (mittleres Alter 54 Jahre) zu einer Verbesserung der aeroben

Kapazität, der Gehgeschwindigkeit, der Depression, der Angst und der allgemeinen körperlichen Aktivität (Minor et al, 1989). Eine dreiarmige Studie (Suomi and Collier, 2003), die Unterwassergymnastik mit normalem Training und einer Kontrollgruppe verglich, zeigte, dass sowohl die Unterwassergymnastik als auch das normale Training die funktionelle Fitness und die Aktivitäten des täglichen Lebens bei älteren Personen mit Arthritis verbessern. Die Evidenz fasst ein Review der Cochrane Database Collaboration (Cardoso et al, 2004), zusammen. Zur Evaluierung der Hydrotherapie wurde der 6-Minuten-Gehtest empfohlen (Gowans et al, 1999).

Wie ist es aber mit den Langzeiteffekten durch Training? Die Angst vor einer trainingsbedingten radiologischen Verschlechterung ist häufig der Grund für die in der Praxis teilweise noch restriktiv gehandhabten Trainingsempfehlungen bei Patienten mit rheumatoider Arthritis. Ein wirklich intensives Training entsprechend den Richtlinien des American College of Sports Medicine für Gesunde durchgeführt scheint *nur* bei Patienten, die eine starke Vorschädigung der Kniegelenke haben, verglichen mit einer Kontrollgruppe zu einer stärkeren Progression zu führen (de Jong et al, 2003). Für die kleineren Gelenke der Hände und Füße gibt es einige Studien, die entweder eine gleich starke oder sogar eine geringere Progression für Patienten, die in ein Trainingsprogramm eingebunden sind, aufzeigen (Nordemar et al, 1981; Hakkinen et al, 2001 and 2004; de Jong et al, 2004). Aber wie ist es mit Unterwassertraining? Die Langzeiteffekte von Unterwassertraining sind in einer Studie von Stenström und Mitarbeitern (2001) untersucht worden. Patienten, die vier Jahre lang ein intensives dynamisches Unterwassertraining (1×/Woche 40 Minuten, teilweise über 170% der Ruheherzfrequenz) durchgeführt hatten, hatten verglichen zu einer Kontrollgruppe eine bessere Handkraft und waren allgemein aktiver; sowohl der Larsen Score als auch die klinischen Entzündungszeichen (Schwellung, Labor und Ritchie Index) waren in beiden Gruppen gleich. Ein intensives Unterwassertraining hat also auch langfristig keine negativen Effekte auf die Krankheitsaktivität.

Es gibt kaum Studien, die die Effekte der Hydro- beziehungsweise Balneotherapie speziell auf die so häufig betroffene Hand bei Patienten mit rheumatoider Arthritis untersucht haben. Ein drei Wochen dauerndes komplexes Therapieregime, das auch Thermal-, Radon- und Paraffinbäder einschloss, führte zu

## 3.2 Entzündliche Gelenkerkrankungen und Osteoporose

einer Verbesserung der Schmerzsymptomatik, der Handkraft und der Funktion der betroffenen Hand (Buljina et al, 2001). Eine Untersuchung (Codish et al, 2005) beschreibt, dass drei Wochen hindurch für jeweils 20 Minuten regelmäßig aufgelegte Schlammpackungen (insgesamt 15 Behandlungen) die Anzahl geschwollener und schmerzhafter Fingergelenke reduzieren.

### Merke

▷ Hydrotherapie scheint positive Effekte auf die Symptomatik von Patienten mit chronischer Polyarthritis zu haben.
▷ Unterwassertraining stellt bei Patienten mit chronischer Polyarthritis ein effektives Therapiemittel dar.
▷ Auch ein intensives Unterwassertraining hat keine negativen Effekte auf die Krankheitsaktivität bei chronischer Polyarthritis.

### 3.2.2 Ankylosierende Spondylitis

Die ankylosierende Spondylitis ist eine weitere chronisch progressiv verlaufende entzündliche Erkrankung; sie betrifft vor allem das Achsenskelett. Bei etwa einem Drittel der Patienten kommt es aber auch zu einer Beteiligung der peripheren, vor allem der proximalen Gelenke. Die Betroffenen leiden unter Schmerzen, einer zunehmend eingeschränkten spinalen Beweglichkeit und einer verminderten Belastbarkeit. Deshalb stellen physikalisch medizinische Maßnahmen neben der medikamentösen Therapie einen wesentlichen Bestandteil der multimodalen Rehabilitation dieser Erkrankung dar. Das Ziel der Bewegungstherapie ist die spinale Mobilität zur Erhaltung der Beweglichkeit des Brustkorbes für die Atmung und um eine aufrechte Haltung zu ermöglichen; ein weiteres Ziel ist die Verbesserung der Muskelkraft. Ein Review der Cochrane Database Collaboration (Dagfinrud et al, 2004) kommt zu dem Schluss, dass das regelmäßige Ausführen eines Hausübungsprogramms effektiver ist als keine Intervention, dass Gruppentherapie unter der Supervision eines/einer Physiotherapeuten/in nochmals effektiver ist und ferner, dass die Kombination von Kur und Physiotherapie effektiver ist als nur Physiotherapie.

Diese Schlussfolgerung basiert auf einer Arbeit, die einen dreiwöchigen Kuraufenthalt mit Physiotherapie in der Gruppe, Gehen, Haltungsverbesserung (Liegen in Rückenlage), Hydrotherapie, Sport und Besuchen im Heilstollen von Bad Hofgastein (Österreich, Gruppe 1) beziehungsweise Saunabesuchen im Kurort Acren (Niederlande, Gruppe 2) mit einer Kontrollgruppe (Gruppe 3), die zu Hause blieb und nur einmal pro Woche Physiotherapie in der Gruppe hatte, verglich (Van Tubergen et al, 2001). Nach diesen drei Wochen nahmen die Studienteilnehmer/innen aller drei Gruppen für weitere 37 Wochen an wöchentlichen Physiotherapieeinheiten in der Gruppe teil. Der gepoolte Index der Änderung der Hauptzielparameter Funktion, Wohlbefinden, Schmerz und Morgensteifigkeit führte bei den Kurpatienten zu deutlichen Verbesserungen verglichen zur Kontrollgruppe, die Unterschiede waren für die Gruppe 1 noch stärker ausgeprägt. In der Folge wurde eine Kosteneffizienzanalyse dieser Kurtherapie durchgeführt. Die neben der medikamentösen und physiotherapeutischen Standardtherapie durchgeführte Kur stellte sich als kosteneffizienter dar als die Standardtherapie allein (Van Tubergen et al, 2002). Eine vor kurzem publizierte Arbeit (Codish et al, 2005) vergleicht zwei Wochen hindurch in einem Kurort am Toten Meer durchgeführte Schlammpackungen und Sulphurbäder (jeweils 20 Minuten) und Baden im Toten Meer mit Bädern in normalem Wasser. Da es in beiden Gruppen zu signifikanten Verbesserungen in der Krankheitsaktivität gemessen mittels Bath AS Disease Activity Index, Schmerz und der spinalen Beweglichkeit kam, ordneten die Autoren diese positiven Effekte der Klimatherapie am Toten Meer zu. Eine Arbeit (Yurtkuran et al, 2005) vergleicht die Effekte der Balneotherapie mit der Einnahme von nichtsteroidalen Antirheumatika bei Patienten mit ankylosierender Spondylitis. Gruppe 1 erhielt 5 mal pro Woche für jeweils 20 Minuten Balneotherapie, Gruppe 2 nahm zusätzlich 1000 mg Naproxen ein, Gruppe 3 wurde ausschließlich mit 1000 mg Naproxen behandelt. Nach drei Wochen waren signifikante symptomatische und klinische Verbesserungen in allen drei Gruppen vorhanden; diese hielten sechs Monate an, waren allerdings in den Gruppen 1 und 2 der Gruppe 3 überlegen.

Eine an acht Patienten mit ankylosierender Spondylitis durchgeführte Vergleichsstudie (Samborski et al, 1992) (cross-over Design) zeigte, dass weder eine dreiwöchige Therapie mit Parafango noch Ganzkörperkältetherapie zu nen-

## 3.2 Entzündliche Gelenkerkrankungen und Osteoporose

nenswerten Veränderungen der Blutsenkungsgeschwindigkeit oder der Serumspiegel für akute Phase-Proteine und IgA-Globuline führt, die Serumspiegel für C-reaktives Protein nach der Wärmebehandlung aber leicht anstiegen. Auch wenn die Studie sehr klein ist, ist im akuten Schub einer ankylosierenden Spondylitis vielleicht doch Vorsicht bei der Anwendung von Wärme geboten.
Interessant ist, dass Rheumatologen physikalische Therapiemaßnahmen – die Kurbehandlung eingeschlossen – für effektiv halten; 39% von ihnen meinen auch, dass eine Kur die durch die Einnahme von nicht-steroidalen Antirheumatika oder Arztbesuche verursachten Kosten reduziert und die Arbeitsfähigkeit beziehungsweise die Anzahl der Krankenstandstage positiv beeinflusst (Mihai et al, 2005). Patienten mit ankylosierender Spondylitis sind für eine Behandlung an einem Kurort bereit, mehr Geld als für eine Behandlung in einer Rehabilitationsklinik auszugeben; diese Bereitschaft ist auch von der erwarteten Verbesserung der klinischen Symptome nicht jedoch vom Schweregrad der Beeinträchtigung der Patienten, vom Geschlecht oder der Höhe des Einkommens abhängig (Boonen et al, 2005).

### Merke

▷ Für Patienten mit ankylosierender Spondylitis ist die Kombination von Kur und Physiotherapie effektiver als Physiotherapie allein.
▷ Im akuten Schub einer entzündlichen Gelenkerkrankung ist immer Vorsicht bei der Anwendung von Wärme geboten.
▷ Rheumatologen halten physikalische Therapiemaßnahmen (Kur eingeschlossen) bei ankylosierender Spondylitis für effektiv.

### 3.2.3 Osteoporose

In der Kindheit und Jugend wird Knochen aufgebaut. Das Knochenwachstum wird in der Pubertät mit Verknöcherung der Wachstumsfugen abgeschlossen. Zwischen dem 20. und 30. Lebensjahr wird die maximale Knochenmasse („peak bone mass") erreicht; dann nimmt sie stetig ab. Durch körperliche Aktivität beziehungsweise gezieltes Training kann nicht nur die „peak bone mass" gesteigert, sondern auch der altersbedingte Abbau reduziert werden. Athleten, die „high impact"-Sportarten betreiben, haben deutlich höhere Knochendichtewerte als Schwimmer (Nikander et al, 2005). Ihre Knochendichte ist mit der von Nicht-Sportlern vergleichbar. Bei postmenopausalen Frauen dürfte sich regelmäßige Unterwassergymnastik aber positiv auf den Knochenstoffwechsel auswirken. Tsukahara und Koautoren (1994) konnten durch ihr einjähriges Programm, welches einmal pro Woche für jeweils 45 Minuten durchgeführt wurde, bei postmenopausalen Frauen die Knochendichte im Lumbalbereich um 0,75% steigern, während sich diese bei der Kontrollgruppe um 2,72% verschlechterte. Eine von postmenopausalen Frauen dreimal pro Woche sechs Monate lang durchgeführte Unterwassergymnastik führte verglichen zu einem Kontrollkollektiv nicht nur zu einer Verbesserung der Knochendichte gemessen mittels Ultraschall, sondern auch zu einer Zunahme von Wachstumshormon, insulin-like growth factor, Kalzitonin und einer Abnahme von Parathormon (Yurtkuran, 2003). Ein nur 10 Wochen dauerndes Unterwasserübungsprogramm kombiniert mit *self-management* führt zu deutlichen Verbesserungen der Balance und der Lebensqualität aber nicht zu einer Abnahme der Angst vor Stürzen (Devereux et al, 2005). Es gibt also Hinweise dafür, dass sich ein regelmäßig durchgeführtes *Unterwassertraining* positiv auf den Knochenstoffwechsel und das Gleichgewicht – also das Sturzrisiko – auswirkt.

Multiple Wirbelkörperbrüche führen zu einer verstärkten Kyphosierung der Brustwirbelsäule und damit zu einer Verlagerung des Körperschwerpunktes mit erhöhtem Sturzrisiko. Die Folge ist eine muskuläre Insuffizienz mit daraus resultierenden Myogelosen und dadurch bedingten Rückenschmerzen. In diesen Fällen sind Entspannung der Muskulatur und Schmerzlinderung die Ziele des Einsatzes von Wärmebehandlungen wie Moorpackungen. Möglicherweise haben Moorpackungen bei diesen Patienten aber noch weitere positive Effekte. Eine Ganzkörpermoortherapie nach einer viermonatigen Trainingsphase (zwei Stunden pro Woche) führte bei postmenopausalen Frauen mit Osteoarthrose verglichen zu Frauen, die nur das Training ausführten, zu deutlichen Veränderungen des Knochenstoffwechsels: Die Serumspiegel der Knochenformationsmarker Osteocalcin und alkalische Phosphatase stiegen an, der Parathormonspiegel nahm ab (Bellometti et al, 2002). Studien, die eine Abnahme von

## 3.2 Entzündliche Gelenkerkrankungen und Osteoporose

Interleukin 1 (IL–1) und Tumor-Nekrose-Faktor 1 (TNF) bei Patienten mit Osteoarthrose bedingt durch Moorpackungen gezeigt haben (Bellometti et al, 1997), deuten auch auf den Einfluss von Moor auf den Knochenstoffwechsel hin.

> **Merke**
> ▷ Bei postmenopausalen Frauen scheint sich regelmäßige Unterwassergymnastik sowohl auf den Knochenstoffwechsel als auch auf die Sensomotorik positiv auszuwirken.
> ▷ Mooranwendungen bewirken bei Patientinnen mit Kyphose und dadurch bedingten Beschwerden möglicherweise nicht nur eine Entspannung der Muskulatur, sondern eventuell auch Veränderungen des Knochenstoffwechsels.

*Zusammenfassung*

Bei Gelenkdeformitäten oder nach einer rezenten Operation (z.B.: Osteotomie, Synovektomie oder Gelenkprothese) bietet sich die Bewegung des Gelenkes unter Entlastung, also im Wasser an. Zur Effizienz der Hydrotherapie bei rheumatoider Arthritis gibt es positive Ergebnisse, die nicht negiert werden können. Leider weisen die wissenschaftlichen Arbeiten aber methodische Mängel auf. Training unter Wasser scheint positive Effekte auf die Aktivitäten des täglichen Lebens ohne negative Auswirkungen auf die Krankheitsaktivität zu haben. Im akuten Schub ist von einer Unterwassertherapie aber sicherlich Abstand zu nehmen. Bei der ankylosierenden Spondylitis ist regelmäßige Gymnastik besonders wichtig. Eine zusätzlich zu regelmäßig praktizierter Physiotherapie durchgeführte Kur steigert die Effektivität. Das Hauptaugenmerk der Unterwassergymnastik bei dieser Erkrankung liegt auf Mobilisations- und Lockerungsübungen zur Verbesserung der Beweglichkeit, Streck- und Dehnungsübungen zur Korrektur von Fehlhaltungen der Wirbelsäule oder beteiligter Gelenke und gezielte Bewegungstherapie zur Mobilisierung der Thoraxstarre und damit Verbesserung der verminderten Vitalkapazität. Kontraindiziert sind alle Übungen, die die Kyphose der Brustwirbelsäule verstärken oder eine Kräftigung des M. pectoralis sowie der Hüft- oder Kniebeuger bewirken. Auch bei der ankylosierenden Spodylitis sollte man im akuten Schub von einer Unterwassertherapie Abstand nehmen. Unterwassergymnastik und Moorpackungen beeinflussen, so wie es scheint, auch den Knochenstoffwechsel positiv.

## *Literatur zu Kapitel 3.2*

Bacon MC, Nicholson C, Binder H, White PH. Juvenile rheumatoid arthritis. Aquatic exercise and lower-extremity function. Arthritis Care Res. 1991, 4 (2): 102–5.

Bellometti S, Cicchettin M, Galzigna L. Mud pack therapy in osteoarthrosis. Changes in serum levels of chondrocyte markers. Clin Chim Acta 1997; 268 (1–2): 101–106.

Bellometti S, Bertè F, Richelmi P, Tassoni T, Galzigna L. Bone remodelling in osteoarthrosic subjects undergoing a physical exercise program. Clinica Chimica Acta 2002; 325: 97–104.

Boonen A, Severens JL, von Tubergen A, Landewé R, Bonsel G, van der Heijde D, van der Linden S. Willingness of patients with ankylosing spondylitis to pay for inpatient treatment is influenced by the treatment environment and expectations of improvement. Ann Rheum Dis 2005; 64:160–2.

Buljina AI, Taljanovic MS, Avdic DM, Hunter TB. Physical and exercise therapy for treatment of the rheumatoid hand. Arthritis Care & Research 2001; 45: 392–7.

Cardoso JR, Athala AN, Cardoso APRG, Carvalho SMR, Garanhani MR; Lavado EL, Verhagen AP. Aquatic therapy exercise for treating rheumatoid arthritis [protocol] The Cochrane Database of Systematic Reviews. 2004; Vol 4

Codish S, Abu-Ahakra M, Flusser D, Friger M, Sukenik S. Mud compress therapy for the hands of patients with rheumatoid arthritis. Rheumatol Int 2005; 25: 49–54.

Codish S, Dobrovinsky S, Abu Shakra M, Flusser S, Sukenik S. Spa therapy for ankylosing spondylitis at the dead sea. Isr Med Assoc J 2005; 7 (7): 443–6.

Dagfinrud H, Hagen KB, Kvien TK. Physiotherapy interventions for ankylosing spondylitis. Cochrane Database of Systematic Reviews 2004; (4):CD002822.

de Jong Z, Munneke M, Zwinderman AH, Kroon HM, Jansen A, Ronday KH, van Schaardenburg D, Dijkmans BA, van den Ende CH, Breedveld FC, Vliet Vlieland TP, Hazes M. Is a long-term high-intensity exercise program effective and safe in patients with rheumatoid arthritis? Results of a randomized controlled trial. Arthritis Rheum 2003; 48 (9):2415–24.

de Jong Z, Munneke M, Zwinderman AH, Kroon HM, Ronday KH, Lems WF, Dijkmans BAC, Breedveld FC, Vliet Vlieland TPM, Hazes JMW, Huizinga TWJ. Long term high intensity exercise and damage of small joints in rheumatoid arthritis. Ann Rheum Dis 2004; 63: 1399–405.

Devereux K, Robertson D, Briffa NK. Effects of a water-based program on women 65 years and over : a randomised controlled trial. Aust J Physiother; 2005; 51 (2): 102–108.

Elkayam O, Wigler I, Tishler M, Rosenblum I, Caspi D, Segal R, Fishel B, Yaron M. Effect of spa therapy in Tiberias on patients with rheumatoid arthritis and osteoarthritis. J Rheumatol 1991; 18 (12): 1799–803.

## 3.2 Entzündliche Gelenkerkrankungen und Osteoporose

Franke A, Reiner L, Pratzel HG, Franke T, Resch KL. Long-term efficacy of radon spa therapy in rheumatoid arthritis – a randomized, sham-controlled study and follow-up. Rheumatology 2000; 39: 894–902.
Gowans SE, deHueck A, Voss S. Six-minute walk test : a potential outcome measure for hydrotherapy. Arthritis Care and Research 1999 ; 208–11.
Hakkinen A, Sokka T, Kotaniemi A, Hannonen P. A randomized two-year study of the effects of dynamic activity, functional capacity, and bone mineral density in early rheumatoid arthritis. Arthritis & Rheumatism 2001 ; 44 : 515–22.
Hakkinen A, Sokka T, Kotaniemi A, Hannonen P. Sustained maintenance of exercise induced muscle strength gains and normal bone mineral density in patients with early rheumatoid arthritis : a 5 year follow up. Ann Rheum Dis 2004; 63: 910–6.
Hall J, Skevington SM, Maddison PJ, Chapman K. A randomized and controlled trial of hydrotherapy in rheumatoid arthritis. Arthritis Care Res 1996; 9 (3): 206–15.
Hicks JE. Exercise in patients with inflammatory arthritis and connective tissue disease. Rheumatic Disease Clin North Am 1990; 16 (4): 845–70.
Melton-Rogers S, Hunter G, Walter J, Harrison P. Cardiorespiratory responses of patients with rheumatoid arthritis during bicycle riding and running in water. Phys Ther 1996; 76 (10): 1058–65.
Mihai B, van der Linden S, de Bie R, Stucki G. Experts' beliefs on physiotherapy for patients with ankylosing spondylitis and assessment of their knowledge on published evidence in the field. Results of a questionnaire among international ASAS members. Eura Medicophys 2005; 41 (2): 149–53.
Minor MA, Hewett JE, Webel RR, Anderson SK, Kay DR. Efficacy of physical conditioning exercise in patients with rheumatoid arthritis and osteoarthritis. Arthritis and Rheumatism 1989; 32 (11): 1396–405.
Nikander S, Sievanen H, Heinonen A, Kannus p. Femoral neck structure in adult female athletes subjected to different loading modalities. JBMR 2005; 20 (3): 520–528.
Nordemar R, Ekblom B, Zacharisson L, Lundqvist K. Physical training in rheumatoid arthritis: a controlled long-term study. I. Scan J Rheumatol 1981; 10 : 17–23.
Samborski W, Sobieska M, Mackiewicz T, Stratz T, Mennet M, Müller W. Kann die Thermotherapie bei Spondylitis ankylosans zur Aktivierung der erkrankung führen? Z Rheumatol 1992; 51: 127–31.
Smith RD, Polley HF. Rest therapy for rheumatoid arthritis. Mayo Clin Proc 1978; 53: 141–5.
Stenström CH, Lindell B, Swanberg E, Swanberg P, Harms-Ringdahl K, Nordemar R. Intensive dynamic training in water for rheumatoid arthritis functional class II – a long-term study of effects. Scan J Rheumatol 2001; 20: 358–65.
Sukenik S, Buskila D, Neumann L, Kleiner-Baumgarten A, Zimlichman S, Horowitz J. Sulphur baths and mud pack treatment for rheumatoid arthrtis at the Dead Sea area. Annals of Rheumatic Diseases 1990; 49 (2): 99–102.
Sukenik S, Neumann L, Buskila D, Kleiner-Baumgarten A, Zimlichman S, Horowitz J. Dead

Sea bath salts fort the treatment of rheumatoid arthritis. Clin Exp Rheumatol. 1990; 8 (4): 353–7.

Sukenik S, Neumann L, Flusser D, Kleiner-Baumgarten A, Buskila D. Balneotherapy for rheumatoid arthritis at the Dead Sea. Isr J Med Sci 1995; 31 (4): 210–4.

Suomi R, Collier D. effects of arthritis exercise programs on functional fitness and perceived activities of daily living measures in older adults with arthritis. Arch Phys Med Rehabil 2003; 84: 1589–94.

Tsukahara N, Toda A, Goto J, Ezawa I. Cross-sectional and longitudinal studies on the effect of water exercise in controlling bone loss in Japanese postmenopausal women. J Nutr Sci Vitaminol 1994; 40: 37–47.

Van Tubergen A, Landewe R, van der Heijde D, Hidding A, Wolter N, Asscher M, Falkenbach A, Geneth E, The HG, van der Linden S. Combined spa-exercise therapy is effective in patients with ankylosing spondylitis: a randomized controlled trial. Arthritis Rheum 2001; 45 (5): 430–8.

Van Tubergen A, Boonen A, Landewé R, Rutten-Van Mölken M, van der Heijde D, Hidding A, van der Linden S. Cost effectiveness of combined spa-exercise therapy in ankylosing spondylitis: a randomized controlled trial. Arthritis & Rheumatism 2002; 47 (5): 459–67.

Verhagen AP, Bierma-Zeinstra SMA, Cardoso JR, de Bie RA, Boers M, de Vet HCW. Balneotherapy for rheumatoid arthritis. Cochrane Database Syst Rev 2003; (4): CD000518.

Yurtkuran A. Evaluation of hormonal response and ultrasonic changes in the heel bone by aquatic exercise in sedentary postmenopausal women. Am J Phys Med Rehabil 2003; 82: 942–949.

Yurtkuran M, Ay A, Karakoc Y. Improvements of the clincial outcome in ankylosing spondylitis by balneotherapy. Joint Bone Spine 2005; 72 (4): 303–8.

## 3.3 Traumatologie und Orthopädie

**Karin Pieber**

In der alltags- und sportartspezifischen Rehabilitation nach Sportverletzungen ist die Bewegungstherapie im Rahmen einer funktionellen Therapie nicht mehr wegzudenken. Ziel ist eine möglichst kurze Immobilisationszeit, um eine Gewebeatrophie, Kontrakturbildung und Abnahme der Belastungsfähigkeit zu verhindern bzw. zu minimieren.

Nach Kreuzbandersatz oder auch Hüft- und Knieendoprothesenimplantation werden oft unterschiedliche Angaben hinsichtlich der postoperativen Belastbarkeit je nach OP-Technik oder auch anderer Faktoren gemacht. Hinsichtlich des Bewegungsbades besteht jedoch die einheitliche Meinung, dass sie einen wich-

## 3.3 Traumatologie und Orthopädie

tigen Bestandteil in der Rehabilitation nach oben genannten Operationen darstellt. Der mögliche postoperative Beginn wird meist mit Abheilung der Operationswunde definiert.

*Mechanische, thermische und chemische Wirkfaktoren* des Wassers werden bei der Hydrotherapie genutzt. Auftrieb und Wärme sind nur zwei von vielen Effekten der Therapie, welche unter anderem eine beschleunigte Regeneration nach Operationen mit Reduktion von Schmerzen und Spastizität bewirken. Einer eventuell schmerzbedingten Hemmung in der motorischen Steuerung kann damit entgegen gearbeitet werden und die Entwicklung von Fehlstereotypien verhindert werden (1). Spezielle krankheitsbezogene Bewegungsübungen können entweder in Einzel- oder Gruppenbehandlungen durchgeführt werden. Die Wassertemperatur sollte dabei zwischen 28 °C und 33 °C betragen, die Behandlungsdauer nicht länger als 30 Minuten.

Der *Auftrieb* bewirkt einen vom Patienten wahrgenommenen Gewichtsverlust und erleichtert subjektiv die empfohlenen Bewegungsübungen. Ferner können aufgrund des Auftriebes die teilweise geforderten Entlastungen realisiert werden. Die Gewichtsentlastung nimmt mit der Eintauchtiefe des Körpers zu, z.B. beträgt diese beim Stehen in Brusthöhe 60%, in Hüfthöhe 40%. Eingeschränkte Gelenkbewegungen, sowohl aktiv als auch passiv, können mittels Auftrieb und eventuell unter Mithilfe von Therapiegeräten (Auftriebskörper, luftgefüllte Bälle und Ringe) verbessert werden.

Aufgrund der *Viskosität* des Wassers können Kräftigungsübungen gezielt durchgeführt werden. Der Widerstand kann dabei durch unterschiedliche Geschwindigkeiten der Bewegung und Flächengröße der bewegten Extremität (mit Hilfsmittel) variiert werden. Der Vorteil der Kräftigungsübungen im Wasser im Vergleich zur Trockentherapie ist, dass die Bewegungen mehr den im Alltag benötigten Bewegungsmustern entsprechen und damit eine bessere neuronale Adaptierung ermöglichen (2).

Der *hydrostatische Druck* des Wassers vermittelt ein Gefühl der Sicherheit im Stand und wirkt resorptionsfördernd. Die koordinativen Fähigkeiten des Patienten werden aufgrund der ständig geforderten Gleichgewichtsreaktionen im Wasser gesteigert.

Die genannten Wirkungen des Wassers bringen den Vorteil, dass mit einem funktionellen Training frühzeitiger begonnen werden kann als mit Bewegungsübungen im Trockenen. Gerade die Vermeidung von Inaktivität und langer Ruhigstellung ist ein wichtiger Bestandteil der Rehabilitation nach Operationen um Muskelatrophie, Weichteilveränderungen und Einschränkungen der Gelenksbeweglichkeit zu vermeiden.

Eine große Auswahl an verschiedenen Übungen steht zur Zusammenstellung eines geeigneten Therapieprogrammes zur Verfügung. Zu berücksichtigen sind neben der Diagnose, das Alter und der Konstitutionstypus des Patienten.

Es folgen nun einige Verletzungen und Operationen bei denen Bewegungstherapie im Wasser (UW-Therapie) als Bestandteil der Rehabilitation in Studien behandelt bzw. empfohlen wurde. Im *Schulterbereich* wird die UW-Therapie sowohl bei akuten Verletzungen als auch bei chronischen Überlastungsschäden eingesetzt (3, 4). Für Kräftigungsübungen werden dabei diverse Schwimmbretter und Paddels verwendet.

Bei der postoperativen Behandlung nach *Kreuzbandplastik* konnte beim Vergleich von Bewegungstherapie im Wasser und am Land eine verminderte Schwellungsneigung und höhere Werte im Lysholm-Score bei der Hydrotherapie erreicht werden. Die Ergebnisse für den passiven Bewegungsumfang zeigten keinen Unterschied (5).

Mit einer speziellen Wassertherapie konnte bei Patienten nach Implantation einer *Knieendoprothese* eine bessere muskuläre Koordination und Kräftigung des Kniegelenkes erzielt werden (6). Ebenso kommt die UW-Therapie in der Rehabilitation nach *Hüftendoprothesen* zum Einsatz (7). Vor allem eine Verbesserung des Gangbildes und des Gleichgewichts konnte mit Hydrotherapie nach Hüft-TEP gezeigt werden (8).

Die Anwendung der UW-Therapie erscheint aufgrund der Wirkungen auch sehr gut zur Nachbehandlung von *Meniskus-Operationen* mit Naht des betroffenen Anteils und Knorpelzelltransplantationen im Knie- und Sprunggelenksbereich sinnvoll und wird auch bereits eingesetzt. Studiendaten liegen darüber bisher noch keine vor (9).

Bei allen oben erwähnten Effekten des Wassers sollte man nicht die zusätzlich positive psychische Wirkung der UW-Therapie vergessen. Ein Patient, welcher sich im Trockenen nur mit Krücken fortbewegen kann, steht und geht im

## 3.3 Traumatologie und Orthopädie

Wasser ohne Hilfsmittel. Dies führt natürlich auch zu einem „psychischen" Auftrieb.

Als *Kontraindikation* für die Bewegungstherapie im Wasser gelten unter anderem
- dekompensierte Herzinsuffizienz
- koronare Herzerkrankung
- schlecht eingestellte arterielle Hypertonie
- Fieber
- Hautdefekte
- Infektionen
- Harn- und Stuhlinkontinenz
- fortgeschrittene periphere arterielle Verschlusskrankheit
- chronisch obstruktive Lungenerkrankungen im fortgeschrittenen Stadium.

Eine anamnestisch bekannte und schlecht eingestellte Epilepsie stellt zumindest eine relative Kontraindikation dar.

Nach *orthopädischen und unfallchirurgischen Operationen* stehen die Muskelkräftigung, Gelenkmobilisierung, Schmerzreduktion, Entspannung sowie die Verbesserung von Gleichgewicht und Koordination im Vordergrund (10). Diese Anforderungen werden von der Hydrotherapie bestens erfüllt.

### Merke

- Auftrieb, Viskosität, Wärme und hydrostatischer Druck sind Effekte des Wassers, welche in der Hydrotherapie ausgenützt werden.
- Schmerzreduktion, Verminderung von Spastik, Entspannung, Kräftigung und Verbesserung von Koordination sind nur einige Ziele der Bewegungstherapie im Wasser bei unfallchirurgischen und orthopädischen Patienten.
- Frühestmöglicher Therapiebeginn wird meist mit Abheilung der Operationswunde festgelegt.

## Literatur zu Kap. 3.3

1) Wicker A. Bewegungstherapie nach Sportverletzungen – am Beispiel Kniegelenk. Facharzt AD Physikalische Medizin und Rehabilitation 2005; 4–10
2) Prins J, Cutner D. Aquatic therapy in the rehabilitation of athletic injuries. Clin Sports Med 1999; 18: 447–461
3) Roy S, Irvin R. Sports medicine. Princeton, NJ, Prentice Hall 1983
4) Cavanaugh R, Warren F, Day L, et al. A role of hydrotherapy in shoulder rehabilitation. Am J Sports Med 1993; 21: 850
5) Tovin BJ, Wolf SL, Greenfield BH, et al. Comparison of the effects of exercise in water and on land on the rehabilitation of patients with intra-articular anterior cruciate ligament reconstruction. Phys Ther 1994; 74: 22
6) Erler K, Anders C, Fehlberg G, et al. Objektivierung der Ergebnisse einer speziellen Wassertherapie in der stationären Rehabilitation nach Knieendoprothesenimplantation. Z Orthop 2001; 139: 352–358
7) Katrak P, O'Connor B, Woodgate I. Rehabilitation after total femur replacement: a report of 2 cases. Arch Phys Med Rehabil 2003;84:1080–4
8) Giaquinto S, Ciotola E, Margutti F. Valentini F. Gait during hydrokinesitherapy following total hip arthroplasty. Disability and Rehabilitation 2007; 29: 743–749
9) Brindle T, Nyland J, Johnson D. The Meniscus: Review of Basic Principles With Application to Surgery and Rehabilitation. J Athl Train 2001;36: 160–169
10) Giaquinto S, Ciotola E, Margutti F. Gait during hydrokinesitherapy following total knee arthroplasty. Disability and Rehabilitation 2007; 29: 737–742.

## 3.4 Neurologische Erkrankungen
### Othmar Schuhfried

Verschiedene Anwendungen der Hydrotherapie haben für die Therapie von Patienten mit neurologischen Erkrankungen eine Bedeutung. Die unterschiedlichen Mechanismen der Hydrotherapie wie die physikalischen Faktoren des Wassers (Auftriebskraft, hydrostatischer Druck, Reibungswiderstand), die Wassertemperatur und chemische Eigenschaften der im Wasser gelösten Substanzen können in der Therapie von neurologischen Patienten genutzt werden.

## 3.4 Neurologische Erkrankungen

### 3.4.1 Indikationen der Bewegungstherapie im Wasser

Da viele Patienten mit neurologischen Erkrankungen nur eingeschränkt oder überhaupt nicht gehfähig oder sogar stehfähig sind, spielt die Auftriebskraft des Wassers eine wichtige Rolle. Bei der Unterwassergymnastik nützt man die Aufhebung der Schwerkraft durch das Wasser, wodurch Bewegungen leichter durchgeführt werden können. Der psychische Einfluss, den die Unterwassertherapie auf den neurologischen Patienten ausübt, ist von großer Bedeutung. Die Erfahrung, im Wasser gewisse Bewegungen ausführen zu können, die sonst unmöglich sind, erfüllt die Patienten mit freudiger Zuversicht und spornt sie an, sich diesen zunächst vorübergehenden Erfolg dauernd zu eigen zu machen. Daraus kann u.U. in der Folge eine bessere Bewegungsausführung und Mobilität auch außerhalb des Wassers erreicht werden.

Es wurde in der Literatur beschrieben (Gehlsen et al. 1984), dass ein Bewegungsprogramm im Wasser bei Patienten mit *Multipler Sklerose* zu einer Verbesserung der Muskelkraft, Reduktion der Müdigkeit, Zunahme der Leistung und Ausdauer führte. Die Gymnastik fand 3 × wöchentlich für je eine Stunde über 10 Wochen statt. Das Programm bestand aus Freestyle-Schwimmen und Gymnastik im seichten Wasser bei einer Wassertemperatur von 25–27,5 °C.

Eine Bewegungstherapie im Wasser hat bei Patienten mit *chronischer spastischer Parese* unterschiedlicher Genese zu einer Erhöhung der Gehgeschwindigkeit und Senkung des Energiebedarfs bei der Fortbewegung geführt (Zamparo und Pagliaro 1998). Eine Sonderform ist die Schwimmtherapie „Halliwick" nach McMillan, die sowohl für Erwachsene mit neurologischen Krankheitsbildern *(spastische Hemiparese)* als auch für Kinder mit *Zerebralparese* geeignet ist (Paeth, 1984).

### 3.4.2 Anwendungen unterschiedlicher Temperaturen und ihre Wirkung auf die Körperfunktionen

Kurzer Kälteeinfluss wirkt sensibilitätssteigernd, langer sensibilitätssenkend. Im Allgemeinen hat er eine erregende Wirkung, führt zu Erfrischung und subjektiver allgemeiner Kräftigung. Kurzer Wärmeeinfluss erhöht die Sensibilität, ein langer setzt sie herab. Heiße Bäder haben im Allgemeinen eine beruhigende Wirkung.

Unterwassergymnastik bei Temperaturen um 27 °C ist vor allem bei hitzesensiblen Patienten wie bei Multipler Sklerose sinnvoll, da die Temperaturleitfähigkeit des Wassers etwa 25 × größer ist als die der Luft und die Körperhitze leichter abgeleitet wird als bei Bewegungstherapie im Trockenen (White und Dressendorfer 2004). Durch eine Abkühlung durch Eintauchen der Beine in 16–17 °C kaltes Wasser für 30 Minuten vor der Bewegungstherapie hatten MS-Patienten eine geringere Herzfrequenz und verbesserte Werte auf den Müdigkeitsskalen (White et al. 2000). Viele der Patienten mit Multipler Sklerose empfinden kühle Bäder wie Halbbäder von 28–34 °C als entspannend. Von energischen Kaltwasseranwendungen (unter 15 °C) wie kalten Bädern, Duschen, Ganzabreibungen und intensiven Wärmeingriffen (über 35 °C) wie Heißluft, Dampf-, Schlamm- und Moorbädern ist bei Patienten mit Multipler Sklerose abzuraten. Hingegen sind bei einem Zustand nach Poliomyelitis Überwärmungsbäder von 39–40° von 1–2 Stunden Dauer empfehlenswert. Hydrotherapeutische Anwendungen reizen dabei die Thermorezeptoren und führen zu einer kompetitiven Schmerzhemmung. Diese wird durch die Muskeldetonisierung im warmen Wasser noch potenziert (Bocker et al., 1999). Bei M. Parkinson senken laue und warme Bäder, leichte Bürstenbäder, Rumpfwickel, Teilabreibungen und Halbbäder den Muskeltonus und verbessern das Allgemeinbefinden. Warme Bäder von 36–38 °C vermindern den Muskeltonus und wirken entspannend. Diese sind daher bei intaktem Herz-Kreislauf-System ein brauchbares Hilfsmittel, um bei einer spastischen Lähmung wie etwa einer Hemiplegie den Tonus herabzusetzen. Eine umschriebene Senkung des Muskeltonus bei spastischer Muskulatur kann aber auch durch das Eintauchen einer Extremität in ein Eisbad von etwa 20 Minuten Dauer erzielt werden. Bei akuten oder subakuten Neuralgien und Neuritiden kann es durch Bestreichen des Nervengebietes mit Eis zu einer Schmerzerleichterung und einer Dämpfung der Symptomatik kommen. Bei chronischen Neuralgien sind Wärmebäder von 37–39 °C angezeigt.

## 3.4 Neurologische Erkrankungen

### 3.4.3 Andere Anwendungen

Hydroelektrische Bäder (Zellenbäder) kommen bei schlaffen (peripheren) Lähmungen zur Anwendung. Um dabei die Erregbarkeit zu steigern, wird die erkrankte Extremität auf „Minus" (Kathode) gepolt. Bei neuralgischen Beschwerden wird der erkrankte Körperteil auf „Plus" (Anode) gepolt.

Bürstungen sind zur Sensibilisierung von Empfindungsstörungen wie z.B. bei peripheren Läsionen, aber auch nach Schlaganfall anwendbar.

### 3.4.4 Kontraindikationen

Für die Hydrotherapie bei neurologischen Patienten gelten die gleichen Kontraindikationen wie bei anderen Patienten (siehe entsprechendes Kapitel in diesem Buch). Dabei sind vor allem die Effekte des Wassers und der Temperatur auf das Herz-Kreislauf-System zu berücksichtigen. Bei Herzinsuffizienz, frischer Thrombose, Emboliegefahr, Aneurysma, Zustand nach Myokardinfarkt (individuell zu entscheiden, etwa bis zu drei Monaten nach dem Ereignis), pulmonaler und arterieller Hypertonie und akuter Thrombophlebitis ist Hydrotherapie kontraindiziert. Weiters sollten die Patienten fieberfrei sein. Eventuelle Hauterkrankungen und Inkontinenz müssen berücksichtigt werden. Besondere Vorsicht ist bei Patienten mit Epilepsie geboten, da eine Hilfestellung bei einem epileptischen Anfall im Therapiebecken im Vergleich zum Trockenen erschwert ist und zusätzliche Gefahren wie Aspiration bestehen. Bei hydroelektrischen Bädern gelten zusätzlich die für die Elektrotherapie bekannten Kontraindikationen (Fialka-Moser, 2005).

### Beachte

▷ Applikationen mit extremen Temperaturen (sowohl Kälte, vor allem aber Wärme) beeinflussen die Symptomatik bei Multipler Sklerose ungünstig.
▷ Patienten mit neurologischen Erkrankungen, die eingeschränkt gehfähig sind, profitieren bei der Unterwassergymnastik durch die Auftriebskraft des Wassers und können dadurch die Bewegungsausführung und Fortbewegung verbessern.

## Literatur

Bocker, B. et al.: Physiotherapeutische Möglichkeiten in der Versorgung des Postpoliosyndroms. Dtsch. Med. Wschr. 124 (1999), 327–331

Fialka-Moser V.: Elektrotherapie; 11. Aufl., Pflaum Verlag, München 2005

Gehlsen, G.M. et al.: Effects of aquatic fitness programm on the muscular strength and endurance of patients with multiple sclerosis. Phys. Ther. 64 (1984), S. 653–657

Paeth, B.: Schwimmtherapie „Halliwick-Methode" nach J. McMillan bei erwachsenen Patienten mit neurologischen Erkrankungen. Krankengymnastik 36 (1984), S. 100–112

White, A.T. et al.: Effect of precooling on physical performance in multiple sclerosis. Mult. Scler. 6(3) (2000), S. 176–180

White, L. J., Dressendorfer, R.H.: Exercise and Multiple Sclerosis. Sports Med. 34 (2004), S. 1077–1100

Zamparo, P., Pagliaro, P.: The energy cost level walking before and after hydro-kinesy therapy in patients with spastic paresis. Scan. J. Med. Sci. Sports. 8 (1998), S. 222–228

## 3.5 Dekonditionierung

### T. Paternostro-Sluga

Die Dekonditionierung ist ein Krankheitsbild, das noch häufig in seiner Komplexität und massiven Beeinträchtigung des Patienten und seiner Lebensqualität übersehen wird.

*Dekonditionierung ist die reduzierte respiratorische, kardiovaskuläre und muskuloskeletale Leistungsfähigkeit.* Diese ist meist kombiniert mit einer Einschränkung der Sensomotorik. Verminderte Ausdauer, 10–20% Kraftverlust und verminderte Muskelmasse treten bereits nach einer Woche Bettruhe auf (7, 8). Verminderte muskuläre, kardiovaskuläre und respiratorische Fitness bewirkt eine Einschränkung der Aktivitäten des täglichen Lebens und der Partizipation. Insbesondere schwere akute Gesundheitsstörungen, Komplikationen bei Akuterkrankungen und Multimorbidität, langdauernde intensivmedizinische Versorgung, vorbestehende chronische Krankheiten, vorbestehende Behinderungen oder altersbedingte Veränderungen führen zur Dekonditionierung. Die frühzeitige und umfassende Behandlung der Dekonditionierung soll dauerhafte Beeinträchtigungen der Körperfunktionen und Strukturen, der Aktivitäten und Partizipation vermeiden (6, 11).

## 3.5 Dekonditionierung

### 3.5.1 Folgen der Dekonditionierung

> **Muskuloskeletales System**

Die Verschlechterung der muskuloskeletalen Funktion führt an den unteren Extremitäten zu einer Beeinträchtigung der selbstständigen Fortbewegung, an den oberen Extremitäten zu einer Einschränkung manueller Tätigkeiten. Muskuläre Inaktivität kann zu einer Einschränkung der Gelenkbeweglichkeit führen, die wiederum Kontrakturen, Schmerzen und Störung biomechanischer Abläufe bewirken kann.

> **Respiratorisches System:**

Durch Inaktivität kommt es zu einer Abnahme der diaphragmalen und interkostalen muskulären Kraft/Ausdauer und zu einer Abnahme der Thoraxexpansion. Dadurch wird die Atmung flacher, und die peripheren Lungenabschnitte werden geringer belüftet, die Atemfrequenz nimmt kompensatorisch zu. Durch die Schwäche der Atemmuskulatur und der Bauchmuskulatur wird das Abhusten von Sekret erschwert.

> **Kardiovaskuläres System**

Inaktivität führt zur posturalen Hypotension, insbesondere nach langer Bettruhe, da die physiologischen kompensatorischen Mechanismen eingeschränkt sind. Zudem führt die Inaktivität zu einer Abnahme der kardiovaskulären Effizienz. Es kommt zu einer Abnahme des Herzminutenvolumens, sodass bereits bei einfacher körperlicher Aktivität die Herzfrequenz kompensatorisch zunimmt, um eine Steigerung der Auswurfsleistung des Herzens zu erzielen. Es kommt zu einer Abnahme der Leistungsfähigkeit. Die maximale Sauerstoffaufnahme ($VO_2$max) nimmt nach zehn Tagen Bettruhe um 5,2% ab, nach vier Wochen Bettruhe um 20% (5, 10).

### 3.5.2 Therapieeffekte der Unterwassertherapie bei der Dekonditionierung

Die Unterwassertherapie kann zur Behandlung der Dekonditionierung einen wertvollen Beitrag leisten, da die physiologischen Effekte der Unterwassertherapie den Folgen der Dekonditionierung entgegenwirken.

### ▶ Muskuloskeletales System

Durch den Auftrieb des Wassers werden die aktiven Bewegungen erleichtert, und auch sehr schwache Muskelgruppen und/oder Extremitäten können selbstständig aktiv bewegt werden. Steigert man im Rahmen der Therapie die Geschwindigkeit der Bewegung im Wasser, so entstehen ein Widerstand und damit die Möglichkeit des Kraft-Ausdauertrainings gegen mäßigen Widerstand für schwache Muskeln. Durch den Auftrieb wird außerdem die passive Bewegung der Gelenke und die Dehnung von Muskelgruppen erleichtert und damit die Kontrakturbehandlung unterstützt. Die Vertikalisierung fällt leichter, da der Patient wegen des Auftriebs weniger Muskelkraft braucht, um seinen Rumpf aktiv aufzurichten und das Körpergewicht auf den Beinen zu tragen. Damit wird die Bahnung der motorischen Muster für die Vertikalisierung unterstützt. Patienten, die lange Zeit bettlägrig waren, können so erstmals wieder den aufrechten Stand und Gang erfahren. (4, 9, 13, 15)

### ▶ Respiratorisches System

Bei Eintauchen des Körpers bis zum Hals nimmt die funktionelle Residualkapazität um die Hälfte ab, die Vitalkapazität um 9% und das Residualvolumen um ca. 16%. Bei Patienten mit COPD sind die funktionelle Residualkapazität und das Residualvolumen oft gesteigert. Das führt zu einer vermehrten Atemarbeit und bedingt die verstärkte Dyspnoe mit, die häufig bei dieser Patientengruppe zu finden ist. Die Unterwassertherapie kann dieser Problematik entgegenwirken und das Durchführen eines Übungsprogrammes im Wasser zur Steigerung der körperlichen Fitness erleichtern. Es konnte gezeigt werden, dass die $VO_2$ max durch eine Unterwassertherapie gesteigert werden konnte (14).

Ferner fördert der Auftrieb die Aktivität der Bauchmuskulatur, wodurch das Abhusten erleichtert wird. Nicht zu unterschätzen ist die positive Wirkung der erhöhten Luftfeuchtigkeit in einem Schwimmbad/Raum mit Wasserbecken, die schleimlösend wirkt und die Schleimmobilisation unterstützen kann.

### ▶ Kardiovaskuläres System

Das Eintauchen des Körpers bis zum Hals führt zu einer Umverteilung des Blutes von den peripheren zu den intrathorakalen Gefäßen. Ungefähr 700 ml Blut werden von dem venösen System der Extremitäten in den Thorax verschoben

## 3.5 Dekonditionierung

(2). Damit erhöht sich das Schlagvolumen des Herzens. Es wird beschrieben, dass im Wasser bei gleicher Übungsaktivität verglichen mit Übungen im Trockenen die Herzfrequenz weniger steigt (1, 12). Diese Phänomene wirken sowohl der posturalen Hypotension entgegen als auch der Abnahme des Herzminutenvolumens und der Zunahme der Herzfrequenz im Rahmen der Dekonditionierung. Ebenso können durch die Zentralisierung des Blutes Beinödeme reduziert werden (2).

> **Verbesserung der sensomotorischen Fähigkeiten**

Der Auftrieb veranlasst uns zu Gleichgewichtsreaktionen und unterstützt unsere Bewegungen. Bei länger bettlägrigen Patienten kann die Rumpfkontrolle erheblich beeinträchtigt sein, und gerade diese wird durch die Bewegungstherapie im Wasser wesentlich unterstützt. Bei der Unterwasserbehandlung von Intensivpatienten mit langer Liegedauer konnte wiederholt beobachtet werden, dass Patienten am Tag nach der Unterwassertherapie erstmalig aktiv eine Sitzhaltung einnehmen konnten, was zuvor tagelang nicht möglich war. Die Bahnung motorischer Muster durch die Aufhebung der Schwerkraft ist ein wichtiger Behandlungsansatz bei dekonditionierten und über lange Zeit immobilisierten Patienten. Der Behandlungsansatz zielt in erster Linie auf die Verbesserung der Rumpfkontrolle, die Wiedererlangung der Stehfähigkeit sowie des freien Ganges (3).

> **Allgemeine Therapieeffekte**

Die Bewegungstherapie im Wasser fördert die Entspannung. Sie erlaubt dem Patienten, sich trotz seiner Schwäche zu bewegen, sich körperlich anzustrengen und ein physiologisches Müdigkeitsgefühl zu erlangen. Viele der dekonditionierten Patienten berichten, dass für sie ein wichtiger Effekt der Unterwassertherapie die verbesserte Schlafqualität ist.

### *Therapieziele*

▷ Verbesserung der Sensomotorik
▷ Verbesserung der Wahrnehmung
▷ Verbesserung koordinativer Fähigkeiten
▷ Förderung der Transfers (Liegen-Sitzen, Sitzen-Stehen)

## Kapitel 3 Einsatzbereiche

▷ Förderung der Lokomotion
▷ Verbesserung der Lungenfunktion
▷ Verbesserung der Kraft/Ausdauer.

### Vorraussetzungen von Seiten des Patienten

▷ minimale Kopfkontrolle
▷ keine Wasserscheu
▷ Patient soll kognitiv in der Lage sein, der Bewegungstherapie im Wasser zuzustimmen.

### Kontraindikationen

▷ Epilepsie
▷ schwere Herzinsuffizienz
▷ offene Wunden
▷ Trommelfellperforation
▷ entzündliche Prozesse des Urogenitalsystems
▷ Hauterkrankungen
▷ nicht kompensierte Blasen- und Darmstörungen.

### Literatur zu Kap 3.5

1. Avellini BA, Shapiro SH, Pandolf KG. Cardio-Respiratory physical training in water and on land. Eur J Appl Physiol 1983;50:255–63
2. Cardose JR, Athala AN, Cardoso APRG, Carvalho SMR, Garanhani MR; Lavado EL, Verhaben AP. Aquatic therapy exercise for treating rheumatoid arthritis. Cochrane Library 2004, Vol 4
3. Foley A, Halbert J, Heweitt T, Crotty M. Does hydrotherapy improve strength and physical function in patients with osteoarthritis – a randomised controlled trial comparing a gym based and a hydrotherapy based strengthening programme. Ann Rheum Dis 2003; 62: 1162–1167
4. Gehlsen GM, Grigsby SA, Winant DM. Effects of an aquatic fitness program on the muscular strength and endurance of patients with multiple sclerosis. Phys Ther 1984 May; 64(5): 653–7
5. Greanleaf JE, Kozlowski S. Reduction in peak oxygen uptake after prolonged bedrest. Med Sci Sports Exerc 1983;14(6):477–480
6. Halar EM, Bell KR. Rehabilitation's Relationship to Inactivity. Kottke, Lehmann: Krusen's Handbook of Physical Medicine and Rehabiliation, Fourth Edition, 1990, 1113–1133

7. Hargens AG, Tipton CM, Gollnick PD, Mubarak SJ, Tucker BJ, Akeson WH. Fluid shifts and muscle function in humans during acute simulated weightlessness. J Appl Physiol 1983;54(4):1003–1009
8. Henriksson J, Reitman JS. Time course of changes in human skeletal muscle succinate dehydrogenase and cytochrome oxidase activities and maximal uptake with physical activity and inactivity. Acta Physiol Scand 1977;99:91–97
9. Heyneman CA, Premo DE. A "water walkers" exercise program for the elderly. Public Health Reports 1992; March-April, Vol. 107, No.2: 213–217
10. Mancini DM, Walter G, Rechek N, Lenkinski R, McCully KK, Mullen JL, Wilson Jr. Contribution of skeletal muscle atrophy to exercise intolerance and altered muscle metabolism in heart failure. Cirulation 1992;85:1364–73
11. Stucki G, Stier-Jarmer M, Gadomski M, Berleth B, Smolenski U. Konzept der indikationsübergreifenden Frührehabilitation im Akutkrankenhaus. Phys Med Rehabil Kuror 2002; 12: 134–45
12. Svedenhag J, Seger J. Running on land and in water: comparative exercise physiology. Med Sci Sports Exer 1992;24:1155–60
13. SY-C L. Community rehabilitation for older adults with osteoarthrits of the lower limb: a controlled clinical trial. Clin Rehabil 2004;18:92–101
14. Wadell K, Sundelin G, Henriksson-Larsen K, Lundgren R. High intensive physical group training in water – an effective training modality for patients with COPD. Resp. Med 2004; 98: 428–438
15. Yozbatiran N, Yildirim Y, Parlak B. Effects of fitness and aquafitness exercises on physical fitness in patients with chronic low back pain. The Pain Clinic 2004; Vol 16,1: 35–42

# 4 Anforderungen an die Behandlungseinrichtungen

Otto Gillert/Walther Rulffs

*Behandlungsräume*

Die Räume, in denen Wasseranwendungen gegeben werden, müssen ausreichend erwärmt sein und eine Lufttemperatur von mindestens 24 °C, im Bereich von Bewegungs- und Therapiebecken sogar bis 34 °C aufweisen. Sie sollen gut zu belüften sein, doch darf während des Badebetriebes keinerlei Luftzug spürbar werden. Zweckmäßigerweise wird eine Be- und Entlüftungsanlage vorgesehen.

Die Räume insgesamt, aber auch die in ihnen vorhandenen Einzelkabinen, müssen gut beleuchtet sein. Dazu dienen in erster Linie ausreichend dimensionierte Fenster. Bei zusätzlichen Lichtquellen muss auf blendungsfreie Installation geachtet werden. Leuchtröhren sollten in Warmtonausführung verwendet werden. Eine gute, nicht zu grelle Beleuchtung fördert besonders bei nervösen Personen die angestrebte Entspannung im Bade. Für Maßnahmen, bei denen eine Beobachtung der unter der Behandlung auftretenden Gefäßreaktionen erforderlich ist, wie z.B. bei Kneippschen Güssen, sind besonders gut ausgeleuchtete Bereiche vorzusehen.

Die Böden der Räume, in denen Bäder und hydrotherapeutische Anwendungen abgegeben werden, sollen mit einem rutschhemmenden Fliesenbelag versehen sein, der leicht zu reinigen ist und damit den hygienischen Anforderungen

# Anforderungen an die Behandlungseinrichtungen

entspricht. Eine ausreichende Bodenentwässerung ist unerlässlich, damit überfließendes Wasser sofort ablaufen kann. Außerdem wird durch eine einwandfreie Bodenentwässerung die Säuberung des Raumes erleichtert. Bei einer (stets anzustrebenden) Trennung der verschiedenen Räume einer Bäderabteilung in Stiefel- und Barfußbereiche, sind zusätzliche Bodenbeläge meist entbehrlich. Lediglich dort, wo der Patient während der Behandlung im abfließenden Wasser stehen würde, sind entsprechende Auflagen angezeigt. Es stehen Kunststofflattenroste mit rutschhemmender Oberfläche in verschiedenen Ausführungen zur Verfügung. Allerdings ist eine sorgfältige Reinigung unerlässlich, da sich andernfalls auf ihrer Oberfläche Hautpartikel und Schmutzreste festsetzen können. Diese würden einen guten Nährboden für zahlreiche Hautkeime darstellen.

Die Wände der Feucht- (beziehungsweise Nass-)räume müssen bis zur Höhe von mindestens 1,80 m mit keramischem Belag oder einem wasserundurchlässigen und pflegeleichten Anstrich versehen sein. Die Eck- und Dehnungsfugen werden mit einem Pilzwachstum hemmenden dauerelastischen Kunststoff verschlossen. Auf anderen Materialien könnte sich leicht bei herabgesetzter Luftumwälzung ein unansehnlicher schwarzer Pilzrasen ausbilden. Die Decke muss mit einem feuchtigkeitsaufsaugenden Anstrich versehen sein. (Eine Ausnahme bildet lediglich die Decke im Dampfbad). Bei einem wasserabweisenden Anstrich oder Deckenbelag würde sich Kondenswasser ausbilden und von der Decke herabtropfen.

Sowohl für die Organisation des Behandlungsablaufs als auch zur Sauberhaltung der Einrichtungen ist eine möglichst funktional gestaltete Zuordnung der Behandlungsplätze und der sonstigen Räume von wesentlicher Bedeutung. Bei der Planung oder Neugestaltung entsprechender Badebetriebe empfiehlt es sich, auf vorliegende Bau- und Einrichtungsrichtlinien zurückzugreifen.

### *Badewannen*

Heute sind Wannen gebräuchlich, die aus Stahlblech, aus nichtrostenden Stahllegierungen oder aus Kunststoff bestehen. Die einzelnen Materialien werden von verschiedenen Seiten unterschiedlich beurteilt, und zwar je nachdem, ob vom Verwendungszweck, von der hygienischen Eignung, der Haltbarkeit oder dem Anschaffungspreis ausgegangen wird. Stahlblechwannen sind oberflächensäurefest, so dass auch aggressive Badezusätze nicht zur Verfärbung der Wanne führen. Relativ unproblematisch bezüglich der Oberflächenreinigung sind Wannen aus poliertem nichtrostendem Stahlblech („Edelstahl", Chromnickelstahl V2A). Neben den guten Möglichkeiten der Reinigung zeichnen sie sich auch durch Säurefestigkeit und ganz allgemein durch große Haltbarkeit aus. Weit verbreitet sind heute Wannen aus unterschiedlichen Kunststoffen (PVC, Acrylharz). Durchweg sind sie außerordentlich stoß- und säurefest sowie gut wärmeisolierend. Ihre Haltbarkeit ist ausgezeichnet. Das Problem, dass sich einige Kunststoffe durch gewisse Badezusätze, z.B. Eichenrindenextrakt, dauerhaft verfärbten, scheint inzwischen durch Verwendung geeigneter Materialien überwunden zu sein.

Für Vollbäder verwendet man gewöhnlich Wannen mit einem Nutzinhalt von mindestens 200 Litern. Es sind aber auch Wannen im Handel, bei denen die Anpassung ihrer Form an die Konturen des Körpers eine gewisse Wassereinsparung zulässt. Wannen für hydroelektrische Vollbäder sind entschieden größer und fassen 600 oder mehr Liter Wasser. Auch für Unterwasserdruckstrahlmassagen sind Wannen mit 600 bis 800 Liter Nutzinhalt erforderlich, da nur in ihnen eine einwandfreie Lagerung des Patienten und Durchführung der Behandlung möglich wird.

Für Teilbäder haben sich Wannen aus Kunststoff und nichtrostendem Stahlblech ebenfalls durchgesetzt.

Badewannen für Vollbäder sollen möglichst von mehreren Seiten zugänglich sein, um dem Patienten einen leichten Zugang und dem Personal die Möglichkeit einer ungehinderten Hilfestellung sowie Arbeit am Patienten zu gewährleisten. Vorteilhaft ist die Montage von Zu- und Abflussarmaturen am Fußende der Wanne, wo sie am wenigsten stören.

Der besseren Sauberhaltung, aber auch einer gewissen Wärmeisolierung wegen, werden die Badewannen gewöhnlich mit Fliesen oder ähnlichem Material umkleidet. Diese Verkleidung sollte aber zumindest auf den Längsseiten der Wannen nicht ganz bis zum Boden reichen, sondern unten etwa 10 cm zurückspringen. Der Behandler kann dadurch dichter an die Wanne herantreten. Hierdurch wird ihm das Arbeiten, insbesondere bei Hilfestellung für den Patienten, wesentlich erleichtert.

# Anforderungen an die Behandlungseinrichtungen

## Weiteres Zubehör

Nicht nur für die Hydrotherapie, sondern auch für die Behandlung mit medizinischen Teil- oder Vollbädern ist die Einhaltung und Kontrolle der verordneten Wassertemperatur unerlässlich. Thermostate am Wasserzulauf sind dazu nicht geeignet, da sie nur ungefähre Temperaturen gewährleisten können. So ist der Behandler nach wie vor auf ein zuverlässiges Badethermometer angewiesen. Vorteilhaft sind Thermometer mit einer übersichtlichen Skala, die von 0 bis 60 °C reicht und ein rasches Ablesen der erreichten Temperatur ermöglicht.

Für jeden Wannenplatz ist außerdem ein Kurzzeitmesser vorzusehen, damit die verordnete Badedauer exakt eingestellt und eingehalten werden kann. Entscheidend für die angestrebte Entspannung des Patienten im Wannenbad ist eine unverkrampfte Lagerung. Hierbei sind Nackenstützen unentbehrlich. Sie geben dem Badenden ein gewisses Sicherheitsgefühl und schützen im Allgemeinen Nackenhaare vor dem Nasswerden, was besonders von Frauen als vorteilhaft angesehen wird. Es gibt eine Vielzahl unterschiedlicher Formen und Konstruktionen solcher Stützen. Praktisch bewährt hat es sich auch, als Nackenstütze einen nur schwach aufgeblasenen und in der Mitte gefalteten Luftring zu verwenden. Er kann dem Patienten wie ein Kragen um den Nacken gelegt werden und stützt diesen und den Kopf gut ab. Kleineren Personen, die am Fußende der Wanne keinen Halt finden können, gibt man einen Wannenverkürzer als Fußstütze ins Bad. Diese Hilfen sind gewöhnlich den unterschiedlichen Körperlängen anzupassen. Sie werden zumeist aus – nichtleitenden – Kunststoffen hergestellt, so dass sie auch in der Wanne für hydroelektrische Vollbäder eingesetzt werden können. Während der Ein- beziehungsweise Ausstieg bei den üblichen Badewannen für behinderte Personen keine besonderen Schwierigkeiten bereitet – der Kranke setzt sich auf den Wannenrand und führt die Beine dann aktiv oder mit Unterstützung des Personals über den Wannenrand hinweg –, erfordern große, höhergestellte Wannen, etwa für Unterwasserdruckstrahlmassagen oder hydroelektrische Vollbäder, den Einsatz einer Einstieghilfe. Bewährt haben sich nicht nur leicht an die Wanne zu setzende Böcke mit zwei bis drei Treppenstufen, sondern besonders solche Konstruktionen, die noch an einer Seite ein Geländer aufweisen.

## Kapitel 4 Behandlungseinrichtungen

Eine große Hilfe für das Sicherheitsgefühl des Patienten beim Besteigen und Verlassen der Wanne sind Haltegriffe, die auf dem Wannenrand fest angebracht sind. Falls die Wanne nicht völlig frei steht, sondern mit einer Längsseite an einer Wand, so kann der Handgriff im Mauerwerk der Wand verankert werden. Auch von der Decke über der Wanne herabhängende Strickleitern können hilfreich sein.

Um auch solchen Kranken die Benutzung entsprechender Badeeinrichtungen zu ermöglichen, bei denen infolge ihrer Behinderung Einstieghilfen nicht ausreichen, stehen eine große Zahl unterschiedlicher Hebeeinrichtungen zur Verfügung. Man wird die Auswahl nach dem Erfordernis, nach der Zusammensetzung des Patientengutes usw. treffen. An Therapie- und Bewegungsbecken werden gewöhnlich fest im Boden verankerte hydraulische Hebevorrichtungen vorgesehen, es kann aber auch ein an einer Laufschiene an der Decke beweglicher elektrisch gesteuerter Hebezug eingerichtet werden. Für den Transport von Patienten ins Wannenbad ist jedoch oftmals eine fahrbare Hebevorrichtung (Lifter) ausreichend.

Bei manchen Kranken, z.B. solchen mit ausgedehnten Lähmungen, werden nicht selten weitere Stütz- und Halteeinrichtungen benötigt, die ein Abgleiten in der Wanne verhindern. Als solche sind Badeschweben aus breiten festen Leinen- oder Kunststoffgurten, auch Netze, in Gebrauch, die man in die Wanne hineinhängt und mit hakenähnlichen Konstruktionen am Wannenrand befestigt. Auf einer solchen Schwebeeinrichtung ruht der Patient sicher und entspannt.

Vom Badenden wird gewöhnlich ein Vorwärmen des Badetuches als sehr angenehm empfunden. In einem sorgfältig eingerichteten Badebetrieb wird man deshalb entsprechende Vorrichtungen bereit halten. Als einfachste Konstruktion bieten sich Badetuchhalter an, die aus quer verlaufenden Warmwasser- oder Heizungsrohren bestehen. Es gibt aber auch, besonders für größere Betriebe mit hohem Wäscheverbrauch, elektrisch beheizte Wärmschränke für Bade- und Handtücher sowie Badelaken.

Zur Durchführung Kneippscher Güsse ist nicht nur die Installation einer Gießbatterie erforderlich, sondern auch die Verwendung eines Gießbockes mit einem entsprechenden Schutzschild für den Behandler. Auf die gute Ausleuchtung, eine einwandfreie Bodenentwässerung des Gießplatzes sowie auf

# Anforderungen an die Behandlungseinrichtungen

die Möglichkeit, den Patienten durch Matten aus Kunststoffrosten vor dem Stehen in abfließendem Wasser zu schützen, wurde bereits hingewiesen. Um die Verbreitung von Pilzinfektionen zu verhindern, sind Fußdesinfektionseinrichtungen mit entsprechenden antimykotisch wirksamen Lösungen vorzusehen. Sie sollen vor, besonders aber nach der Behandlung in den Baderäumen genutzt werden. Eine Fußbodenentwässerung ist unter der Sprühdüse erforderlich.

In allen Räumen sollten Notrufanlagen vorhanden sein. Vorteilhaft ist es, wenn diese bereits bauseitig vorgesehen werden können. Aber auch für die nachträgliche Installation gibt es verschiedene Systeme, die dem Patienten im Bedarfsfalle dazu dienen, schnelle Hilfe zu erhalten.

## *Bewegungsbecken, Therapiebecken, Gehbecken*

Im Rahmen der aktiven Bewegungstherapie hat – bedingt durch die zunehmende Bedeutung der Übungsbehandlung und gefördert durch die Ausbreitung der technischen Möglichkeiten zu ihrer Durchführung – die Gymnastik im Wasser einen immer größeren Raum eingenommen. Wir finden heute entsprechende Einrichtungen zu ihrer Durchführung nicht nur in Krankenhäusern, Kurkliniken und Sanatorien, sondern ebenfalls in Kurmittelhäusern, medizinischen Badebetrieben und Physiotherapiepraxen.

Natürlich spielt für die Größe einer solchen Anlage, aber auch für ihre bauliche und technische Gestaltung die voraussichtliche Frequentierung und die Aufgabenstellung hinsichtlich der zu behandelnden Erkrankungen eine wichtige Rolle. Ebenso muss bei der Planung die Frage berücksichtigt werden, ob nur Erwachsene oder lediglich Kinder beziehungsweise ob Kinder und Erwachsene abwechselnd in der Einrichtung behandelt werden sollen. Es hat sich eingebürgert von Bewegungsbecken zu sprechen, wenn diese Anlagen von Badenden im Rahmen der Prävention ebenso wie von Patienten für die Durchführung therapeutischer Maßnahmen aufgesucht werden können. Bewegungsbecken, deren Größe, Form und Ausstattung sich letztlich aus den Anforderungen der Nutzung ergeben, sollen mindestens eine Wasserfläche von 24 m$^2$ aufweisen. Die Wassertiefe hat sich nach der Beckengröße, der Zusammensetzung der Benutzer und nach den therapeutischen Erfordernissen zu richten. Sie beträgt zur Behandlung erwachsener Personen im Allgemeinen mindestens 80 cm und soll

1,35 m nicht überschreiten. Bei schräg abfallendem Beckenboden muss das Gefälle gleichmäßig sein und darf nicht mehr als 4% betragen. Zur Behandlung von Kindern ist eine Wassertiefe von mindestens 50 cm anzusetzen.

Eine Veränderung der Wassertiefe kann insbesondere beim Wechsel der Behandlung von Erwachsenen und von Kindern erwünscht sein. Das lässt sich einmal erreichen durch ein Absenken des Wasserspiegels, was allerdings mit Schwierigkeiten bezüglich der Einwirkungsmöglichkeiten durch außerhalb des Beckens befindliche Behandler verbunden ist, oder durch einen höhenverstellbaren Zwischenboden.

Die Wassertemperatur in Bewegungsbecken beträgt gewöhnlich 28–30 °C, bei besonderen medizinischen Erfordernissen bis 32 °C.

Als Therapiebecken, gelegentlich auch als Übungsbecken, bezeichnet man solche Einrichtungen, die der Therapie im Rahmen der Rehabilitation dienen. Sie sollen mindestens eine Wasserfläche von 12 m² aufweisen. Bei Gruppenbehandlungen sind pro Patient 4 m² Wasserfläche erforderlich. Die Angaben zur Wassertiefe sind mit denen bei Bewegungsbecken ausgeführten gleich. Die Wassertemperatur in Therapiebecken liegt gewöhnlich bei 32 °C, sie kann aber für bestimmte Indikationen auch bis zu 36 °C betragen. Ist der Beckenrand dieser Anlagen nicht mindestens 80 bis 90 cm höher als der Beckenumgang – bei einem Wasserspiegel von 10–15 cm unterhalb der Oberkante der Trennwand –, so empfiehlt sich ein Behandlergang. Er wird im Allgemeinen an einer Beckenseite vorgesehen, soll mindestens 75 cm breit und 80 bis 90 cm tief sein. Um den Behandler möglichst nahe an den Patienten heranzubringen, sollte die Wanddicke des Beckens an dieser Stelle nicht mehr als 25 cm betragen. Die Trennwand ist zweckmäßigerweise am Oberrand zum Behandlergang hin abzuschrägen. Das erleichtert das Vorbeugen des Behandlers. Ein Untertritt ist vorzusehen. Im Behandlergang ist selbstverständlich auch ein Bodenablauf erforderlich, um überschwappendes Wasser abfließen zu lassen.

Zumeist ist für die Becken eine Patienten-Hebeeinrichtung unverzichtbar *(Abb. 4.1)*. Je nach Erfordernis und Möglichkeit wird man eine solche in Form einer Hubhydraulik, einer solchen mit Handantrieb oder als Kranbahn vorsehen. Gehbecken sind schmale kanalähnliche Gänge von mindestens 5 cm Länge mit leicht abfallendem Boden oder zunehmender Wassertiefe von etwa 90 auf 135 cm durch stufenweise Absenkung des Bodens. Die Breite der Geh-

# Anforderungen an die Behandlungseinrichtungen

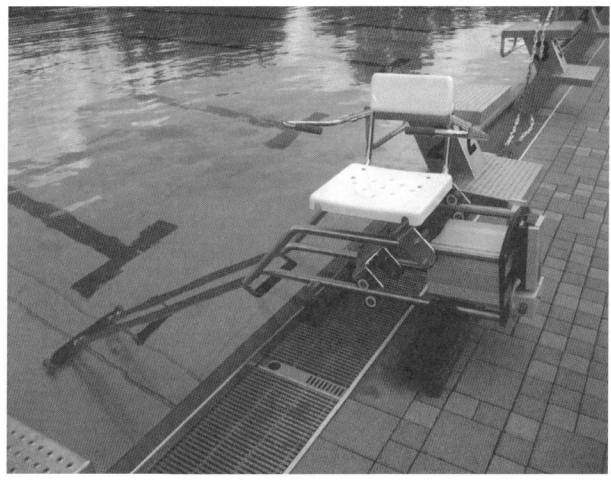

**Abb. 4.1**
Schwimmbadlift (Foto: Hoyer GmbH, Butzbach).

becken beträgt 90 cm. Der Bodenbelag kann entweder – wie in den Bewegungs- und Therapiebecken – mit rutschhemmenden Mosaikfliesen oder auch mit groben Kieselsteinen versehen sein, die eine stärkere Beanspruchung der Fuß- und Wadenmuskulatur bedingen. Die Wassertemperatur in Gehbecken wird etwa zwischen 32 und 34 °C gehalten *(Abb. 4.2)*.

**Abb. 4.2**
Gehbecken (Foto: Peng, http://commons.wikimedia.org).

Alle Becken werden aus hygienischen Gründen gefliest. Sie müssen den Erfordernissen entsprechende Haltestangen aufweisen, gewöhnlich etwa in Höhe des Wasserspiegels, bei Gehbecken auch niedriger, um ein gutes Abstützen zu gewährleisten, beiderseits etwa 95 cm und 60 cm über dem Beckenboden. Eine trittsichere, gut begehbare Einstiegtreppe mit einer Breite von mindestens 60 cm, Stufenhöhen zwischen 7 und 12 cm sowie Auftrittflächen von 30 cm ist zu fordern. Die Treppe erhält an beiden Seiten einen Handlauf in normaler Höhe und zweckmäßigerweise ca. 35 cm darunter einen zweiten Handlauf. Wird für bestimmte Kranke der Einstieg in Form einer Rampe vorgesehen, so darf die Neigung dieser Anlage 15% nicht überschreiten, auch ist ein beidseitiges Geländer erforderlich.

Die Ausführung der Höhe des Beckenrandes im Verhältnis zum Beckenumgang hängt von den jeweiligen Erfordernissen ab. Unter Umständen wird der Patienteneinstieg erleichtert, wenn der Wasserspiegel in Höhe des Beckenumganges liegt. Andererseits kann für Rollstuhlfahrer ein ca. 50 cm über den Beckenumgang angehobener Beckenrand praktisch sein. Die Becken sollen möglichst allseitig eine Überlaufrinne aufweisen. Lediglich dann, wenn ein Behandlergang vorhanden ist, wird auf dessen Beckenseite darauf verzichtet. Zweckmäßig ist es, wenn die Überlaufrinne mit einer Handfasse ausgebildet ist.

Sowohl für Bewegungs-, Therapie- als auch Gehbecken ist der Anschluss an eine Wasseraufbereitungsanlage erforderlich, für deren Leistung die DIN 19 643 „Aufbereitung von Schwimm- und Badebeckenwasser" maßgebend ist. Es empfiehlt sich aber, besonders im klinischen Bereich, wo durch inkontinente Patienten beispielsweise eine höhere Belastung des Badewassers erfolgt, zusätzliche Wasseraufbereitungs- oder -wechselverfahren vorzusehen.

Wieder andere Bedingungen hinsichtlich der Wasseraufbereitung bestehen dort, wo in Heilbädern mit ergiebigen warmen Quellen deren Wasser die entsprechenden Becken ständig durchströmt.

Für Einzelbehandlungen schwerbehinderter Erwachsener, aber auch für die Bewegungsbehandlung kleinerer Kinder sind zumeist Spezialwannen in der Art der Schmetterlings- beziehungsweise Flügelbadewanne ausreichend *(Abb. 4.3).* Diese Wannen – im englischsprachigen Raum als Hubbardtanks bekannt – haben den Namen von ihrer Grundform mit den großen seitlichen Ausbuchtungen im Schulter- und im Fußbereich her. Die Ausbuchtungen geben den für

## Anforderungen an die Behandlungseinrichtungen 115

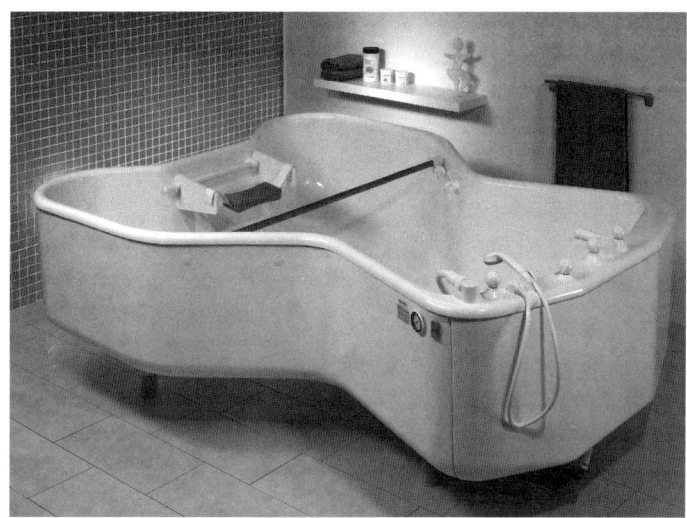

Abb. 4.3
Schmetterlingsbadewanne (Foto: Trautwein GmbH, Emmendingen).

die Seitbewegungen der Gliedmaßen bei der Übungsbehandlung erforderlichen Bewegungsraum. Schmetterlingswannen haben gewöhnlich Außenmaße von 220 × 225 cm und eine Wassertiefe von 50–70 cm. Um ein bequemes Arbeiten am Patienten zu ermöglichen, stehen sie erhöht. Dadurch kann der Behandler nicht nur dicht genug an die Wanne herantreten, sondern es besteht auch die Möglichkeit, mit dem Fußgestell von fahrbaren Patientenhebeeinrichtungen (Liftern) die Wanne zu unterfahren, was die Einbringung und das Herausheben von schwerbeweglichen Kranken erleichtert, wenn keine anderen Hebevorrichtungen, z.B. Kranbahnen, vorhanden sind. Schmetterlingswannen sind meistens ausgerüstet mit verstellbarer Nackenstütze, mit Badeschweben oder vergleichbaren Liegen (mit denen der schwerbewegliche Patient in die Wanne hinein- beziehungsweise herausgehoben werden kann) und mit Haltegriffen.

In Bewegungsbädern, Therapiebecken und Schmetterlingswannen sind auch Traktionsbehandlungen durchführbar, wobei der detonisierende Effekt des warmen Wassers ebenso wie der Auftrieb des Bademilieus wichtige, den Erfolg des Zuges unterstützende Faktoren sind. Sowohl im Bewegungsbecken, als auch in Schmetterlingswannen sind vorwiegend in liegender Position ziehende Vorrichtungen in Gebrauch. Ist das Bewegungsbad ausreichend tief (1,35 m), so kann die Traktion ebenfalls mit Auftriebskörper (luftgefüllte Reifen oder Styropor-

# Kapitel 4 Behandlungseinrichtungen

Abb. 4.4

gürtel) am Thorax oder unter den Achseln und durch einen mit Bleiplatten versehenen Hüftgürtel, beziehungsweise mit entsprechend beschwerten Schuhen durchgeführt werden *(Abb. 4.4)*. Eine Dehnung erfolgt dann zwischen dem zur Wasseroberfläche aufstrebenden Auftriebskörper und den zum Beckenboden ziehenden Gewichten. Da bei dieser Traktionsmethode dennoch Bewegungen im gewissen Umfang ausgeführt werden können, lässt sie sich oftmals wirkungsvoll in den übrigen Behandlungsablauf integrieren. Ebenfalls sehr stark spannungslösend durch Aufhebung der Haltearbeit gegen die Eigenschwere des Körpers ist die Lagerung im Becken oder in der Schmetterlingswanne mittels Auftriebskörpern. Eine gezielte Bewegungsbehandlung wird dadurch wesentlich erleichtert.

Eine weitere unterstützende Maßnahme zur Bewegungstherapie stellen Einrichtungen zur Abgabe von Unterwasserdruckstrahlmassagen dar. Diese Anlagen können entweder in stationärer oder in transportabler Form ausgeführt sein. Sie sollen aber nur so angeordnet sein, dass sie durch den Behandler bedient werden können. Gegenstrom-Schwimmanlagen sind nicht als Ersatz für Unterwasserdruckstrahlmassagen anzusehen.

# 5 Hydro- und Balneotherapie in der Praxis

Otto Gillert/Walther Rulffs/Regina Stemberger

## 5.1 Waschungen

Wie bei allen mit kaltem Wasser durchgeführten Behandlungen, so sind auch bei Waschungen einige *grundsätzliche Voraussetzungen* zu berücksichtigen: Der Patient muss bei Behandlungsbeginn *vorgewärmt* sein; das ist er gewöhnlich, wenn er morgens aus dem Bett steigt. Andernfalls muss er sich durch körperliche Betätigung, auch durch temperaturansteigende Teilbäder (s. Kap. 5.3.2) usw. erwärmen. Jedenfalls ist jede Kaltanwendung an einem frierenden Patienten kontraindiziert. Der Behandlungsraum sollte zwar gut gelüftet sein, seine Lufttemperatur aber trotzdem mindestens 24 °C betragen. Der Patient muss *ausgeruht* und nicht kurz nach einer Mahlzeit zu einer Behandlung erscheinen. Er soll möglichst *Blase und Darm entleert* haben. Jede *Kaltanwendung* wird *kurz und zügig durchgeführt,* damit die durch den Reiz ausgelöste Hautmehrdurchblutung nicht einen nachfolgenden Wärmeverlust begünstigt. Das könnte zu Fehlreaktionen und zum Frösteln des Patienten führen. Für alle Kaltanwendungen gilt der Grundsatz: *Vor der Anwendung* soll der Körper warm sein, *nach der Anwendung* muss er sich rasch wieder erwärmen! Nach Kneipp beginnt man Waschungen stets auf der rechten Körperseite. Bei den Waschungen, welche die mildeste Anwendung aus dem Bereich der Hydrotherapie darstellen, wird zwischen *Einzel- und Serienwaschungen* unterschieden.

*Einzelwaschungen* werden in möglichst kurmäßiger Anwendung dazu eingesetzt, die Regulation der Hautdurchblutung und den Hautstoffwechsel anzuregen, gegebenenfalls fördernd auf den Gesamtkreislauf und die Atmung einzuwirken, dämpfend auf eine nervöse Übererregbarkeit Einfluss zu nehmen und ganz allgemein den Körper widerstandsfähiger zu machen im Sinne einer „Abhärtung". Deshalb ergänzt man diese Behandlung im Verlauf der Kur in geeigneten Fällen gern durch Luftbäder, Gymnastik oder Massagen. Gewöhnlich werden die Einzelwaschungen morgens vor dem Aufstehen durchgeführt, wenn der Patient noch bettwarm ist. Soll die Waschung zu einer anderen Tageszeit stattfinden, z.B. abends vor dem Schlafengehen, so muss der Kranke erst einige Zeit im Bett oder (falls nötig) in einer Trockenpackung vorwärmen.

Grundsätzlich deckt man für eine Waschung nur so viel vom Körper des Kranken auf, wie für die Anwendung unbedingt erforderlich ist. Dann geht die Manipulation rasch vonstatten. Mit einem mehrfach zusammengelegten, feuchten, aber keinesfalls mehr tropfenden Waschungstuch oder Waschhandschuh wird der entsprechende Körperteil *gleichmäßig benetzt,* jedoch nicht frottiert. Dann wird der benetzte Abschnitt sofort – noch feucht – wieder zugedeckt. Ist die Waschung beendet, packt man den Patienten nochmals fest ein, damit er sich rasch und gründlich erwärmt. Schon kurze Zeit nach dem Einpacken spürt der Kranke ein angenehmes Prickeln der Haut, das die reaktive Wiedererwärmung anzeigt. Der Kranke bleibt so lange liegen, bis der Körper völlig trocken und warm ist. Nach einer abendlichen Unterkörperwaschung, die zur Begünstigung des Einschlafens durchgeführt wird, bleibt der Patient selbstverständlich im Bett. Zumeist verwendet man zur Einzelwaschung etwa 15 °C kaltes Wasser, nur bei älteren oder sehr empfindlichen Patienten wird leicht temperiertes Wasser von ca. 20–25 °C genommen, Man kann bei empfindlichen Personen oder solchen mit einem gestörten Reaktionsvermögen aber auch das subjektive Kältegefühl mindern und dennoch die Hautreaktion fördern, wenn man dem Wasser etwas Essig (150–200 ccm auf 1 Liter) zufügt.

Da sich bei der Waschung größerer Körperabschnitte das Waschungstuch selbst erwärmt, wird es zwischendurch immer wieder kurz in kaltes (oder bei empfindlichen Personen in temperiertes) Wasser eingetaucht und entsprechend ausgewunden.

## 5.1 Waschungen

Es gibt noch eine von der kurmäßigen Durchführung der Einzelwaschung abweichende Ausführung: Aus *Schwitzpackungen* werden die Patienten *„herausgewaschen"* und dann zur Nachruhe nur locker zugedeckt. Durch dieses Vorgehen wird die kräftige Steigerung des Hautstoffwechsels infolge der Schwitzpackung etwas abgemildert, die Schweißsekretion verringert und damit die Nachschwitzzeit abgekürzt.

Als *Serienwaschungen* bezeichnet man solche Anwendungen, die in Abständen von 20 bis 30 Minuten mehrfach, gewöhnlich vier- bis sechsmal wiederholt durchgeführt werden. Man wendet sie nur bei hohem Fieber an. Der Sinn dieser Maßnahme besteht darin, mit diesen mehrfach nacheinander applizierten kalten Waschungen möglichst viel Wärme vom Körper abzunehmen, gleichzeitig aber auch den fiebersenkenden Schweißausbruch zu fördern. Bevorzugt wendet man Serienwaschungen bei Kindern oder alten Menschen an. Ist der Kranke sehr geschwächt, wird man möglichst nur Teilwaschungen (s. S. 123) kleiner Körperabschnitte ausführen und auf die Ganz- beziehungsweise Ober- oder Unterkörperwaschungen verzichten.

Im technischen Ablauf wird auch bei Serienwaschungen so vorgegangen, wie es nachfolgend für die verschiedenen Waschungen beschrieben ist. Bei *Schüttelfrost* sollen keine kalten Waschungen angewendet werden. Der Kranke friert – trotz Fieber. Sein natürliches Bedürfnis weist den Weg, nämlich in solchem Fall eine *heiße Waschung* durchzuführen. Selbstverständlich kann es im Einzelfall, etwa bei geringer Reaktionsfähigkeit des Kranken durchaus angezeigt sein, die Behandlungsserie mit der Waschung einzelner Extremitäten einzuleiten, doch wird man auch dann zumeist im Verlauf der Behandlungsserie bald in der Lage sein, auf die Waschungen größerer Körperabschnitte überzugehen.

### 5.1.1 Oberkörperwaschung

Dazu taucht man ein mehrfach zusammengelegtes grobkörniges Handtuch (oder einen Waschhandschuh) in möglichst kaltes Wasser (gewöhnlich fällt es schwer, Leitungswasser zu erhalten, das kälter als 15 °C ist) und drückt es danach nur so weit aus, dass es nicht mehr tropft.

Wenn möglich, setzt sich der Kranke im Bett auf. Man beginnt die Waschung am rechten Handrücken, führt das Tuch mit nur geringem Druck an der

Außenseite des Armes bis zur Schulter hoch und an der Innenseite des Armes wieder bis zur Handfläche zurück. Dann fährt man an dem noch nicht benetzten Streifen der Innenseite des Armes nochmals bis zur Achselhöhle und wäscht diese aus. Jetzt wendet man das Tuch, und wäscht zunächst den Hals von rechts nach links und fährt dann mit vier bis sechs Längsstrichen über die Seiten, Brust und Leib jeweils bis zum Becken hinunter, und zwar rechts beginnend und auf der linken Körperseite mit diesen Längsstrichen endend. Anschließend taucht man das Tuch wieder ein oder bedient sich eines zweiten bereitgehaltenen Tuches. Man wäscht nun den linken Arm in gleicher Weise wie rechts. Ist auch die linke Achselhöhle ausgewaschen, wird das Tuch gewendet, man befeuchtet jetzt, von rechts nach links fortfahrend, mit großen Längsstrichen den Rücken bis zum Beckenkamm *(Abb. 5.1a)*.

Nach Beendigung dieser Oberkörperwaschung zieht der Patient, ohne sich abzutrocknen, sofort wieder das trockene Hemd über. Er legt sich zurück und wird gut zugedeckt. Es folgt eine *Bettruhe bis zur gründlichen Wiedererwärmung*. Oberkörperwaschungen wendet man vornehmlich an bei akuten und chronischen Erkrankungen der Atemwege (Bronchitis, Asthma, Pneumonie oder Pleuropneumonie), zur Entlastung des Herzens und bei Kreislaufschwäche sowie zur Förderung der Reaktionsfähigkeit und zur Abhärtung.

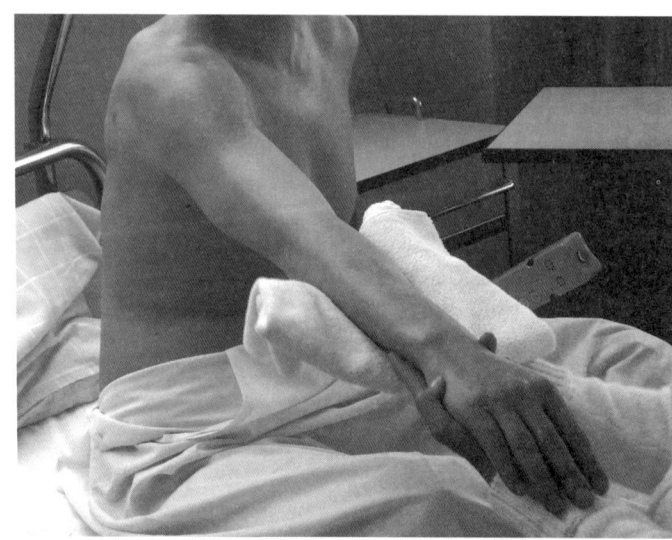

**Abb. 5.1a**
Oberkörperwaschung.

## 5.1.2 Unterkörperwaschung

Sie wird als isolierte Maßnahme fast ausschließlich bei *Bettlägerigen* vorgenommen. Begonnen wird am rechten Fußrücken. Von dort streicht man mit dem Tuch an der Außenseite des Beines hoch bis zur Hüfte beziehungsweise bis zum Beckenkamm. Dann fährt man über die Leistenbeuge und die Vorderseite des Beines abwärts bis zum Fuß, wäscht die Fußsohle und wendet das Tuch.

Anschließend führt man das Tuch an der Innenseite des Beines hoch bis zur Leistenbeuge und an der Rückseite der Extremität wieder abwärts zur Ferse *(Abb. 5.1b)*. Danach deckt man das rechte Bein zu, taucht das Tuch erneut ein, drückt es soweit aus, dass es gut feucht ist, aber nicht mehr tropft, wäscht das linke Bein in der gleichen Weise. Anschließend wird auch dieses Bein gut zugedeckt. Man taucht das Tuch erneut ein und wäscht dann – bei Seitenlage des Patienten – das Gesäß und die Kreuzgegend. Nach nochmaligem Benetzen des Tuches oder Wechsel der Tuchseite wird in Rückenlage des Patienten der Unterleib mit kreisförmigen Bewegungen abgewaschen. Anschließend wird der Kranke fest eingepackt, damit die Wiedererwärmung ungestört vonstatten gehen kann.

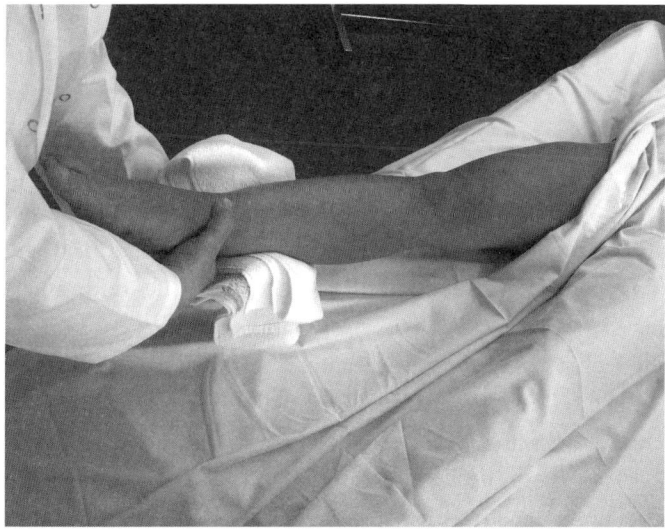

**Abb. 5.1b**
Beginn der Unterkörperwaschung am rechten Bein.

Mit Unterkörperwaschungen will man bevorzugt die Blutzirkulation im Beckenbereich und in den Beinen anregen, geringfügig den Kreislauf entlasten und – bei abendlichen Waschungen – das Einschlafen begünstigen.

### 5.1.3 Ganzwaschungen

Ganzwaschungen lassen sich auf zwei verschiedene Arten durchführen: Entweder verbindet man Ober- und Unterkörperwaschung, wie sie vorstehend beschrieben sind, zu einer Ganzwaschung – diese Art wird vorzugsweise bei Bettlägerigen angewendet, rasch durchgeführt, wobei jeweils nur die zu waschenden Körperabschnitte freigelegt und nach der Behandlung sofort wieder zugedeckt werden – oder man wäscht *Gesunde und Aufstehkranke stehend* vor dem Bett.

Bei der Ganzwaschung *im Stehen* fährt man vom rechten Handrücken am Arm außen hoch bis zum Schultergelenk, an der Innenseite wieder zurück, wendet das Tuch, geht über die Handinnenfläche hoch bis zur Achselhöhle und wäscht diese aus. Nachdem das Waschungstuch wieder eingetaucht und so ausgedrückt worden ist, dass es nicht mehr tropft, wird der linke Arm in gleicher Weise gewaschen. Dann wird das Tuch erneut eingetaucht, der Hals von rechts nach links umfahren, an der rechten Körperseite außen bis zum Fußgelenk herabgestrichen, das Tuch gewendet und an der Innenseite des rechten Beines und weiter in Verlängerung über Leib und Brust bis zum Hals gewaschen. Anschließend werden ein bis zwei Längsstriche über die Thoraxvorderseite bis zur Gürtellinie ausgeführt. Nach erneutem Eintauchen des Tuches wird die linke Körperseite in gleicher Weise behandelt. Der Patient dreht sich dann um. Mit einem frisch benetzten Tuch wird die Halsseite von rechts nach links umfahren, dann das Tuch an der rechten Körperseite außen bis zum Fußgelenk herabgeführt und gewendet. Danach geht man an der Rückseite des Beines und in Verlängerung davon über Gesäß und Rücken bis zum Hals hoch, führt ein bis zwei Längsstriche über die rechte Rückenseite aus, taucht das Tuch erneut ein und fährt dann auf der linken Körperseite außen bis zum Fußgelenk hinab. Nachdem das Tuch gedreht wurde, wäscht man ebenfalls an der Beinrückseite und in der Verlängerung über Gesäß und Rücken bis zum Hals hinauf, macht noch ein bis zwei Längsstriche über die linke Rückenpartie bis zur Gürtellinie und schließt diese Form der Ganzwaschung mit dem Waschen der Fußsohlen, zuerst der rechten, dann der linken, ab.

Die Indikationen für Ganzwaschungen sind Erkrankungen der Atemwege, z.B. chronische Bronchitis, auch asthmatische Beschwerden, leichte Herz- und Kreislaufstörungen, insbesondere Fehlregulationen der peripheren Durchblutung, aber auch Nervosität und Schlafstörungen. Regelmäßig und über lange Zeiträume durchgeführte Waschungen sind auch im Sinne einer Umstimmungsbehandlung und zur Abhärtung dienlich. Bei Erkältung oder bei fieberhaften Infekten kann man Ganzwaschungen ebenfalls erfolgreich einsetzen, um den – gewöhnlich fiebersenkenden – Schweißausbruch zu fördern.

### 5.1.4 Teilwaschungen

Bei geschwächten Personen, die vielleicht ausgedehntere Waschungen noch nicht vertragen – bevorzugt zu Beginn einer Kur –, kann die Hydrotherapie mit örtlich begrenzten Teilwaschungen eingeleitet werden. Man beginnt dann eventuell nur mit Armwaschungen, dehnt diese später auf Unterschenkel- oder Beinwaschungen aus, schließt zu gegebener Zeit auch Leibwaschungen mit ein und kann dann im Kurverlauf auf Unterkörper-, Oberkörper- oder Ganzwaschungen übergehen. Die Technik bei den Teilwaschungen deckt sich mit derjenigen, wie sie bei den größeren Waschungen beschrieben ist.

## 5.2 Güsse und Abreibungen
### Otto Gillert/Walther Rulffs

### 5.2.1 Kneipp-Güsse (Flachgüsse)

Schon im Altertum wandte man örtliche und allgemeine Übergießungen mit kaltem und warmem Wasser zur Behandlung krankhafter Zustände an, wobei man das Wasser aus mehr oder minder großer Fallhöhe mittels verschiedener Zuleitungen auf den Körper goss. Unter anderem waren auch Gießkanne und Schlauch später schon im Gebrauch, bevor Kneipp seine berühmt gewordenen

Güsse entwickelte. Dennoch ist das, was wir heute unter einem Kneippschen Guss verstehen, ausschließlich seine eigene Erfindung! Er hat die Begießung zu einem hochdifferenzierten System entwickelt, ihre Indikationsbreiten empirisch ermittelt und die Einteilung der Güsse in Knie-, Schenkel-, Rücken-, Oberguss usw. vorgenommen. Auch der Begriff „Guss" stammt von Kneipp. Unter einem Kneippschen Guss verstehen wir die Anwendung eines *gebundenen,* nahezu *drucklosen* Wasserstrahls, der sich beim Auftreffen auf den Körper als „Wasserplatte" über die Hautoberfläche ausbreitet oder wie ein „Wassermantel" um die begossene Extremität herumlegt *(Abb. 5.2).* Niemals darf bei den Kneippschen Flachgüssen das Wasser auf den Körper *gespritzt* werden. Anders verhält es sich bei den Blitzgüssen (s. S. 142 ff), bei denen bewusst eine zusätzliche starke mechanische Beeinflussung der Hautoberfläche in Kauf genommen wird.

Der Schlauch soll ungefähr 2 bis 2,5 m lang sein und eine lichte Weite von 2 cm aufweisen. Da der Wasserdruck nahezu ausgeschaltet werden soll, damit sich das Wasser auch flach wie ein Mantel oder eine Platte auf der Körperdecke ausbreitet, darf man den Wasserleitungshahn nicht sehr weit aufdrehen. Den richtigen Druck hat man erreicht, wenn das Wasser aus dem mit der Öffnung senkrecht nach oben gehaltenen Schlauch etwa handbreit hervorsprudelt

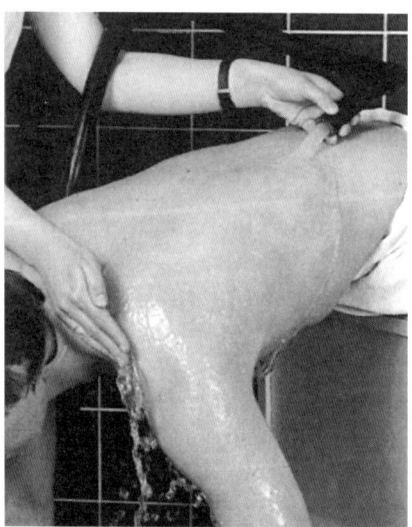

**Abb. 5.2**
Beim Flachguss breitet sich das Wasser mantelförmig über dem behandelten Hautabschnitt aus.

## 5.2 Güsse und Abreibungen 125

**Abb. 5.3**
Beim Flachguss soll der Wasserstrahl praktisch drucklos nur etwa handbreit aus der Schlauchöffnung hervorquellen.

(Abb. 5.3). Man geht mit dem Schlauch beim Gießen ziemlich nahe an den Körper heran. Der Abstand soll etwa 5 bis 10 cm betragen. Man hält den Schlauch zwischen Daumen und den ersten beiden Fingern, mit der Öffnung nach unten (Federhalterstellung), so dass das Wasser in einem Winkel von ungefähr 45 ° auf den Körper auftrifft. Nur beim Brust-, Rücken- oder Vollguss hält man den Schlauch zeitweilig mit der Öffnung nach oben (Kletterhaltung).

An technischen Hilfsmitteln benötigt man ein Schutzbrett oder einen Gießbock, über den der Patient sich (z.B. beim Oberguss) hinwegbeugt. Weiterhin braucht man einen Lattenrost, weil der Patient nicht auf dem nassen Boden im ablaufenden Wasser stehen darf. Anstelle der hygienisch nicht ganz einwandfreien hölzernen Lattenroste verwendet man heutzutage Rostmatten aus Gummi oder Kunststoff. Arm- und Obergüsse kann man anstatt über einem Gießbock oder einem Schutzbrett auch über einer Badewanne ausführen.

Die Kneippschen Güsse beruhen auf dem *Prinzip des Einschleichens* mit einem an sich starken Reiz, d.h. dass bei gleichbleibender Wassertemperatur nach und nach eine größere Hautfläche begossen wird. Man beginnt beim Gießen *stets an der Peripherie* des Körpers (und zwar immer an der rechten Seite) und lässt den Guss langsam und gleichmäßig zentralwärts ansteigen. Auch im Verlaufe einer Gießkur verfolgt man das Einschleichprinzip: Man beginnt mit Güssen, bei denen eine kleine Hautfläche übergossen wird, z.B. mit dem Knieguss, und geht dann zu größeren Güssen über (Schenkelguss, Unterguss usw.).

Der kalte Guss ist demnach keine schroffe Gewaltmaßnahme, wie vielfach irrtümlicherweise angenommen wird, sondern eine in weiten Grenzen *fein dosierbare Anwendung*. Freilich dürfen Güsse nicht schematisch oder gar kritiklos angewandt werden, denn bei den verschiedenen Reaktionstypen sowie bei veränderter Reaktionslage tritt die Reaktion nach unterschiedlich langer Reizdauer auf. Es lassen sich daher für die *Dauer eines Gusses* keine festen Zeiten vorschreiben. Je nach Ausdehnung des Gusses (ob Knie-, Ober- oder Vollguss) sowie nach der Reaktionsfähigkeit des Patienten kann ein kalter Flachguss etwa zwischen einer halben und zwei Minuten dauern. Das Aufsteigen mit dem Wasserstrahl geschieht langsam und zügig, das Absteigen etwas schneller. Grundsätzlich gießt man bis zum Eintritt der Reaktion, also bis eine leichte Hautrötung einsetzt. Nur bei schwächlichen, nervösen, in ihrer Reaktion gestörten Personen macht man eine Ausnahme, indem man den Eintritt der Reaktion nicht abwartet. Bei solchen Kranken müssen sich die nervösen Reflexvorgänge, die für den Ablauf der Reaktion verantwortlich sind, erst nach und nach einspielen. Wenn sich im Verlauf des Gusses eine livide Verfärbung der Haut einstellt, muss der Guss sofort abgebrochen werden. Das hat aber nicht zu bedeuten, dass jede Gießkur bei diesen Personen kontraindiziert ist, man sollte vielmehr versuchen, durch Wiederholung des Gusses in den nächsten Tagen allmählich die Reaktion zu wecken. Ausgesprochen kälteempfindlichen Personen gibt man anfangs auch *leicht temperierte Güsse* und geht erst nach einer gewissen Gewöhnungszeit über mehrere Behandlungen zu den kalten Güssen über. Man kann zum „Einspielen" der Gefäßreaktion auch *heiße oder wechselwarme Güsse* verabfolgen. Die abhärtende Wirkung dieser Güsse ist ähnlich, wie die der kalten. Kalte Güsse aber haben darüber hinaus noch eine allgemein tonisierende und erfrischende Wirkung.

Es gibt Patienten, die bei kalten Güssen einen kneifenden oder stechenden *Kälteschmerz* angeben. Dieser ist aber nicht unbedingt ein Zeichen für schlechte Verträglichkeit. Die Reaktion kann sogar nach dem Kälteschmerz noch intensiver sein als sonst. Immerhin ist dieser Schmerz aber ein Zeichen dafür, dass der Guss zunächst abgebrochen werden sollte. Für kalte Güsse gelten übrigens die gleichen Richtlinien wie für alle anderen Kälteanwendungen. Also: Niemals bei ausgekühltem Körper kalt gießen! Nicht unnötig unbekleidet umherstehen! Kalte Güsse nie in kalten Räumen oder bei Zugluft aus-

## 5.2 Güsse und Abreibungen

führen! Vor dem kalten Guss muss der Körper (auch Füße und Hände) warm sein, nach dem Guss muss er sich wieder rasch erwärmen. Bei kalten Füßen oder Händen vor dem Guss ein warmes Fuß- oder Handbad oder einen warmen Guss verabfolgen. Kneipp betont: „Wenn kalt, dann kurz und kalt!" Der *Gießraum* muss auf etwa 18 bis 20 °C *temperiert* sein. Aber auch dann soll der Patient vor der Anwendung nicht zu lange entblößt warten, damit er nicht auskühlt. Während des Gusses wird er aufgefordert ruhig ein- und auszuatmen. Keinesfalls darf er während der Benetzung des Oberkörpers dem Kaltreiz nachgeben und die Luft anhalten. Der Behandler muss darauf achten und gegebenenfalls den Patienten freundlich ermuntern weiterzuatmen. Bei Teilgüssen entkleidet sich der Patient nur so weit, wie es der Guss erfordert. Nach dem Guss werden Lenden- und Kreuzbeingegend zwar abgetrocknet, sonst reibt man den Körper nur dann trocken, wenn die Reaktion nicht prompt einsetzt, wie es bei nervösen, reaktionsgeschwächten Patienten der Fall sein kann. Im Allgemeinen wird die *Feuchtigkeit nur mit der Hand abgestreift,* der Körper trocken bekleidet, und der Kranke fördert die Wiedererwärmung durch Gymnastik oder schnelles Gehen, wenn er es nicht vorzieht, sich ins (eventuell vorgewärmte) Bett zu legen.

Die günstigste Zeit für die Durchführung von Güssen ist am Morgen etwa zwischen 7.00 und 9.00 Uhr. Wenn am Nachmittag eine entsprechende Behandlung durchgeführt wird, sollte dies zwischen 15.00 und 16.00 Uhr erfolgen. Zur Mittagszeit, auf vollen Magen, sind Güsse nicht angezeigt. Die bevorzugte *Wirkung* der Güsse ist auf die Beeinflussung der Blutzirkulation gerichtet. Man hat Kneipp aus diesem Grunde auch als „Meister der Blutbewegung" bezeichnet. Die als „Reaktion" angestrebte Mehrdurchblutung der Körperdecke bleibt nicht ohne Auswirkung auf den *Gesamtkreislauf,* auf Blutdruck und Herztätigkeit. Darüber hinaus ist die hydrotherapeutische Behandlung auch als *Trainingsprogramm* für die periphere Gefäßregulation im Sinne einer Adaptation beziehungsweise Readaptation einzustufen, besonders dann, wenn funktionelle Regulationsstörungen auf diesem Sektor bestehen. Selbstverständlich werden auf nervalem Wege durch den mit dem Guss verbundenen Reiz an der Haut neben *reflektorischen Vorgängen* an zugeordneten inneren Organen auch allgemein *umstimmende Wirkungen* am Nervensystem ausgelöst, vorwiegend im Sinne einer Äquilibrierung. Das heißt, dass es durchaus möglich ist, mit Güssen auf nervöse Personen beruhigend, dämpfend einzuwirken, während bei erschöpften Kranken ein entmüdender Effekt erzielt werden kann. Das setzt natürlich einen engen Kontakt zwischen Behandler und Patient voraus. Der Gießende sollte den *Guss niemals routinemäßig ausführen,* sondern einmal milder, einmal stärker dosiert, wobei Konstitution und Reaktionsweise des Patienten Richtschnur für die Dosierung sein müssen. Deshalb sollte der Behandler sich während der Anwendung mit dem Kranken unterhalten, über die von diesem wahrgenommenen Empfindungen sich unterrichten lassen. Wichtig ist ebenso die Beobachtung der Reaktion. Gibt der Patient an, dass er den Guss als unangenehm empfindet, muss gegebenenfalls die Intensität verringert oder sogar der Guss abgebrochen werden. Bei „zimperlichen" Kranken wird der Bademeister unschwer durch aufmunternde oder gar energische Worte zur Fortsetzung der Behandlung beitragen können.

Zu einer sogenannten *Kälteallergie* (es handelt sich genaugenommen nicht um eine Allergie, sondern um eine durch physikalische Faktoren, hier Kälte, ausgelöste Urticaria) kann es bei besonders empfindlichen Personen durch Freisetzung von Histamin und anderen H-Substanzen über eine Kapillarerweiterung ohne Eröffnung von Arteriolen und Venolen kommen. Man beobachtet dann die Entwicklung eines urtikariellen Exanthems und eines lokalen Ödems. Diese Reaktionsweise zwingt zum *Abbruch der Kaltreizbehandlung.* Dass *Kinder* mit ihrem nur ungenügend entwickelten Unterhautfettpolster und ihrem veränderten Reaktionsmuster sehr viel empfindlicher auf kalte Güsse reagieren, deshalb einer besonders sorgfältigen Dosierung bedürfen, sei an dieser Stelle hervorgehoben.

Einfache Güsse wie Knie-, Schenkel- und Armgüsse kann jeder an sich selbst ausführen. Für die übrigen Güsse benötigt man die Hilfe eines Behandlers. Kalte, wechselwarme und heiße Güsse haben die gleichen Verlaufsrichtungen. Es werden daher im Folgenden die Verhaltensmaßregeln und die Verlaufsrichtungen bei den kalten Güssen beschrieben. Auf anders temperierte Güsse wird nur insofern eingegangen, als besondere Abweichungen oder Gesichtspunkte gelten. Bei Wechselgüssen gießt man erst warm und dann kalt. Gewöhnlich wird zweimal gewechselt.

## 5.2 Güsse und Abreibungen

### Knieguss

*Vorbereitungen:* Der Patient entblößt nur die Füße und die Unterschenkel, sonst bleibt der Körper bekleidet. Kalte Füße erst vorwärmen (mit einem warmen oder ansteigenden Fußbad oder mit einem warmen bis heißen Guss). Niemals bei kalten Füßen kalt gießen!

**Gießfolge:**

Beginn an der *Rückseite (Abb. 5.4a).*

*Rechtes Bein:* Von der Kleinzehenseite des Fußes wird der Wasserstrahl über die Außenseite der Wade aufsteigend bis kurz über die Kniekehle geführt. Hier einige, gegebenenfalls bis zu 5 Sekunden verweilen (dabei den Wasserstrahl nicht auf einen Punkt gerichtet lassen, sondern leicht bewegen), die Wasserplatte über die Wade laufen lassen und dann an der Innenseite des Unterschenkels wieder absteigen bis zur Ferse.

*Linkes Bein:* Es wird wie rechts, von der Kleinzehenseite ausgehend bis über die Kniekehle aufsteigend gegossen, hier wieder bis zu 5 Sekunden verweilen, dann

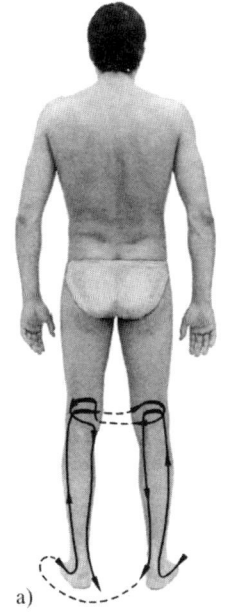
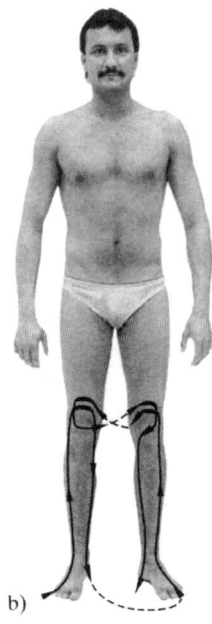

**Abb. 5.4a, b**
Gießfolge Knieguss
(= verstärkte Linie: hier jeweils ca. 5 Sekunden verweilen).

mit dem Wasserstrahl zur rechten Kniekehle übergewechselt, verweilt und wieder zurück zur linken Kniekehle gegangen. Dann abwärts über die Innenseite des Unterschenkels zur Ferse.

Nun macht der Patient eine Kehrtwendung, und es erfolgt die Begießung der *Vorderseite (Abb. 5.4b).*

*Rechtes Bein:* Von der Außenseite des Fußes kommend am Unterschenkel seitlich aufsteigen bis oberhalb der Kniescheibe. Diese ein paar Mal mit dem Strahl umkreisen und an der Innenseite des Unterschenkels abwärts zur Ferse ziehen. Der Wasserstrahl soll nicht direkt über die Knochenkante des Schienbeines fließen, sondern mehr die Muskelpartien überspülen.

*Linkes Bein:* Zunächst wie rechts; nach Umkreisen der Kniescheibe kurz nach rechts überwechseln, verweilen und dann den Wasserstrahl zurück zur linken Kniescheibe und abwärts zur Ferse führen.

Dann dreht sich der Patient noch einmal kurz um, damit *zum Abschluss die rechte und linke Fußsohle* begossen werden können.

Man rechnet je Vorder- und Rückseite eines Unterschenkels ungefähr 8–10 Sekunden Gießdauer, d.h., der Knieguss wird 40 Sekunden zeitlich kaum überschreiten. Danach soll die *normale Reaktion* als helle gleichmäßige Hautrötung an Füßen und Unterschenkeln sichtbar sein. Kommt es dagegen zu einer *abweichenden Reaktion,* ist die Haut fleckig, bläulich-marmoriert, so ist das häufig ein Zeichen dafür, dass der Guss zu lange gedauert hat.

Bei *Wechsel-Kniegüssen,* die bevorzugt bei verzögerter Reaktionsweise des Patienten zur Anwendung kommen, wird im Warm-Kaltwechsel praktisch die gleiche Gießfolge eingehalten, lediglich das *Überwechseln* von der linken Rückseite und von der linken Vorderseite zur rechten Kniekehle beziehungsweise zur rechten Kniescheibe *unterbleibt,* und die Fußsohlen werden erst beim letzten Kaltguss begossen.

*Indikationen:* als einleitende Maßnahme zum Beginn von Gießkuren, zur Durchblutungsanregung im Bereich von Füßen und Unterschenkeln. Bei chronisch kalten Füßen und anderen Regulationsstörungen der peripheren Durchblutung. Gelegentlich werden Kniegüsse auch noch als ableitende Maßnahme, insbesondere bei Stauungszuständen im Pfortaderkreislauf empfohlen.

## 5.2 Güsse und Abreibungen

### Schenkelguss

*Vorbereitungen:* Beinbekleidung und Unterwäsche werden bis zur Gürtellinie abgelegt. Der Oberkörper bleibt bekleidet. Kalte Füße vorwärmen! (vergl. Knieguss)

**Gießfolge:**
*Rückseite (Abb. 5.5a).*
*Rechtes Bein:* An der Außenseite des Fußes beginnend den Wasserstrahl am Unter- und Oberschenkel außen hoch bis zum Gesäßmuskel führen. Hier etwa 5 Sekunden verweilen und das Wasser in breitem Wassermantel über das Bein abwärts fließen lassen. Dann an der Innenseite des Beines absteigen bis zur Ferse.
*Linkes Bein:* Wie rechts, hoch zum Gesäßmuskel, verweilen, dann den Wasserstrahl in leichtem Abwärtsbogen über Mitte Oberschenkel zum rechten Gesäß führen, hier wieder verweilen und im Bogen nach links zurück. Über dem linken Gesäß erneut 5 Sekunden verweilen und dann an der Innenseite des Beines abwärts zur Ferse.

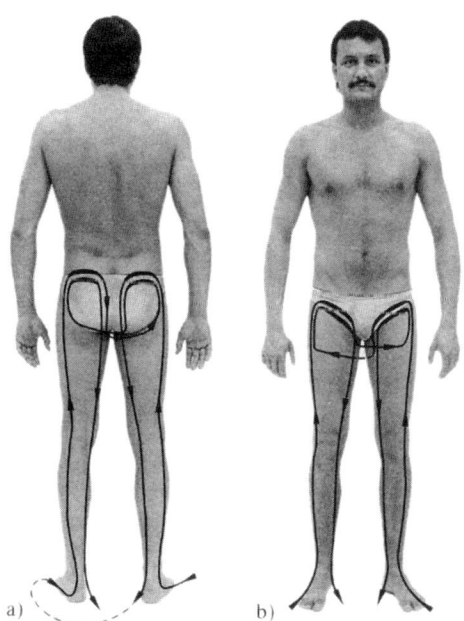

**Abb. 5.5a, b**
Gießfolge Schenkelguss.

*Vorderseite (Abb. 5.5b).*
*Rechtes Bein:* Vom Fuß her an der Außenseite des Beines hoch bis zur Leistenbeuge, dort kurz verweilen und an der Innenseite abwärts zum Fuß.
*Linkes Bein:* in der gleichen Weise wie rechts, jedoch von der Leistenbeuge aus in leichtem Bogen über Mitte Oberschenkel den Wasserstrahl nach rechts zur Leistenbeuge führen, hier verweilen und zurückwechseln. Wieder im Bereich der linken Leiste verweilen und den Strahl über die Oberschenkelinnenseite zum Fuß zurückführen.
Anschließend *Begießung der Fußsohlen.*
*Indikationen:* Im Rahmen einer Gießkur die auf den Kniguss folgende stärkere Anwendung, zur Zirkulationsanregung im ganzen Bein mit Auswirkung auf die Beckenorgane, bei Blutverteilungsstörungen, niedrigem Blutdruck, Krampfadern. Als ableitende Maßnahme bei Stauungen im Pfortaderkreislauf.
Der *Wechselschenkelguss* verzichtet sowohl auf der Rückseite als auch an der Vorderseite auf ein Überwechseln jeweils von links nach rechts und zurück im Gesäß- beziehungsweise Leistenbereich. Die Füße werden nur beim letzten Kaltguss mit begossen. Er wird empfohlen bei rheumatischen Beschwerden in der Beinmuskulatur, bei Parästhesien, bei Durchblutungsstörungen, die durch schlaffe Lähmungen bedingt sind.

### Unterguss

*Vorbereitungen:* Der Patient muss den Unterkörper entkleiden. Hemd oder Bluse und Unterwäsche bis zur Achselhöhle hochnehmen oder ebenfalls ablegen.

### Gießfolge:

*Rückseite (Abb. 5.6a).*
*Rechte Seite:* Zunächst wie beim Schenkelguss bis zum Beckenkamm gießen, dann den Strahl weiter hochführen bis zum rechten unteren Schulterblattwinkel, hier verweilen und das Wasser in breiter Platte über die rechte Rückenpartie und das Bein abfließen lassen. Rechts neben der Wirbelsäule und an der Innenseite des rechten Beines abwärts bis zur Ferse führen.
*Linke Seite:* vom Fußrücken an der Außenseite hoch bis zum Beckenkamm und dann weiter bis zum unteren Schulterblattwinkel. Verweilen, im leichten Bogen

## 5.2 Güsse und Abreibungen

nach rechts überwechseln, wieder etwa 5 Sekunden verweilen, zurück zum linken Schulterblattwinkel, hier erneut einige Sekunden verweilen, links neben der Wirbelsäule und an der Innenseite des Beines bis zur Ferse abwärts.
*Vorderseite (Abb. 5.6b).*
*Rechte Seite:* Vom rechten Fußrücken an der Außenseite des Oberschenkels und des Bauches hoch bis zum Rippenbogen oder auch bis handbreit darüber, ca. 5 Sekunden verweilen, die Wasserplatte über die rechte Leibseite und das rechte Bein abfließen lassen, dann über Leibmitte und Innenseite des Beines absteigen zur Ferse.
*Linke Seite:* Zunächst wie rechts bis zum Rippenbogen hoch, dort bis zu 5 Sekunden verweilen, überwechseln zum rechten Rippenbogen (oder handbreit darüber), erneut verweilen, zurück zum linken Rippenbogen, wieder einige Sekunden verweilen, dann mehrmals (drei- bis sechsmal) eine Leibspirale im Uhrzeigersinn (Dickdarmverlauf) ausführen und über Leibmitte und Innenseite des linken Beines absteigen. Als Abschluss Fußsohlen begießen. Die Wirkung des Untergusses ist stärker als die des Schenkelgusses.

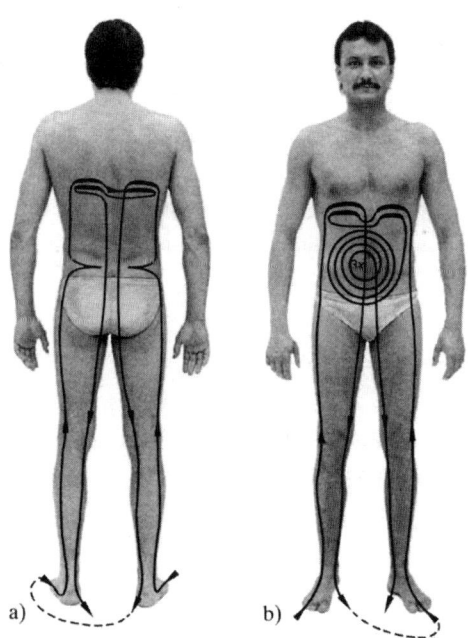

**Abb. 5.6a, b**
Gießfolge Unterguss.

*Indikationen:* Wie bei Knie- und Schenkelguss. Im Rahmen einer Gießkur als die auf den Schenkelguss folgende stärker dosierte Anwendung, krampfartige Beschwerden im Magen-Darm-Bereich, Meteorismus, Obstipation, Stauungen im Pfortader-Lebergebiet.

Beim *Wechselunterguss* wird ähnlich wie bei den Wechselknie- und Wechselschenkelgüssen auf das Überwechseln von der linken zur rechten Seite bei Erreichen des unteren Schulterblattwinkels beziehungsweise des Rippenbogens verzichtet.

### Rückenguss

*Vorbereitungen:* Da der Rückenguss einer der stärksten Kneippschen Güsse ist, soll man ihn niemals ohne entsprechende Vorbereitung und Gewöhnung durch kleinere, allmählich sich steigernde Güsse verabfolgen. Beim Rückenguss entkleidet sich der Patient völlig. Kalte Füße sind vorzuwärmen!

### Gießfolge *(Abb. 5.7):*

Zur Einleitung erfolgt zunächst ein kurzes Vorgießen der Beine. Vom rechten Fuß zur Hüfte aufsteigen, ohne Verweilen sofort an der Innenseite des rechten Beines abwärts, dann am linken Bein außen „hochfahren" bis zum Gesäß, im Bogen über die Mitte der Oberschenkel zur rechten Hand, dem Patienten Wasser in die hohle Hand geben, damit er sich damit *Herzgegend und Stirn vorkühlen* kann. Der Behandler selbst wäscht mit seiner linken Hand dem Patienten den Rücken kurz ab, um ihn auf den Kältereiz vorzubereiten. Dann steigt der Guss (der Schlauch wird mit der Öffnung nach oben in sogenannter *Kletterhaltung* geführt) am rechten Arm hinauf über die Schulter zum Schulterblatt, verweilt dort etwa 5 Sekunden, während das Wasser in breiter Platte über die rechte Rückenhälfte abfließt. Es darf kein Wasser nach vorne überfließen. Der Strahl steigt dann in der Mitte der rechten Rückenseite abwärts, wechselt unterhalb des Gesäßes zur linken Hand, steigt am linken Arm über die linke Schulter zum Schulterblatt auf, verweilt hier und wird weiter in der Mitte der linken Rückenseite abwärts geführt bis zum Gesäß. Hier erneuter Wechsel zur rechten Seite, neben der Wirbelsäule hoch bis zur rechten Schulter, verweilen und auf der rechten Rückenseite wieder abwärts, abermals Wechsel unterhalb des Gesäßes zur linken Seite, ebenfalls hoch bis zur Schulter, verweilen, kurzes

## 5.2 Güsse und Abreibungen

Überwechseln zur rechten Schulter und wieder zurück nach links. Darauf in der Mitte der linken Rückenseite und an der Innenseite des linken Beines abwärts. Zum Abschluss rechte und linke Fußsohle begießen.

Wichtig bei der Durchführung des Rückengusses ist es, dass das Wasser als breite Platte die jeweilige Rückenpartie bedeckt und dass der Patient ruhig weiteratmet. „Verschlägt" es ihm den Atem, so ist er deutlich zum Weiteratmen aufzufordern.

Der Rückenguss kann notfalls auch *im Sitzen* durchgeführt werden. Der Patient sitzt auf einem Hocker. Zunächst gibt man ihm etwas Wasser in die hohle Hand, damit er sich die Herzgegend vorwaschen kann. Außerdem wäscht man ihm den Rücken ab, um auf den Kältereiz vorzubereiten. Der Guss beginnt an der rechten Hand, steigt an der Außenseite des rechten Armes hoch bis über die Schulter zum Schulterblatt (dabei darf kein Wasser nach vorn überfließen).

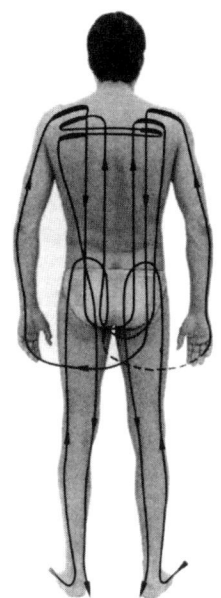

**Abb. 5.7**
Gießfolge Rückenguss.

In breiter Wasserplatte lässt man den Guss etwa 5 Sekunden von der Schulter aus über die rechte Rückenhälfte fließen, dann steigt der Strahl auf der rechten Seite abwärts bis zum Gesäß. Es folgt die Begießung des linken Armes und der linken Rückenhälfte wie rechts.

*Indikationen:* Anregung und Training von Atmungsfunktion und Kreislauf bei Gesunden, allgemeine Durchblutungsförderung, Tonisierung der Rückenmuskulatur, Förderung des Auswurfs bei Asthmatikern (hier nur im anfallsfreien Stadium gießen!).

Beim *Wechselrückenguss* unterbleibt sowohl in der Warm- als auch in der Kaltphase das Wechseln in Schulterblatthöhe.

### Armguss

*Vorbereitungen:* Zum Armguss beugt sich der Patient über das Schutzbrett des Gießbockes und stützt sich mit beiden Händen an den dort angebrachten Halterungen beziehungsweise an den seitlichen Verstrebungen ab, oder er sitzt, wenn die gebückte Haltung nicht möglich ist oder nicht gut vertragen wird, neben dem Gießbock und hält jeweils nur einen Arm über das Schutzbrett. Der Oberkörper wird vollständig entblößt. Bei kalten Händen muss vorgewärmt werden, z.B. durch ein warmes oder heißes Armbad, eventuell auch durch einen heißen Guss.

**Gießfolge** *(Abb. 5.8)*:
Vom rechten Handrücken aus in Kletterhaltung an der Außenseite des Armes hoch bis zur Schulter, dort ca. 5 Sekunden verweilen und das Wasser in glattem Mantel über den Arm ablaufen lassen. An der Innenseite des Armes absteigen bis zur Hand. Anschließend den linken Arm in gleicher Weise gießen. Soll der Reiz etwas kräftiger ausfallen, so kann der Guss zwei- bis dreimal wiederholt werden.
Wird der Guss über die Schulter hinaus (beim stark vorgebeugten Patienten) bis zum unteren Schulterblattwinkel geführt (hier verweilen), so bezeichnet man ihn als *verlängerten Armguss*.

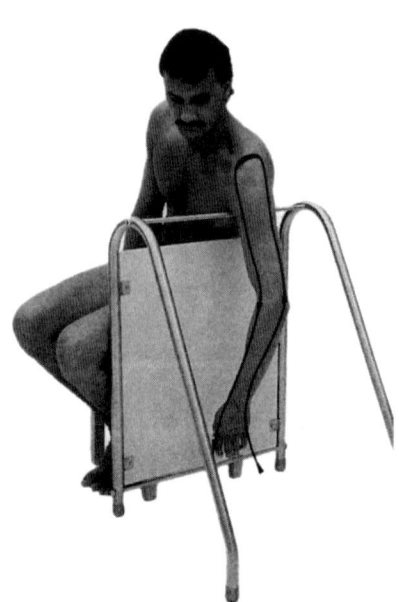

**Abb. 5.8** Gießfolge Armguss (im Sitzen).

*Indikationen:* Zirkulationsanregung. Bei Regulationsstörungen der Durchblutung der Hände. Blutunterdruck. Ableitend bei Kopfschmerzen. Bei Katarrh der oberen Luftwege.
Bei Angina pectoris als warmer Guss (Temperatur langsam ansteigen lassen!). Warmer, heißer oder wechselwarmer Guss ist angezeigt bei muskulären (rheumatischen) Beschwerden in den Armen.

### Oberguss

*Vorbereitungen:* Gewöhnlich entkleidet der Patient lediglich den Oberkörper. Zum Schutze der Unterkörperbekleidung wird ihm ein trockenes Handtuch ringsum in die Gürtellinie, besonders am Rücken, gesteckt. Der Oberkörper wird

## 5.2 Güsse und Abreibungen

weit über den Gießbock gebeugt, die Hände werden aufgestützt und der Kopf hochgehalten, ohne die Nackenmuskulatur zu verkrampfen. Letzteres erreicht man am besten, wenn man den Patienten „Nein-Nicken" lässt (Kopf locker nach links und rechts drehen).

**Gießfolge** *(Abb. 5.9a–c)*:
Von der rechten Hand aufsteigend bis zur Schulter und von dort an der Innenseite des Armes hinab zur Hand. Dann führt man den Schlauch zur linken Hand.
Nun gibt man dem Patienten in die linke Hand etwas Wasser zum Vorwaschen der Herzgegend. Der Strahl steigt an der Innenseite des linken Armes hoch zur Brust, wobei man den Schlauch mit der Öffnung allmählich nach oben (in Kletterhaltung) dreht. An der Brust führt man den Strahl dreimal in Form einer liegenden Acht, macht dann drei Querstriche über die Brust im Bereich der Schlüsselbeine und wandert langsam unter der rechten Achselhöhle hindurch zur rechten Rückenhälfte. Während dieses Überganges von der Brust zum Rücken wechselt der Schlauch von der rechten Hand des Gießers in die linke,

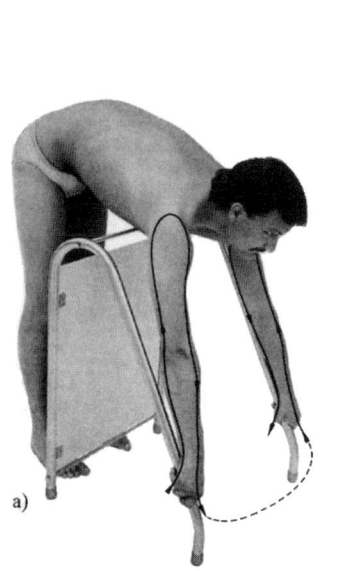
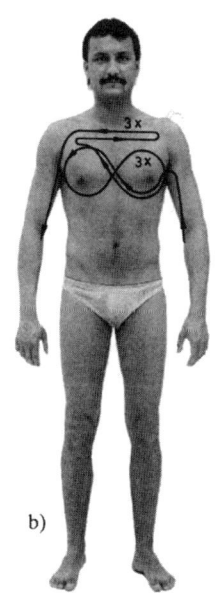
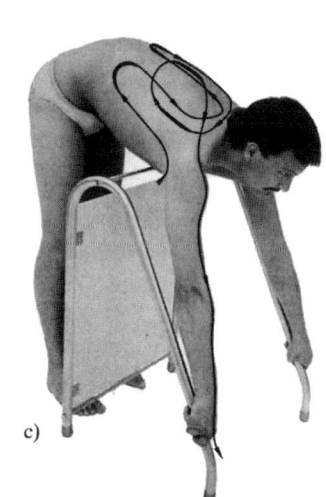

**Abb. 5.9a-c** Gießfolge Oberguss.

und gleichzeitig wird der Schlauch mit der Öffnung in Richtung zum Kopfe des Patienten gewendet. Der Gießer legt seine (freigewordene) rechte Hand in den Nacken des Patienten, um dessen Haare vor dem Nasswerden zu schützen. Frauen benutzen dennoch vorteilhafter eine Badehaube. Dann folgt die *Begießung des Rückens:*
Von der rechten seitlichen Thoraxwand aufsteigend führt man den Strahl bis zum Rippenbogen, verweilt hier und geht dann neben der Wirbelsäule bis zum 7. Halswirbel, wechselt von dort nach links, geht bis zum linken Rippenbogen und verweilt wieder einige Sekunden. Zur Verstärkung des Reizes lässt man eine Wasserplatte auch quer über den Rücken fließen. Abschließend wird der Strahl über die rechte Schulter und die Innenseite des rechten Armes zur rechtenHand geführt.
*Indikationen:* Allgemeine Abhärtung, bei Neigung zu Katarrhen der oberen Luftwege, Bronchialasthma, zur Anregung von Atmung und Kreislauf, zur Entmüdung, Tonisierung der Rückenmuskulatur.
Der *Wechseloberguss* wird in gleicher Weise ausgeführt. Es wird lediglich auf die „Verstärkung" des Reizes durch die Wasserplatte quer über den Rücken verzichtet.

### Brustguss

*Vorbereitungen:* siehe Oberguss.
Beim Brustguss wird der Rücken nicht begossen.

### Gießfolge:

In gleicher Linienführung wie beim Oberguss werden rechter Arm, Brust und linker Arm begossen.
*Indikationen:* Sie sind weitgehend mit denen des Obergusses identisch.

### Vollguss

*Vorbereitungen:* Da der Vollguss einen recht kräftigen Reiz mit entsprechender Reaktion bewirkt, ist er nur bei kreislaufstabilen Personen, und zwar nur nach guter Vorbereitung und Gewöhnung durch kleinere Güsse, durchzuführen. Es wird der ganze Körper mit Ausnahme des Kopfes begossen.

## 5.2 Güsse und Abreibungen

**Gießfolge:**
*Rückseite (Abb. 5.10a).*
Der Guss beginnt an der Außenkante des rechten Fußes, steigt an der Außenseite des rechten Beines hoch bis zum Gesäß und sofort wieder an der Innenseite des Beines hinab zur Ferse. Dann folgt der Guss am linken Bein bis zum Gesäß. Ist dieses erreicht, führt man in leichtem Bogen unter dem Gesäß hinweg den Strahl zur rechten Hand, gibt dem Patienten die Möglichkeit, mit der rechten Hand Wasser zu schöpfen und damit die Herzgegend zu benetzen. Der Gießende wäscht gleichzeitig mit seiner linken Hand den Rücken des Patienten vor.

Dann führt man den Schlauch in Kletterhaltung am rechten Arm hoch bis zur Schulter, verweilt hier 5 Sekunden und lässt ein Drittel des Wassers nach vorn und zwei Drittel nach hinten abfließen. Anschließend wandert der Guss in der Mitte der rechten Rückenhälfte abwärts zum Gesäß, wechselt unterhalb des Gesäßes zur linken Seite und steigt am linken Arm bis zur Schulter hoch. Auch hier verweilt man und lässt ein Drittel der Wassermenge nach vorn und zwei

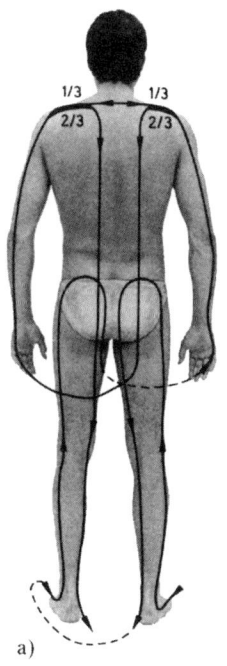 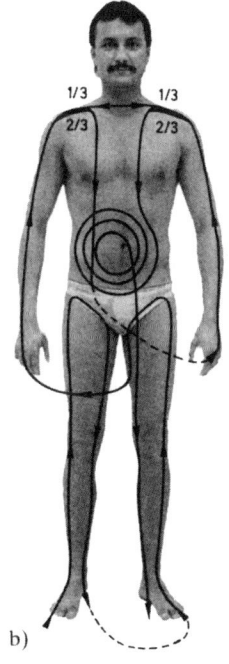

**Abb. 5.1a, b**
Gießfolge Vollguss.

Drittel nach hinten abfließen. Anschließend wird über den Nacken zur rechten Schulter gewechselt, dort einige Sekunden verweilt und der Strahl zur linken Schulter zurückgeführt. Auch hier kurzes Verweilen, dann bewegt man den Strahl über die Mitte der linken Rückenhälfte über Gesäß und Innenseite des linken Beines hinab bis zur Ferse.

*Vorderseite (Abb. 5.10b).*
Beginnend am rechten Fußrücken wird der Wasserstrahl wie beim Schenkelguss an der Außenseite des Beines bis zur Leistenbeuge aufwärts und an der Innenseite wieder zurückgeführt. Danach vom linken Fußrücken außen zur Leistenbeuge hochsteigen und über die Mitte der Oberschenkel zur rechten Hand wechseln. Am rechten Arm aufsteigen zur rechten Schulter, hier 5 Sekunden verweilen und dabei ein Drittel des Wassers nach hinten, zwei Drittel des Wassers nach vorn über den Körper ablaufen lassen. Über die Mitte der rechten Brustseite wird der Strahl dann bis zur Leistenbeuge abwärts geführt. In Mitte des Oberschenkels wird zur linken Hand gewechselt, am linken Arm zur Schulter hochgefahren, hier verweilt, wobei wieder ein Drittel des Wassers nach hinten und zwei Drittel nach vorn ablaufen. In Höhe der Schlüsselbeine noch einmal zur rechten Schulter wechseln, dort 5 Sekunden verweilen, anschließend den Strahl zur linken Schulter zurückführen, ebenfalls verweilen und über die Mitte der linken Brustseite absteigen. Gegebenenfalls noch mehrere Leibspiralen ausführen und weiter den Guss über die Innenseite des linken Beines abwärts lenken. Den Abschluss macht die Begießung der rechten und der linken Fußsohle.

*Indikationen:* Abhärtung bei kräftigen, kreislaufstabilen Personen, Anregung des Stoffwechsels, Entmüdung, Tonisierung der Rumpfmuskulatur.

Bei sonst gleicher Linienführung entfällt beim *Wechselvollguss* jeweils das Überwechseln von links nach rechts und zurück im Bereich des Nackens und der Schlüsselbeine. Die rechte und linke Fußsohle werden nur zum Abschluss des Kaltanteils begossen.

Im Rahmen kurmäßiger Anwendungen werden gelegentlich noch weitere Flachgüsse ausgeführt, von denen hier nur einige kurz angesprochen werden sollen.

## Gesichtsguss

*Vorbereitungen:* Der Patient hält den Oberkörper weit vornüber gebeugt. Die Kleider werden durch Umhang oder durch Gummischürze vor Spritzwasser geschützt.

### Gießfolge:
Von der rechten Schläfe aus wird in Kletterhaltung der Guss über die Stirn und zurück geführt. Mit drei längs verlaufenden Strichen wird die rechte Gesichtshälfte begossen. Dann fährt man über die Stirn zur linken Gesichtshälfte, führt hier ebenfalls drei längs verlaufende Striche aus und umrandet dann das Gesicht dreimal. Während des Gusses darf die Atmung des Patienten nicht behindert werden. Nach dem Guss wird das Gesicht abgetrocknet.
*Indikationen:* Migräne, Gesichtsneuralgien, Blutandrang zum Kopf, zur Entmüdung, zur Durchblutungsanregung der Gesichtshaut.

*Heiße Güsse* werden bei *rheumatischen Beschwerden* eingesetzt, bevorzugt, um *muskuläre Verspannungen* zu lindern oder zu beseitigen. Es sind aber auch *reflektorische Auswirkungen* zu erwarten, beispielsweise vom LWS-Bereich ausgehend auf die Beckenorgane.

## Heißer Nackenguss

*Vorbereitungen:* Der Patient beugt sich wie beim Oberguss über den Gießbock. Der Oberkörper ist unbekleidet.

### Gießfolge:
Der Schlauch wird so gehalten, dass bei Beginn des Gusses das Wasser in breiter Wasserplatte etwa von der Mitte der Brustwirbelsäule aus über Nacken und Schulter abfließen kann. Begonnen wird mit indifferenter Temperatur, die während des mehrere Minuten dauernden Gusses langsam bis zur Erträglichkeitsgrenze hochreguliert wird. Die Behandlung wird beendet, wenn eine kräftige Durchblutungssteigerung aufgetreten ist.

## Heißer Lumbalguss

*Vorbereitungen:* Der Patient nimmt völlig entkleidet auf einem Hocker Platz. Dabei soll das Gesäß die Sitzplatte des Hockers überragen, damit das Wasser gut ablaufen kann.

### Gießfolge:

Es wird mit dem Guss am thoraco-lumbalen Übergangsbereich der Wirbelsäule begonnen. Die Wasserplatte muss Lenden und Gesäß gleichmäßig bedecken. Die anfänglich indifferente Temperatur wird während der Behandlung langsam *bis zur Erträglichkeitsgrenze* angehoben. Der Guss wird mehrere Minuten durchgeführt, bis sich eine starke Mehrdurchblutung (Hautrötung) eingestellt hat.

## Abgießungen nach Heißanwendungen

Insbesondere dann, wenn nach Heißanwendungen kein Nachschwitzen erfolgen soll, gegebenenfalls auch am Ende einer Schwitzpackung, kann anstelle einer Waschung eine Abgießung durchgeführt werden. Diese nur flüchtige Kaltanwendung hat das Ziel, das unter Wärme eingetretene Ermüdungsgefühl aufzuheben, „die Poren der Haut zu schließen" und damit die Schweißproduktion zu bremsen.

Bei der Abgießung des ganzen Körpers geht man entsprechend der Linienführung wie beim Vollguss vor, allerdings sehr viel rascher, ohne zu verweilen oder zu verstärken.

## Blitzgüsse

Bei dieser, auch als Druckstrahlguss bezeichneten Gießform, wird der thermische Reiz des Flachgusses verstärkt durch die mechanische Kraft eines mit erheblichem Druck (etwa 1 bis 2 atü) auf den Körper treffenden Wasserstrahls.

Eine gewisse Verwandtschaft der Kneippschen Blitzgüsse mit zumeist beweglichen Duschen, aber auch mit den in der früheren deutschen Literatur beschriebenen Sturzbädern, ist nicht zu übersehen. Dennoch sind Blitzgüsse in ihrer sorgfältig abgestuften Dosierung und ihrer strengen Linienführung eine typische Entwicklung der Kneippschen Hydrotherapie. Zur Durchführung von Blitzgüssen verwendet man einen Gießschlauch mit aufgesetztem *Blitz-*

## 5.2 Güsse und Abreibungen 143

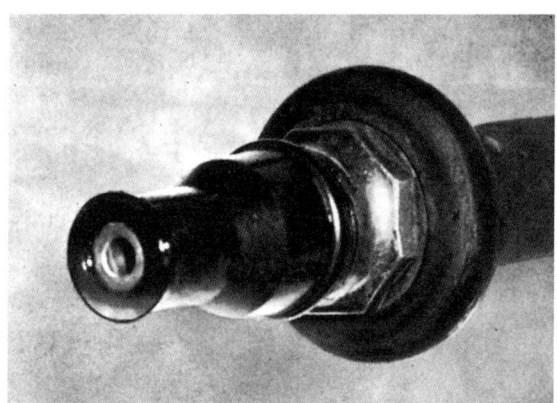

**Abb. 5.11** Blitzgusskopf.

*gusskopf (Abb. 5.11).* Dieser ist etwa 10 cm lang und verjüngt den Wasserstrahl von 20 mm auf ca. 5 mm Durchmesser. Der Druck des Wasserstrahls wird gewöhnlich einreguliert, indem man den Blitzgusskopf in etwa 1 m Bodenabstand waagerecht hält und dann den Wasserzulauf so weit aufdreht, dass der Strahl zunächst eine mindestens 3 bis 4 m lange Strecke geradeaus strömt und sich erst danach langsam zum Boden absenkt und in ungefähr 6 bis 7 m Entfernung vom Blitzgusskopf auf den Boden trifft. Während der Anwendung nimmt man den Gießkopf in die rechte Hand und hält den *Zeigefinger vorgestreckt über die Austrittsöffnung,* damit man jederzeit Einfluss auf den Wasserstrahl nehmen kann. Ein Druck mit der Fingerkuppe auf den Strahl erlaubt es, diesen abzuschwächen, ihn „aufzufächern" bis hin zu einem fast drucklosen *„Sprühregen".*

So wie man durch mehr oder minder starkes „Fächern" den Blitzgussstrahl *abschwächen* kann, was hauptsächlich in Bereichen der ungenügend durch Muskulatur geschützten Weichteile, aber auch im Bereich von frischen Narben oder von Krampfadern der Fall ist, kann man die mechanischen Wirkungen des Strahles noch durch das sogenannte *„Peitschen"* verstärken. Letzteres wird dort eingesetzt, wo kräftig ausgeprägte Muskulatur im Sinne einer Vibration gelockert werden soll. Das „Peitschen" wird erzielt, indem der Gießer mit der Gusshand locker im Handgelenk schnelle Wackelbewegungen ausführt. Dadurch wird der Blitzgussstrahl gewöhnlich seitlich weg und sofort wieder herangeführt; der Strahl prallt dann mit verstärkter mechanischer Kraft auf die

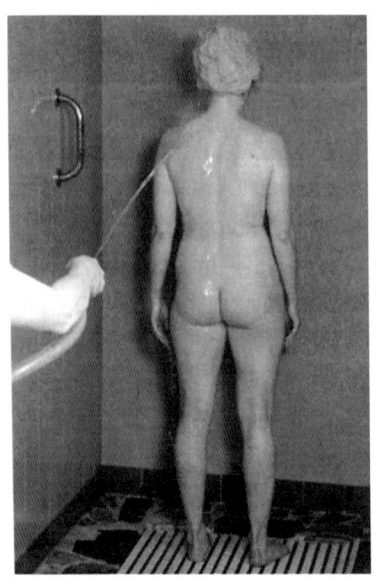

Abb. 5.12 Blitzguss (voller Strahl).

betroffene Körperpartie auf. Man unterscheidet also bei der Anwendung von Blitzgüssen „Peitschen" von vollem Strahl (v), abgeschwächtem, gefächertem Strahl (a) und stark abgeschwächtem Regen.

Die Gießfolge der Blitzgüsse ist derjenigen der drucklosen Flachgüsse vergleichbar, es werden allerdings bei Blitzgüssen noch die seitlichen Bein- und Körperabschnitte mit begossen. Dazu nimmt der Patient zunächst eine rechtsseitige *Schrittstellung* ein, später wendet er die linke Körperseite dem Gießenden zu. Dabei wird der jeweilige Arm waagerecht bis in Schulterhöhe angehoben, damit die Flanken- und seitlichen Brustkorbabschnitte unbehindert „beblitzt" werden können.

Zu den Blitzgüssen, selbst beim Knieblitz, muss der Patient *völlig entkleidet* sein. Bei Frauen wird das Kopfhaar durch eine Duschhaube vor Spritzwasser geschützt. Der Patient steht auf einem Rost, so dass die Füße nicht in dem am Boden abfließenden Wasser stehen *(Abb. 5.12)*. Die Entfernung zwischen dem Ausführenden und dem Patienten soll etwa 3 bis 5 Meter betragen. Die Beschreibung der Gießfolgen geschieht in Anlehnung an Schleinkofer, „Gussfibel für Schule und Praxis", Kneipp Verlag 2003.

### Knieblitz

**Gießfolge** *(Abb. 5.13, 5.14a–k)*:
*Rückseite:* Zuerst wird das rechte, dann das linke Bein von unten bis zur Mitte der Oberschenkel „beregnet" (d.h. der Strahl wird durch die vorgehaltene Zeigefingerkuppe so weit abgemildert, dass er wie ein Sprühregen niederfällt). Das Beblitzen der Unterschenkel bis etwa handbreit über die Kniekehle hinaus geschieht in ähnlicher Weise wie beim Kniguss. Dabei ist jedoch bedeutungsvoll, dass zwischen vollem und abgeschwächtem Strahl variiert wird. Deshalb wird die Linienführung detailliert dargestellt:

## 5.2 Güsse und Abreibungen 145

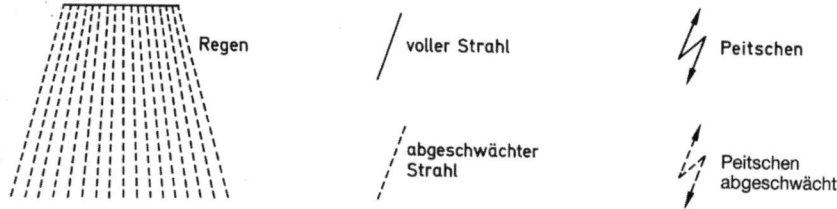

**Abb. 5.13** Erläuterung der unterschiedlichen Druckvariationen während der Linienführung bei Blitzgüssen.

Vom rechten Fußrücken mit vollem Strahl (v) über die Außenseite der Wade zur Kniekehle, hier abgeschwächt (a), bis handbreit oberhalb der Kniekehle (v) und an der Innenseite des rechten Beines ab (a). Anschließend in gleicher Weise am linken Bein verfahren und den Knieblitz an der Rückseite noch ein- oder zweimal wiederholen. Dann werden die Außenseite und der distale Teil des Oberschenkels rechts und links von lateral her gepeitscht.

*Vorderseite:* Nachdem der Patient sich gedreht hat, erfolgt wieder ein Regen bis zur Mitte der Oberschenkel. Anschließend mit vollem Strahl vom rechten Fußrücken an der Außenseite des Schienbeines hochfahren, dreimal mit abgeschwächtem Strahl die Kniescheibe umkreisen und an der Innenseite des rechten Beines abwärts zum Fuß gehen (a). Der linke Unterschenkel wird in gleicher Weise „beregnet" und beblitzt und das Ganze je nach Verträglichkeit noch ein- bis zweimal wiederholt. Es folgt das Peitschen von lateral her.

*Schrittstellung:* Der Patient nimmt Schrittstellung ein und wendet dem Gießenden zunächst die rechte Seite zu. Beginnend vom rechten Fußrücken wird mit vollem Strahl der rechte Knöchel umkreist und an der Rückseite der Wade hochgefahren bis handbreit oberhalb des Knies und abwärts an der Vorderseite des rechten Beines. Dann an der Innenseite des linken Beines (a) den Strahl hochführen und wieder abwärts zur Ferse (a). Gegebenenfalls ein- bis zweimal wiederholen, dann Peitschen der Außenseite des rechten und (eventuell abgeschwächt) des linken Unterschenkels.

Der Patient dreht sich und wendet dem Gießenden die linke Körperseite zu. Die Blitzfolge ist: linker Fußrücken (v), linken Knöchel umkreisen (v), Rückseite des linken Beines (v) bis eine Handbreit über das Knie und an der Vorder-

146  Kapitel 5 Hydro- und Balneotherapie in der Praxis

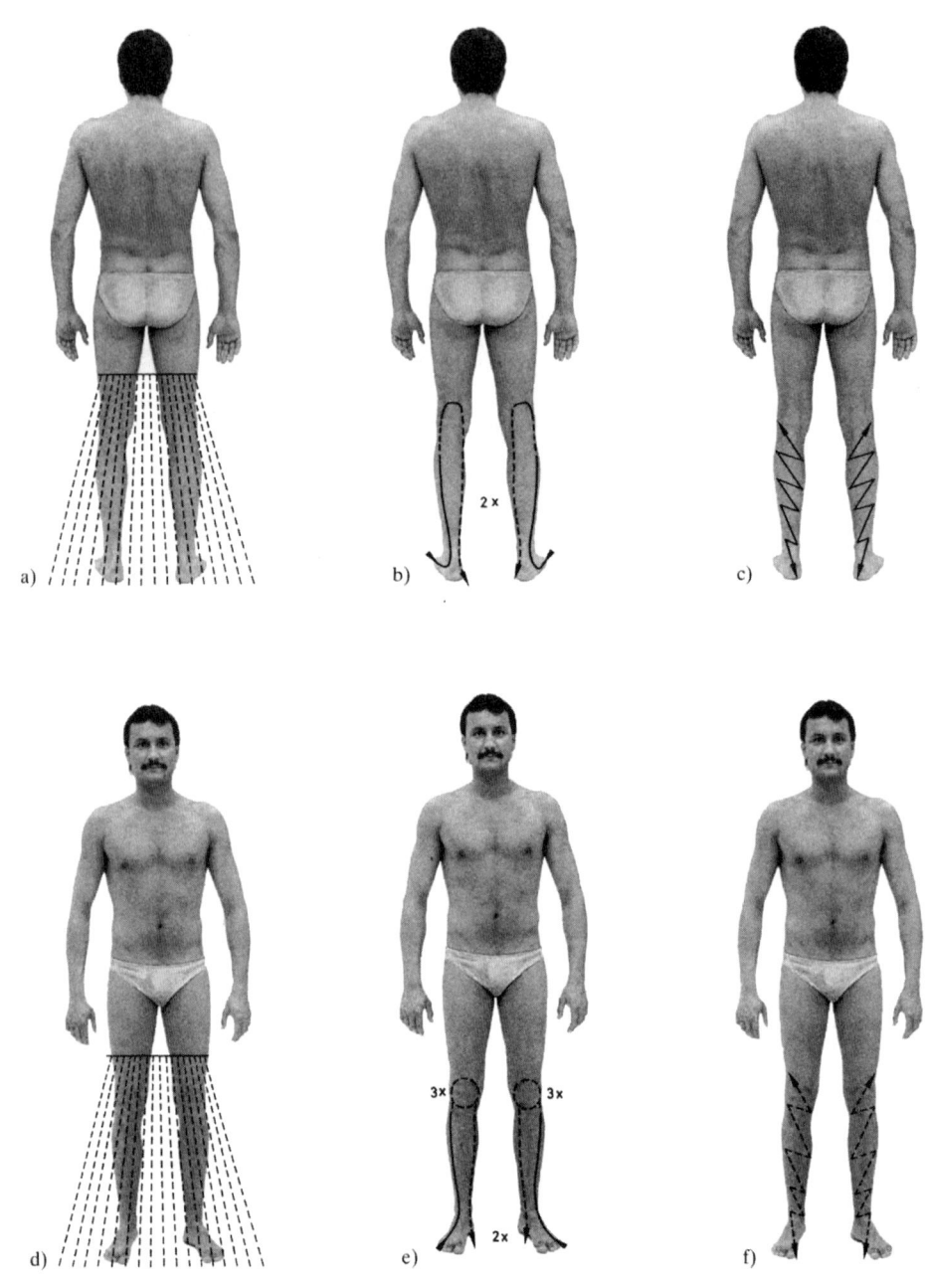

**Abb. 5.14a–k**  Gießfolge Knieblitz.

## 5.2 Güsse und Abreibungen 147

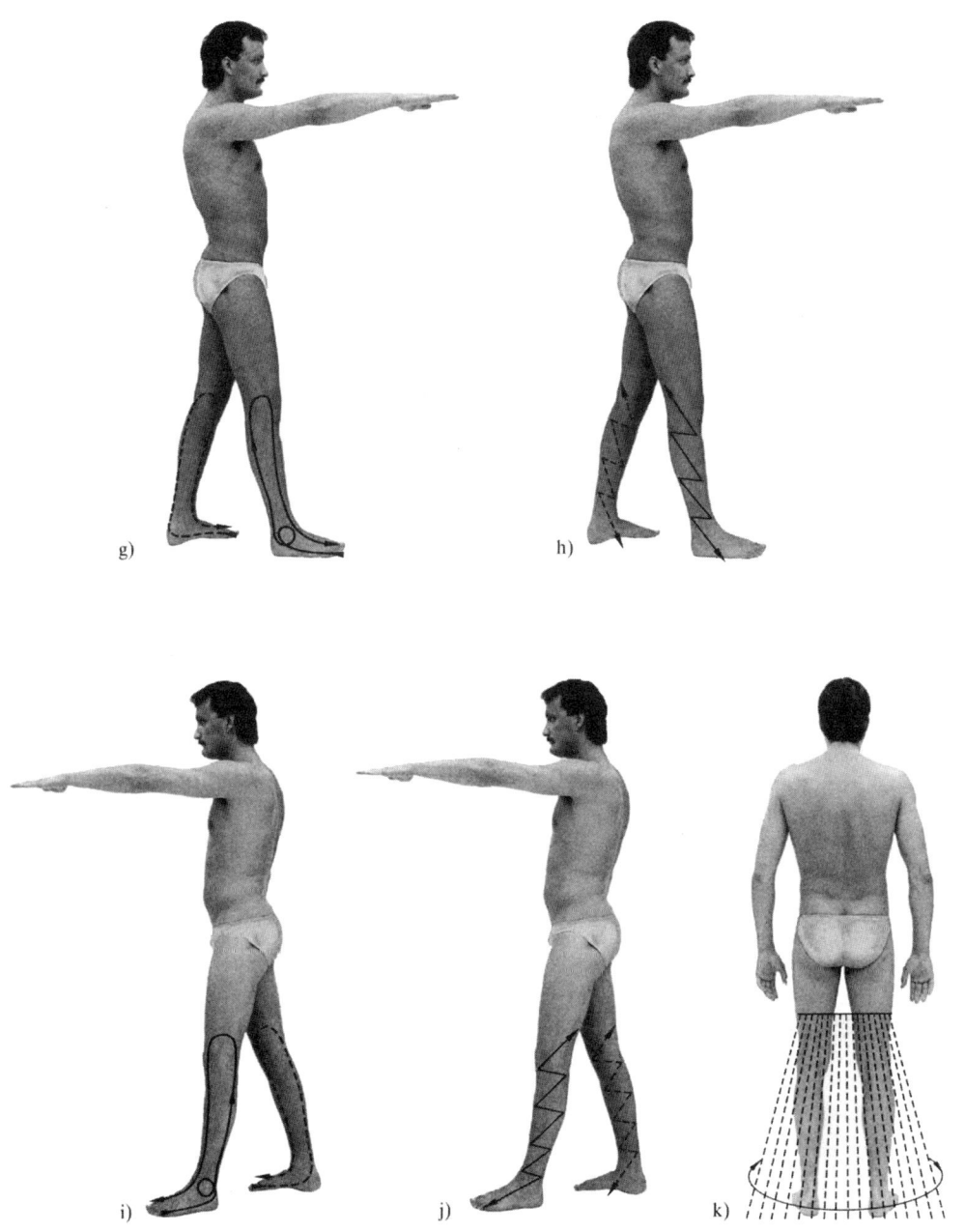

seite abwärts zur Ferse (v). Anschließend (a) die Innenseite des rechten Beines beblitzen. Es folgt Peitschen des linken Unterschenkels an der Außenseite, von der Ferse bis kurz unterhalb des Kniegelenks und, gegebenenfalls abgeschwächt, der Innenseite des rechten Unterschenkels. Zum Abschluss kehrt der Patient dem Gießer wieder den Rücken zu, und es werden die angehobenen Fußsohlen rechts und dann links beblitzt. Danach dreht sich der Patient einmal ganz langsam um die eigene Achse (um 360°), wobei die Unterschenkel von allen Seiten beregnet werden.

*Vorsicht bei Krampfadern!* In ihrem Bereich ist der Blitzstrahl stark zu fächern, d.h. abzuschwächen. Bei großen Krampfadern und bei Venenentzündung ist ein Knieblitz zu unterlassen.

*Indikationen:* Funktionelle Durchblutungsstörungen der Füße und der Unterschenkel, muskuläre Beschwerden in Verbindung mit arthrotischen Veränderungen oder bei Überlastung (nach Abklingen der akuten Reizerscheinungen), Retropatellararthrose, „Muskelkater".

Zur Verstärkung des Reizes und zur Intensivierung der Reaktion kann auch ein *Wechselknieblitz* angezeigt sein. Der einleitende Warmanteil wird in gleicher Linienführung wie beim Knieblitz ausgeführt, jedoch *ohne Regen und Peitschen*. Der Kaltanteil erfolgt ebenfalls an Rück- und Vorderseite sowie in rechter und linker Schrittstellung wie bei der Strahlführung Knieblitz, allerdings ohne, dass die Gießfolge in den einzelnen Abschnitten nochmals wiederholt wird. Die Beblitzung der Fußsohle und der allseitige Regen bilden auch beim Wechsel-Knieblitz den Abschluss.

Die Wassertemperatur in der Warmphase sollte so eingestellt werden, dass sie den Patienten mit etwa 38 °C erreicht, nicht heißer, da der thermische Reiz durch die mechanische Komponente eine erhebliche Verstärkung erfährt, wodurch bei heftig reagierenden Patienten eine erhebliche anhaltende Hautreizung im Sinne einer Verbrennung ersten Grades auftreten kann. Temperaturen bis 40° sind in dieser Hinsicht oft noch unbedenklich. Um mögliche Schwankungen der Warmwassertemperatur sofort erkennen zu können, lässt der Gießende seinen Zeigefinger stets im Kontakt mit dem aus dem Gießkopf austretenden Wasserstrahl.

## 5.2 Güsse und Abreibungen

### Schenkelblitz

**Gießfolge** *(Abb. 5.15a–k)*:

*Rückseite:* Nach einleitendem Regen wird mit vollem Strahl vom rechten Fußrücken an der Wade hochgefahren, in der Kniekehle abgeschwächt und weiter mit vollem Strahl an der Außenseite des Oberschenkels hoch bis zum Gesäß. Dieses dreimal umkreisen (v) und (a) an der Innenseite des rechten Beines abwärts. Gleiches Vorgehen am linken Bein bis zum Gesäß. Diese Gießfolge ein- bis zweimal wiederholen und beide Beine peitschen.

*Vorderseite:* Beginn mit Regen, dann mit vollem Strahl vom rechten Fußrücken an der Außenseite der Wade hoch, gefächert (a) die rechte Kniescheibe umkreisen, mehrfach kreisförmig (v) die Vorderseite des Oberschenkels beblitzen und (a) an der Innenseite des Beines abwärts. In gleicher Weise das linke Bein beblitzen, die Gießfolge ein- bis zweimal wiederholen und abschließend peitschen.

*Schrittstellung:* Am rechten Bein und an der rechten Körperseite mit vollem Strahl vom Fußrücken über den rechten Außenknöchel (umkreisen), an der

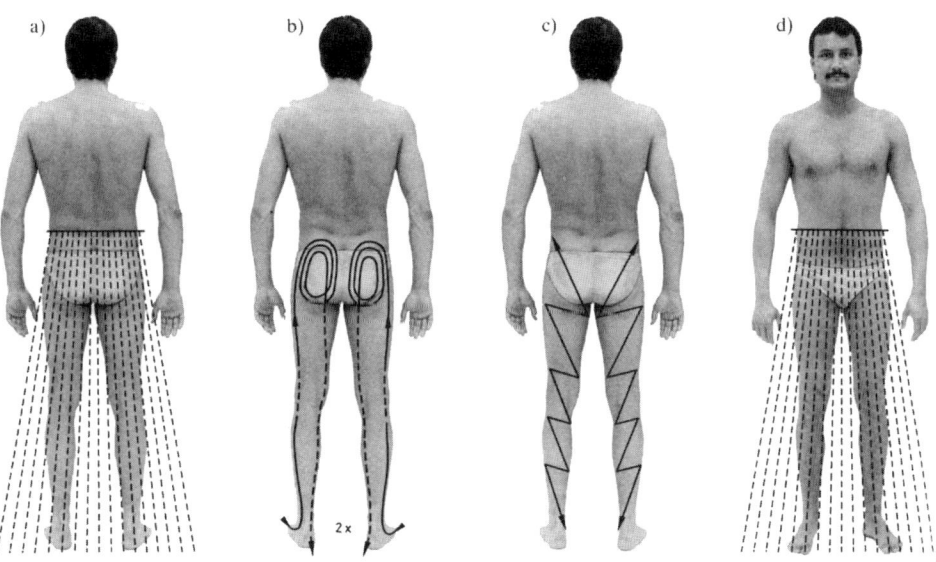

**Abb. 5.15a–k** Gießfolge Schenkelblitz.

# Kapitel 5 Hydro- und Balneotherapie in der Praxis

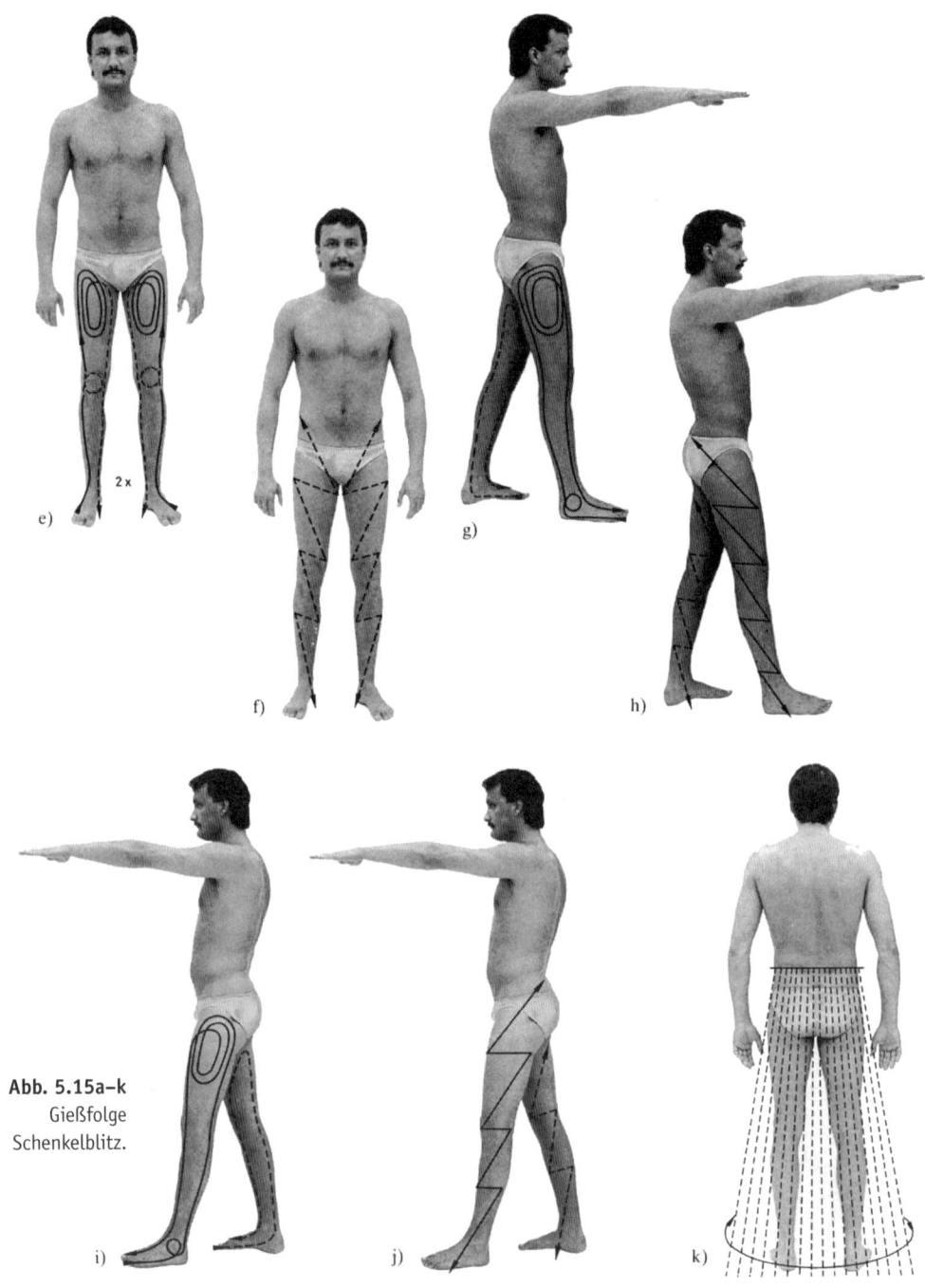

**Abb. 5.15a–k** Gießfolge Schenkelblitz.

Rückseite des Beines hoch bis zum Oberschenkel. Auf dessen Außenseite 3 Kreise ausführen und auf der Vorderseite des Beines abwärts (v). Darauf (a) Innenseite linkes Bein. Dann rechtes Bein an der Außenseite (v), linkes Bein auf der Innenseite (a) peitschen. Gleichsinnig in der linksseitigen Schrittstellung behandeln. Den Abschluss bildet das Beblitzen der rechten und linken Fußsohle und der allseitige Regen.

*Indikationen:* Funktionelle und leichtere organische arterielle Durchblutungsstörungen der Beine, Muskelschmerzen bei Überlastung oder bei Knie- und Hüftarthrose, Ischias (nach Abklingen der akuten Reizerscheinungen), chronische Gelenkbeschwerden.

*Vorsicht bei Krampfadern!* Kein Schenkelblitz bei Venenentzündung oder ausgeprägten Krampfadern.

Beim *Wechselschenkelblitz* wird in der Warmphase bei gleicher Strahlführung wie beim Schenkelblitz auf Regen und Peitschen verzichtet. Während des Kaltanteils entfällt die Wiederholung der Gießfolge in den einzelnen Abschnitten.

## *Rückenblitz (kalt)*

### Gießfolge *(Abb. 5.16a–g)*:

Man beginnt auf der Rückseite mit einem Regen bis in Nackenhöhe. Mit vollem Strahl vom rechten Fußrücken an der Außenseite der rechten Wade über die Kniekehle (a) hochfahren an der Außenseite des Oberschenkels (v) bis zum Beckenkamm (v), danach an der Innenseite des rechten Beines wieder abwärts (a). Das linke Bein in gleicher Weise behandeln und noch einmal zum rechten Fußrücken wechseln. Wieder an der Außenseite des rechten Beines mit dem Strahl bis zur Oberschenkelmitte wandern, zur rechten Hand überwechseln (v), weiter hoch an der Außenseite des rechten Armes (v) zum rechten Schulterblatt. Hier drei Kreise ziehen (v) und über die Innenseite des rechten Armes abwärts gehen (a). Unterhalb des Gesäßes wird nach links gewechselt (a) und der linke Arm mit Schulterblatt in gleicher Weise wie rechts beblitzt. Erneut unterhalb des Gesäßes wechseln (a) und über das rechte Gesäß hochgehen auf dem Rückenstrecker (v-a-v) bis zur Schulterhöhe, seitlich versetzt den Strahl wieder bis zum Gesäß führen (v-a-v), erneut seitlich versetzt noch einmal bis zur Schulterhöhe hoch (v-a-v) und lateral davon absteigen (v-a-v). Unterhalb des Gesäßes

# Kapitel 5 Hydro- und Balneotherapie in der Praxis

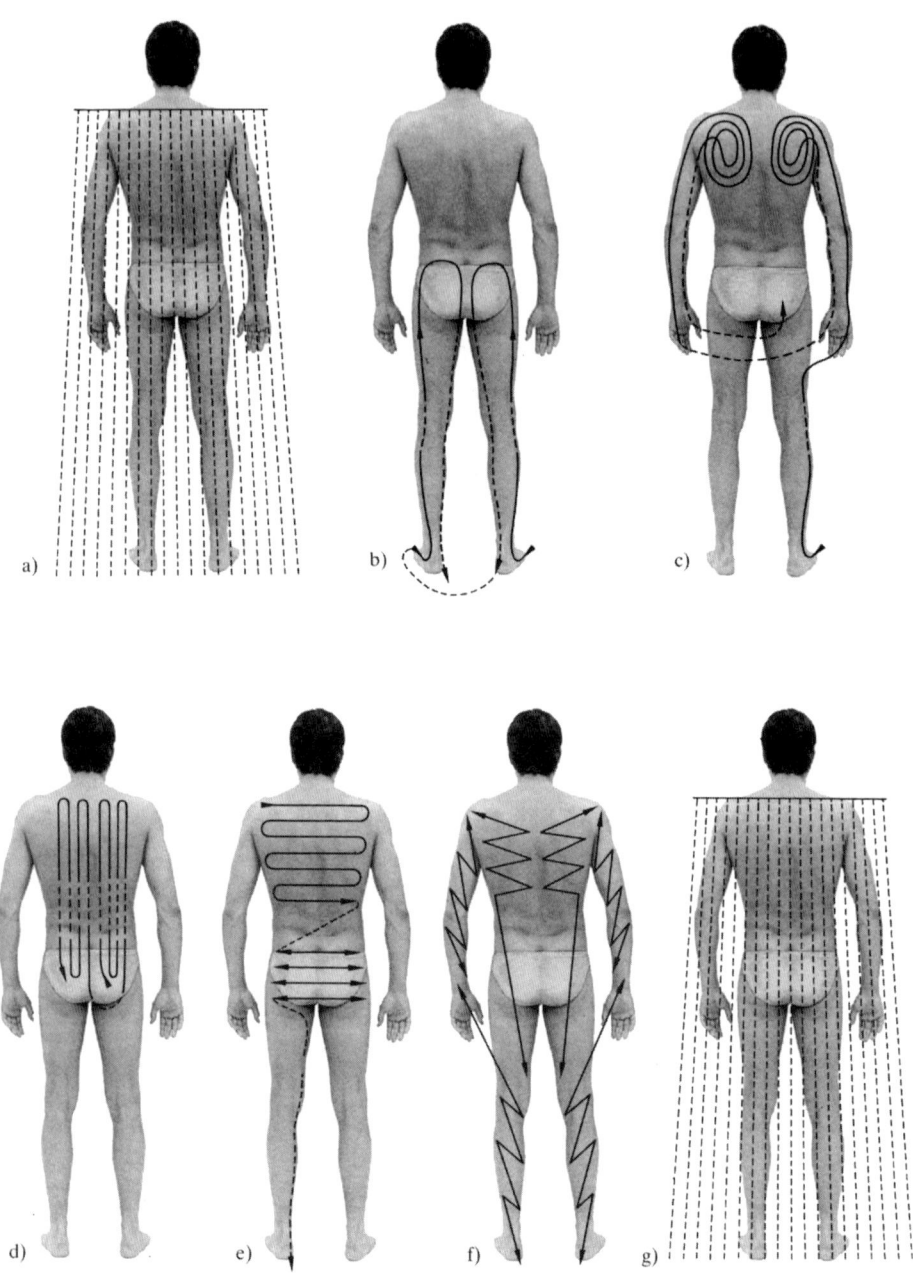

**Abb. 5.16a–g** Gießfolge Rückenblitz.

## 5.2 Güsse und Abreibungen

wieder nach links wechseln (v-a) und die linke Rückenhälfte in gleicher Weise behandeln. Es folgen dann vom Gesäß quer über den Rücken ausgeführte Striche (v-a-v) bis zur Schulterhöhe und zurück zum Gesäß. Von hier wird über die Innenseite des linken Beines abwärts gefahren (a). Danach Peitschen (v), rechtes Bein – Arm – Rücken, dann linkes Bein – Arm – Rücken. Zum Abschluss werden rechte und linke Fußsohle beblitzt und ein bis zum Nacken hoch geführter Regen gegeben.

*Indikationen:* Stoffwechselaktivierung, für Kreislaufgesunde auch Abhärtung, muskuläre Schmerzen bei degenerativen Wirbelsäulenveränderungen, Durchblutungs/Regulationsstörungen, zur vegetativen Umstimmung.

Beim *Wechselrückenblitz* ist die Strahlführung im Warmanteil die gleiche wie beim kalten Rückenblitz, es entfallen aber Regen und Peitschen. Beim Kaltanteil unterbleibt die jeweilige Verstärkung: Über den Schulterblättern wird statt der drei Kreise nur ein einfacher Bogen gefahren und statt der vier Längsstriche auf jedem Rückenstrecker werden nur zwei ausgeführt.

### Vollblitz

**Gießfolge** (Rückseite s. Abb. 5.16, *Abb. 5.17a–d, Abb. 5.18a–d*):

*Rückseite:* Der Regen wird von den Fersen bis in Nackenhöhe geführt. Es folgt das Beblitzen des rechten Fußrückens und der rechten Wade mit vollem Strahl. Abgeschwächt wird durch die Kniekehle gegangen und weiter mit vollem Strahl an der Außenseite des Oberschenkels und am Beckenkamm entlang. Dann abwärts über das Gesäß (a) (keine Kreise!) an der Innenseite des rechten Beines. Genauso verfahren am linken Bein. Anschließend wieder wie vorher vom rechten Fußrücken (v) an der Außenseite des rechten Beines noch einmal hochfahren bis zum Oberschenkel, überwechseln bis zur rechten Hand (der Patient kann sich die Herzgegend vorwaschen) und an der Außenseite des rechten Beines aufsteigend (v) zum rechten Schulterblatt. Hier drei Kreise ausführen (v) und an der Innenseite (a) des rechten Armes abfahren. Unterhalb des Gesäßes (a) zur linken Hand überwechseln. In gleicher Weise wie rechts den linken Arm und das linke Schulterblatt beblitzen. Wieder unterhalb des Gesäßes nach rechts wechseln (a). Dann über das Gesäß und die Rückenmuskulatur bis zur Schulterhöhe hochfahren (v), nur im Bereich des Nierenlagers – auch bei den folgenden Längsstrichen – (a); gering nach lateral versetzt wieder bis unter das

# Kapitel 5 Hydro- und Balneotherapie in der Praxis

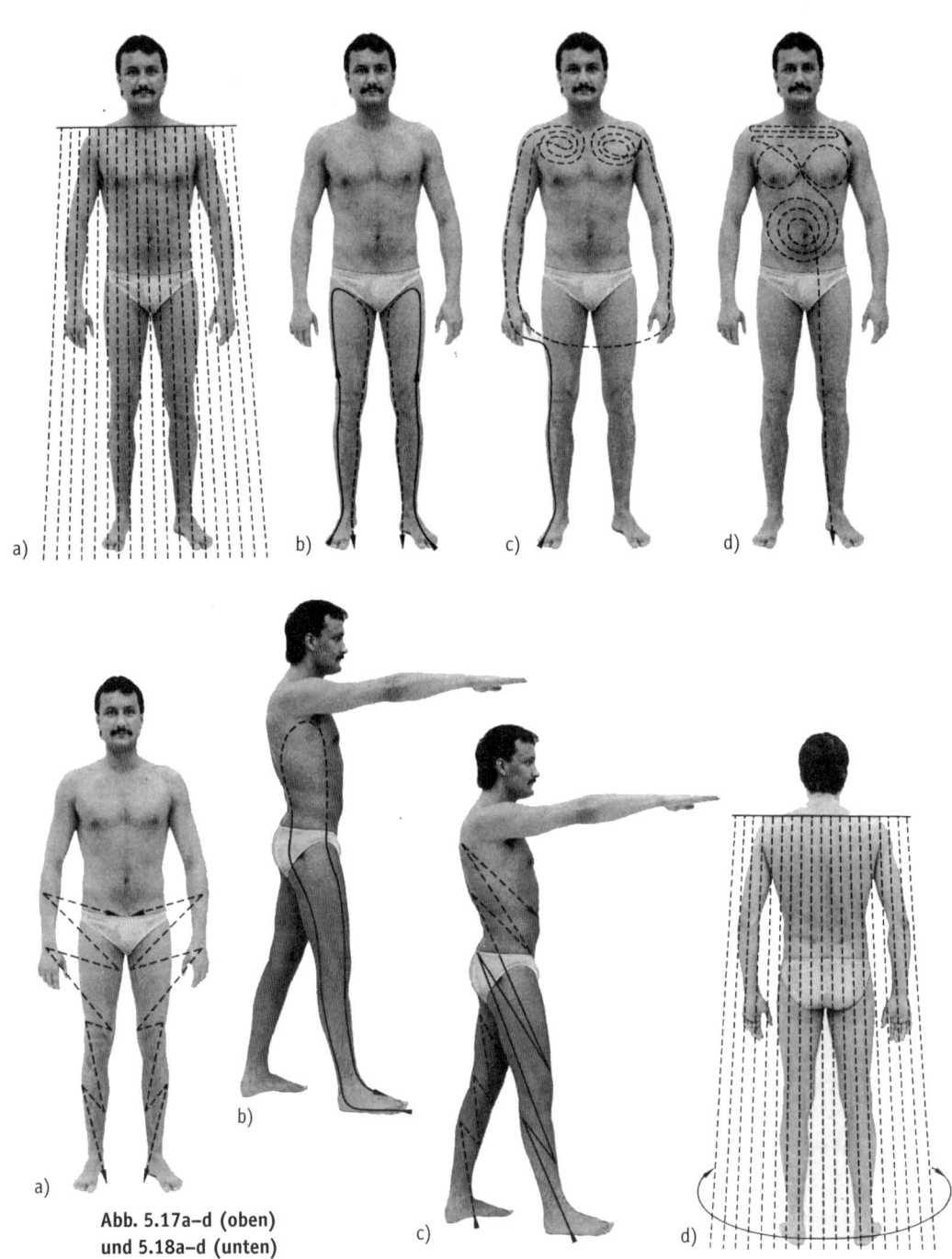

**Abb. 5.17a–d (oben) und 5.18a–d (unten)** Gießfolge Vollblitz.

## 5.2 Güsse und Abreibungen

Gesäß absteigen und erneut – daneben – bis zur Schulter hoch und rechts daneben abwärts. Unterhalb des Gesäßes (a) zur linken Seite wechseln und die linke Rückenpartie wie rechts beblitzen. Es folgen Querstriche vom Gesäß bis zur Schulter und wieder bis zum Gesäß absteigend (v), nur in Höhe des Nierenlagers (a), zunächst auf der rechten, dann auf der linken Rückenseite. Schließlich wird an der Innenseite des linken Beines abgefahren, dann zuerst die rechte und darauf die linke Körperhälfte (Beine, Arme, obere dorsale Thoraxpartien) gepeitscht (v), rechts und links die Fußsohle beblitzt und ein Regen bis zum Nacken ausgeführt.

*Vorderseite:* Hier wird der Regen ggf. bis zur Schulter, sonst nur bis zur Bauchhöhe gegeben. Der Blitzguss beginnt wie üblich (v) am rechten Fußrücken und wandert über die Außenseite der Wade und des Oberschenkels bis zur Leistenbeuge hoch und (a) an der Innenseite zurück. In gleicher Weise wird am linken Bein vorgegangen. Erneut wird am rechten Fußrücken angesetzt und lateral bis zur Leiste hochgefahren. Hier überwechseln zur rechten Hand (a) und am rechten Arm aufsteigen bis zur Brust. Über dem rechten Brustmuskel (a) drei kleine Kreise ausführen und an der Innenseite des rechten Armes (a) abwärts gehen. Über der Mitte des Oberschenkels wird (a) zur linken Hand gewechselt, am linken Arm hochgefahren, und es werden drei kleine Kreise über dem Brustmuskel ausgeführt. Es schließen sich drei Querstriche über die Schlüsselbeinpartien (a) und eine liegende Acht um die Brust (a) an. Danach wird mehrere Male eine Leibspirale (a) gegeben und an der Innenseite des linken Beines abwärts geblitzt (a). Abschluss für die Vorderseite ist ein abgeschwächtes Peitschen bis in Bauchhöhe.

*Schrittstellung rechts:* Vom rechten Fußrücken wird mit vollem Strahl über die Rückseite des Beines bis zum Gesäß geblitzt, weiter (a) bis zur rechten Achsel gegangen und abwärts dann an den Vorderpartien der rechten Körperseite bis in Beckenhöhe und (v) weiter an der Vorderseite des rechten Beines. Darauf wird die Innenseite des linken Beines an der Innenseite der Oberschenkelrückseite aufsteigend und an der Vorderkante wieder abwärtsfahrend behandelt. Ein überwiegend abgeschwächtes Peitschen bis zur Achsel hoch schließt den Blitzguss auf dieser Seite ab.

*Schrittstellung links:* Die Linienführung ist die gleiche wie auf der rechten Seite. Zum Abschluss stellt sich der Patient so, dass rechte und linke Fußsohle beblitzt werden können, dann dreht er sich langsam vor dem Behandler einmal um seine Körperlängsachse und erhält den Regen, der auf der Rückseite bis zum Nacken, auf der Vorderseite oft nur bis etwa Nabelhöhe ausgeführt wird. Die *Dauer* eines Vollblitzgusses soll nicht länger als fünf Minuten dauern.

*Indikationen:* Kräftige Stoffwechselanregung. Abhärtung (nur für Kreislaufstabile!), muskuläre Beschwerden bei Überlastung oder bei degenerativen Gelenk- und Wirbelsäulenerkrankungen, funktionelle Durchblutungsstörungen in Beinen und Armen.

Die *Kontraindikationen* des Schenkelblitzes sind auch beim Vollblitz zu beachten. Der Vollblitz ist nicht geeignet zur Anwendung bei geschwächten Personen. Seine starke Wirkung auf den gesamten Kreislauf muss beachtet werden.

Der *Wechselvollblitz* verzichtet beim Warmanteil auf den einleitenden Regen und generell auf das Peitschen. In der Kaltphase wird der Blitzguss verkürzt: Statt der 3 Kreise über den Schulterblättern wird jeweils nur 1 Kreis gezogen, ebenso wird mit den Kreisen über den Brustmuskeln verfahren. Auf dem Rücken werden statt der 4 Längsstriche auf jeder Rückenseite nur jeweils 2 gezogen und die Querstriche unterbleiben völlig.

### Segmentblitzgüsse

Sie sind besonders dazu entwickelt worden, um von „Zonen" der Körperdecke aus Einfluss auf bestimmte segmental den Hautarealen zugeordnete innere Organe zu nehmen. Sie werden heiß verabreicht.

Der *Segmentblitzguss „Raute" (Abb. 5.19a–c)* umrandet mit vollem Strahl die Lendenraute, bearbeitet sie dann mit diagonalen Strichen, führt den Strahl über den Beckenkamm und mehrmals schräg über die rechte Gesäßhälfte, anschließend über die linke Gesäßhälfte. Im Bereich der Raute, der rechten und der linken Gesäßhälfte wiederholt sich der Blitzguss noch einmal. Dann dreht sich der Patient um. Auf der Vorderseite werden mit abgeschwächtem Strahl vier senkrechte Striche über den rechten geraden Bauchmuskel gezogen, dann über den linken Bauchmuskel und das Ganze noch einmal wiederholt. Es folgt eine Reihe von lateral nach medial abfallende Schrägstrichen an der Innenseite des rechten und anschließend des linken Oberschenkels mit einmaliger Wiederholung.

## 5.2 Güsse und Abreibungen

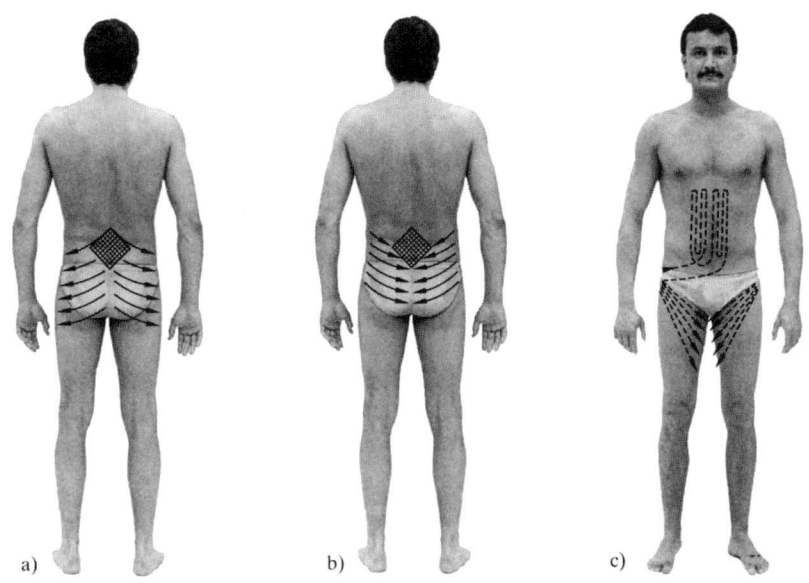

**Abb. 5.19a–c** Gießfolge Segmentblitzguss „Raute".

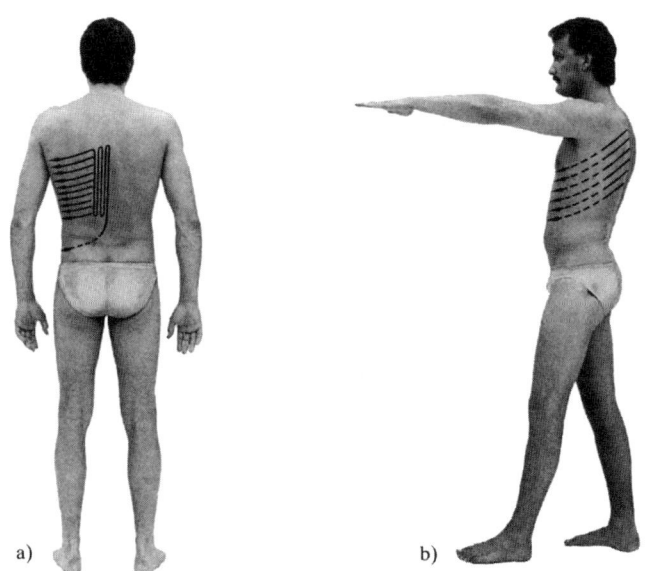

**Abb. 5.20a–b** Gießfolge Segmentblitzguss „Magen-Darm".

Beim *Segmentblitzguss „Magen-Darm"* *(Abb. 5.20a–b)* beginnt man mit mehreren senkrechten Strichen auf dem linken Rückenstrecker, etwa zwischen dem 12. und 6. Brustwirbel, gibt dann eine Reihe von medial nach lateral abfallende Schrägstriche im Bereich der „Zone". Weiter werden Schrägstriche (a) entlang der Rippen bis auf die vordere Brustwand (Magengrube) geführt. Die Strichführung beim *Segmentblitzguss „Leber-Galle"* *(Abb. 5.21a–b)* wird in ähnlicher Weise auf der rechten Thoraxpartie im Bereich der „Zone" gehandhabt, dazu noch das rechte Schulterblatt und die Schulterkugel (a) in die Gießfolge einbezogen.

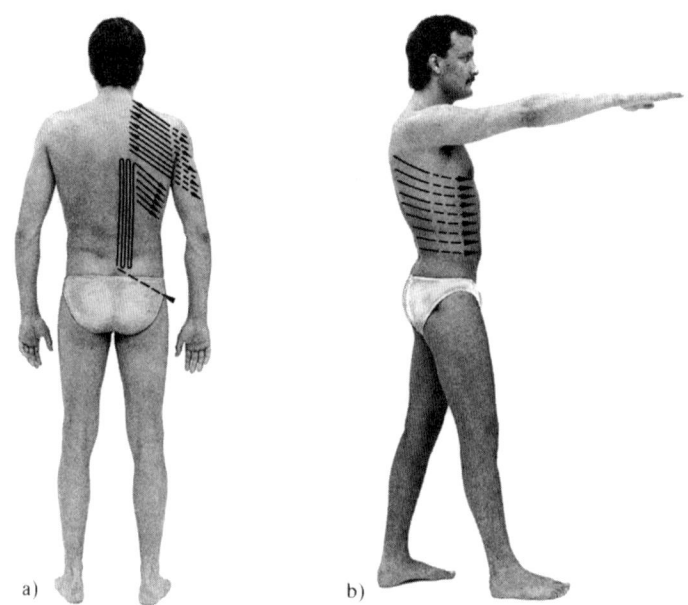

**Abb. 5.21a–b** Gießfolge Segmentblitz „Leber-Galle".

### *Heißblitz Rücken*

Diese Anwendung unterscheidet sich von den kalten Blitzgüssen ganz erheblich. Mit ihr lassen sich nicht nur Reaktionen im Sinne einer vegetativen Gesamtumschaltung, sondern auch ausgeprägte cuti-viscerale Reizantworten und tiefgreifende muskuläre Tonusminderungen auslösen. Die Temperatur des

## 5.2 Güsse und Abreibungen

Heißblitz Rücken hat sich nach der Verträglichkeit zu orientieren. Der Behandler muss die Temperaturkonstanz ständig durch seinen mit dem Strahl in Kontakt gebrachten Zeigefinger kontrollieren.

**Gießfolge** *(Abb. 5.22a–e):*
Der Heißblitz wird lediglich an den Beinen mit abgeschwächtem, sonst stets mit vollem Strahl ausgeführt. Ein einleitender Regen entfällt. Man fährt mit dem Strahl vom rechten Fuß über die Außenseite des rechten Beines zum Gesäß hoch, beschreibt hier einen Bogen und geht an der Beininnenseite wieder abwärts. Gleiches wiederholt sich am linken Bein. Dann wird erneut am rechten Bein hochgegangen, im Zickzack über die rechte, dann über die linke Gesäßhälfte gefahren. Anschließend werden lange Querstriche über das ganze Gesäß ausgeführt und Längsstriche über dem rechten Rückenstrecker bis zum Nacken aufsteigend und wieder zum Gesäß abfallend. Wechsel auf die linke Gesäßseite und ebenfalls zwei Längsstriche über den Rückenstrecker. Wechsel zum rechten Trochanter major. Von hier aus beginnend werden schräg von lateral nach medial ansteigende Striche über die rechte Rückenhälfte ausgeführt bis etwa in Höhe des unteren Schulterblattwinkels. Von dort führt man die Schrägstriche dann abwärts bis zum Ausgangspunkt zurück. Die linke Rückenhälfte wird in gleicher Weise heiß beblitzt, dann kehrt man über das Gesäß zur rechten Seite zurück. Hier gibt man von lateral nach medial abfallende Schrägstriche auf der rechten Gesäß- und Rückenhälfte bis zum Brustkorbrand hochfahrend und zurück. Anschließend in gleicher Weise auf der linken Gesäß- und Rückenseite. Überwechseln zum rechten unteren Brustkorbrand. Von hier aus über das rechte Schulterblatt bis zur Schulterhöhe aufsteigend und zurück zum Ausgangspunkt werden Zickzack-Linien (ähnlich einem Tannenbaum) ausgeführt, dann zur linken Seite gewechselt und ein „Tannenbaum" auch hier nachgezeichnet. Der Strahl endet an der linken Schulter.
*Indikationen:* Hexenschuss, Ischialgie, Osteochondrosen, M. Bechterew, Magen- und Zwölffingerdarmschleimhautentzündungen, subakute Leber-Gallenleiden, Blasenfunktionsstörungen, Menstruationsbeschwerden, Fettsucht, vegetative Regulationsstörungen.
*Kontraindikationen:* alle akuten Erkrankungen (mit Ausnahme des Hexenschusses), fieberhafte Zustände, Herz- und Kreislaufschwäche.

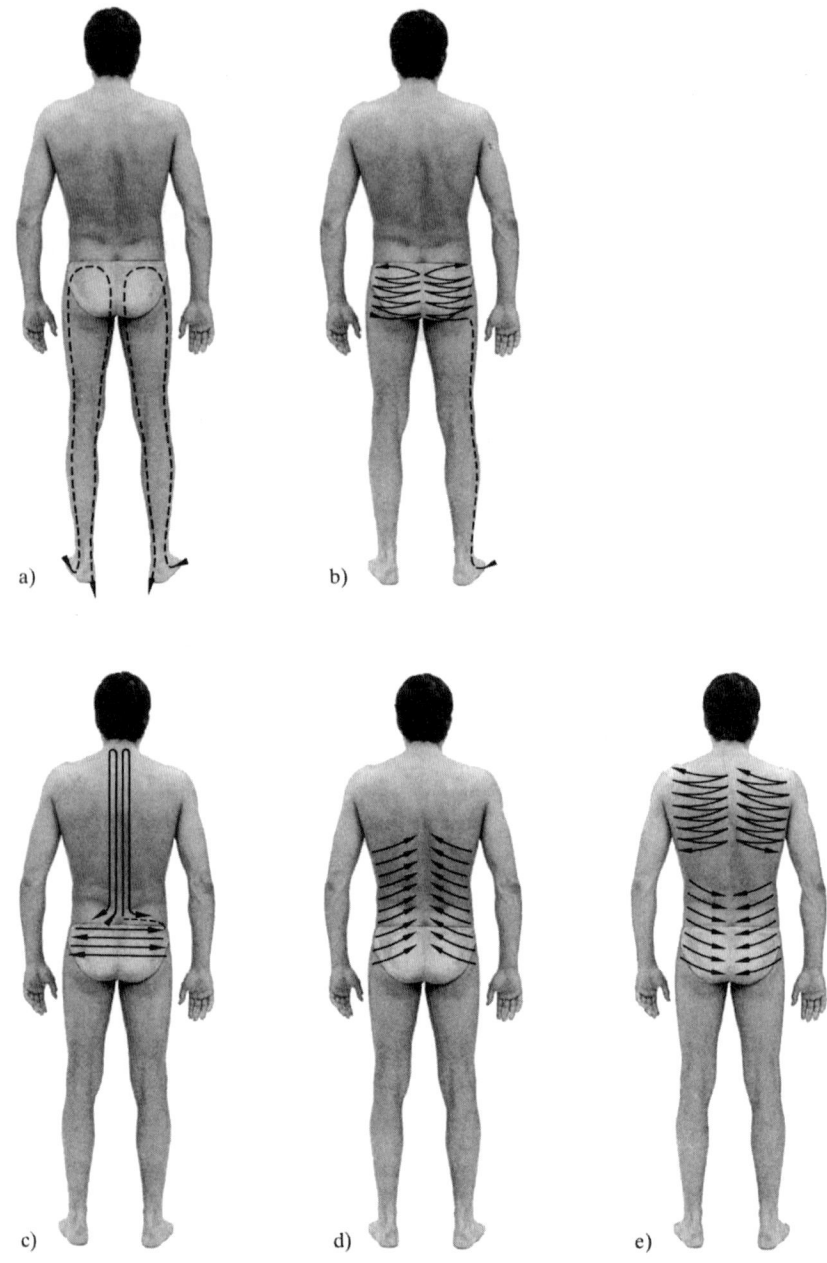

**Abb. 22a–e** Gießfolge Heißblitz „Rücken".

## 5.2 Güsse und Abreibungen

Nach einem Heißblitz soll – um dem Körper Gelegenheit zu geben, die durch die Anwendung ausgelösten Reaktionen auch ungestört verarbeiten zu können – eine ausgedehnte Nachruhe gehalten werden.

### *Blitzgussbad*

Diese von Fey angegebene Anwendung lässt die Heißeinwirkung noch ausgeprägter als der Heißblitz zum Tragen kommen. Dementsprechend sind besonders die Einflüsse auf die verspannte Muskulatur des Rückens außerordentlich stark. Das Bad kann nur bei herz- und kreislaufgesunden Personen angewendet werden.

Das Blitzgussbad beginnt mit einem *Dreiviertelbad* von 37 °C für etwa fünf Minuten. Danach stellt sich der Patient auf und erhält in der Wanne einen *Heißblitz Rücken*. Anschließend legt er sich wieder für fünf Minuten in das Badewasser und bekommt den zweiten Heißblitz Rücken. In einer Trockenpackung soll er dann für längere Zeit nachschwitzen und ausruhen. Die *Indikationen* und *Kontraindikationen* des Blitzgussbades decken sich mit denen für den Heißblitz Rücken.

### 5.2.2 Abreibungen

In der hydrotherapeutischen Praxis spielen über die von Kneipp bevorzugten und systematisierten Anwendungen hinaus noch weitere Verfahren eine gewisse Rolle. Dazu zählen Abreibungen und Abklatschungen – also hydrotherapeutische Techniken, bei denen ein nur flüchtiger Kaltreiz durch kräftige mechanische Einwirkungen ergänzt wird.

Rein technisch versteht man unter Abreibungen diejenige Methode, bei der der Körper ganz oder teilweise mit einem nassen Tuch umhüllt wird, über das man mit der flachen Hand so lange kräftig und mit möglichst langen Strichen hin und her reibt, bis das Tuch sich warm anfühlt. Der Patient wird ebenfalls die durch die Reibung ausgelöste Mehrdurchblutung in der Haut als angenehme, wohlige Wärme empfinden.

Mit Abreibungen, die meistens kurmäßig und in steigender Dosierung angewandt werden, verfolgt man den Zweck, den Stoffwechsel und die Durchblutung der Körperdecke anzuregen, reflektorisch Einfluss zu nehmen auf Kreislaufregulation und Atmung und beruhigend auf das willkürliche und unwillkürliche Nervensystem einzuwirken. In diesem Sinne werden Abreibungen auch zur Abhärtung durchgeführt.

Die Abreibung soll schnell, doch ohne Hast erfolgen. Deshalb ist es zweckmäßig, die erforderlichen Hilfsmittel vor Beginn der Anwendung bereitzustellen. Man benötigt

▷ 1–2 Eimer mit möglichst brunnenkaltem Wasser
▷ 1–2 grobkörnige Handtücher (von denen eines stets im Gebrauch ist und das andere zwischenzeitlich im kalten Wasser wieder auskühlt) oder ein großes Laken
▷ 1 Frottiertuch zum Abtrocknen nach der Abreibung. Die Hilfsmittel sind so bereitzustellen, dass sie leicht und bequem erreicht werden können.

Der Kranke liegt völlig entkleidet im Bett, ist aber ganz zugedeckt, um ihn vor Auskühlung zu schützen. Er wird jeweils nur so weit aufgedeckt, wie es zur Behandlung unbedingt erforderlich ist.

Die Reihenfolge, in der die Gliedmaßen abgerieben werden, richtet sich nach der Ausdehnung, welche die Abreibung annehmen soll. Wird beispielsweise nur der Oberkörper abgerieben, so behandelt man erst die Arme, dann den Rücken und zuletzt die Brust. Soll der ganze Körper nach und nach in die Abreibung einbezogen werden, so hat sich die Reihenfolge: Rechtes Bein, rechter Arm, linkes Bein, linker Arm, Brust und Rücken bewährt. Es ist aber durchaus auch ein anderes Vorgehen möglich.

### *Armabreibung*

Das mit kaltem Wasser getränkte Tuch wird nicht zu fest ausgewrungen. Es soll gut feucht sein, aber nicht mehr tropfen. Das Tuch wird der Länge nach um den Arm gelegt. Das obere, achselnahe Ende hält der Patient mit seiner freien Hand fest, das untere fasst der Behandler mit einer Hand. Mit der anderen Handfläche reibt er kräftig und ziemlich rasch in Längsrichtung des Armes auf dem Tuch auf und ab, bis es sich warm anfühlt (*Abb. 5.23*). Dann wird das Tuch abgenommen und das Frottiertuch in der gleichen Weise um den Arm gelegt. Der Behandler reibt mit der flachen Hand ebenfalls über dieses Tuch bis der Arm abgetrocknet ist. Nach Entfernen des Frottiertuches wird der Arm wieder zugedeckt.

## 5.2 Güsse und Abreibungen

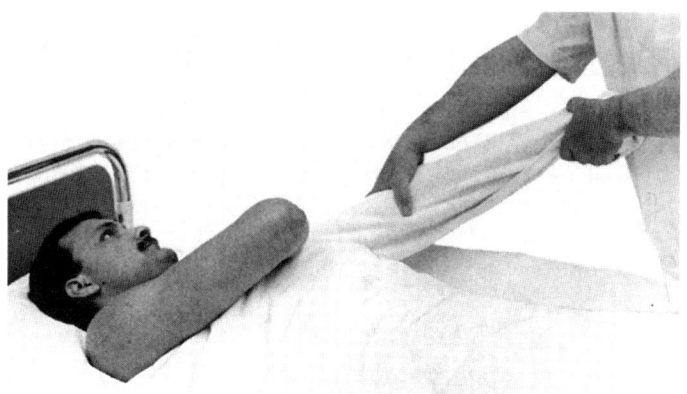

Abb. 5.23
Armabreibung.

### Beinabreibung

Die Behandlung erfolgt in gleicher Weise wie am Arm. Allerdings erfordert das Umschlagen des nassen Tuches eine gewisse Übung, damit es schnell und glatt angelegt wird. Das obere Ende in Leistenhöhe hält der Patient fest (notfalls mit beiden Händen), das untere Ende fasst der Behandler mit einer Hand. Abreiben und Abtrocknen geschieht genauso wie am Arm.

### Rückenabreibung

Zur Rückenabreibung lässt man den Patienten im Bett aufsitzen und breitet das nasse Tuch glatt auf seinem Rücken aus, während man ihn zum Tiefdurchatmen auffordert. Die oberen Enden des Tuches auf der Schulter fasst der Kranke selbst (am besten mit gekreuzten Armen: Die linke Hand hält den rechten, die rechte Hand den linken Tuchzipfel). Das untere Ende fixiert der Behandler mit seiner linken Hand. Man kann es auch dem Kranken unter das Gesäß schieben, damit man beide Hände zum Abreiben frei hat. In diesem Falle muss man vorher ein Gummi- oder Plastiktuch, besser noch ein mehrfach zusammengelegtes Tuch unter das Gesäß des Kranken legen. Damit wird verhindert, dass das Bettlaken benetzt wird. In einem nassen Bett besteht die Gefahr, dass die notwendige Wiedererwärmung nach der Anwendung ausbleibt. Mit langen kräftigen Strichen wird nun über das nasse Tuch gerieben, bis es sich warm anfühlt. Anschließend erfolgt das Abtrocknen mit einem Frottiertuch, dann wird der Patient wieder sorgsam zugedeckt.

### Brust- und Bauchabreibung

Brust und Bauch werden in Rückenlage des Patienten behandelt. Das untere Ende des Tuches hält der Kranke etwa in Höhe der Leisten selbst fest, das obere fixiert der Behandler. Das Tuch muß glatt anliegen. Die Abreibung und das Abtrocknen erfolgen in ähnlicher Weise wie am Rücken. Danach ruht der Patient gut zugedeckt.

### Ganzabreibung

Sie wird am stehenden Patienten durchgeführt und stellt in dieser Art im Gegensatz zu den Teilabreibungen schon erhebliche Anforderungen an die Kreislaufregulation. Als bewährte Methode zur Umstimmung des vegetativen Nervensystems wird die Ganzabreibung gern benutzt, doch sollte ihr stets eine Reihe von Teilabreibungen zur Gewöhnung vorangehen.

Bei der Durchführung der Ganzabreibungen stellt sich der Patient auf Badepantoffeln oder auf einen Rost. Auf keinen Fall darf er mit den Füßen im kalten Wasser oder auf kaltem Fliesenboden stehen.

Ein Laken, möglichst aus grobem Leinen, von etwa 200 × 250 cm Größe wird an einer Längsseite gerafft und in die Wanne mit kaltem Wasser getaucht. Es wird nur leicht ausgedrückt, nicht ausgewrungen! Dann legt man dieses nasse Tuch dem Patienten wie eine Toga um. Dabei ist Folgendes zu beachten: Der Patient steht mit erhobenen Armen. Man setzt das Laken an seiner rechten Achselhöhle an, führt es quer über die Körpervorderseite zur linken Achselhöhle, wobei der Patient zum ruhigen Durchatmen aufzufordern ist *(Abb. 5.24a)*. Dann senkt der Patient die Arme und hält auf diese Weise das Laken fest. Nun führt man es über den Rücken (tief atmen!) des Kranken leicht schräg hoch zur rechten Schulter, über diese hinweg und vorn zur linken Schulter. Das obere Ende des Lakens wird am Halsrand eingesteckt. Um die Beine wird das Laken so eng wie möglich gelegt und etwas zwischen die Knie geklemmt *(Abb. 5.24b)*. Das alles erfordert einige Geschicklichkeit, die nur durch Übung erreicht werden kann. Wem es an Übung mangelt, der tut gut daran, die Technik des Anlegens erst mit einem trockenen Laken an einer Versuchsperson mehrmals zu probieren, bevor er eine Ganzabreibung am Patienten durchführt.

## 5.2 Güsse und Abreibungen

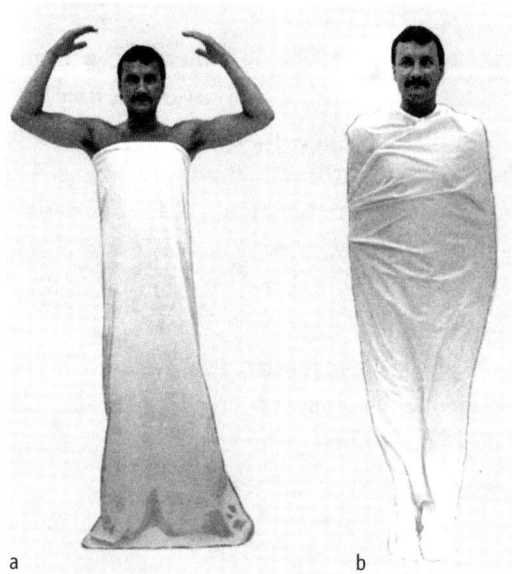

**Abb. 5.24a, b**
**a** Vorbereitung der Ganzabreibung: Das nasse Laken wird zunächst unter den Achseln hindurch um den Körper gelegt.
**b** Nachdem das Laken auch über die Schultern geführt und durch Einstecken des oberen Randes am Hals befestigt wurde, ist der Patient fertig zur Ganzabreibung.

Ist das nasse Laken angelegt, so beginnt das eigentliche Abreiben. Das kann gegebenenfalls auch von zwei Personen zugleich ausgeführt werden. Aber es genügt durchaus auch ein Behandler. Dieser tritt seitlich an den Patienten heran und reibt, eine Hand über die Rückseite, die andere über die Vorderseite, mit kräftigen Strichen auf und ab: zunächst den Oberkörper, dann Unterkörper und die Beine. Jetzt stellt sich der Behandler vor oder hinter den Kranken und reibt kräftig die seitlichen Körperpartien, zuerst die Arme, dann Beckenbereich und Beine. Gibt der Kranke ein angenehmes Wärmegefühl an, wird das nasse Laken abgenommen und durch ein trockenes, möglichst vorgewärmtes Tuch ersetzt. Der Patient wird trockengerieben, sucht dann das Bett auf, wo er ausgiebige Nachruhe hält. Ist trotz der Trockenabreibung die Wiedererwärmung des Patienten ungenügend, so legt man ihn in ein vorgewärmtes Bett oder lässt ihn gymnastische Übungen ausführen, um die Wiedererwärmung zu fördern.

## Lakenbad

Das Lakenbad ist eine Abart der Ganzabreibung. Es übt einen ungleich stärkeren, thermisch länger beeinflussenden Reiz aus. Deshalb ist es nur kreislaufstabilen, durch andere hydrotherapeutische Maßnahmen vorbehandelten Personen zumutbar. Es dient hauptsächlich zur Erfrischung und Anregung. Die Ausführung erfolgt zunächst wie bei der Ganzabreibung. Nach dem ersten Warmreiben gießt man den Patienten mit einem Kübel kalten Wassers ab, den man hoch oben an den Schultern ansetzt. Zum tiefen Atmen aufgefordert, dreht sich der so Behandelte während der Begießung langsam um seine Längsachse. Dann reibt man ihn nochmals warm, entfernt das Laken, trocknet ihn anschließend in der bereits geschilderten Weise ab und lässt ihn im Bett mindestens 30 Minuten gut zugedeckt nachruhen.

## Abklatschungen

Auch bei diesen Maßnahmen wird ein flüchtiger thermischer Reiz durch einen kräftigen mechanischen Effekt verstärkt. Man führt Abklatschungen mit einem zunächst zu einem schmalen Streifen zusammengelegten und dann noch einmal zur Hälfte der Länge gefalteten Handtuch durch. Dieses Tuch wird in kaltes Wasser getaucht und gut ausgewrungen. Aus dem Handgelenk heraus wird das Tuch in kreisförmige Schleuderbewegungen versetzt. Dabei soll es tangential auf die zu behandelnde Körperpartie auf treffen, aber nur so stark, dass die Rhythmik der Kreisbewegung nicht unterbrochen wird. Es kommt zu gleichmäßigen Erschütterungen der Körperabschnitte, zugleich einem, die Reaktion fördernden kurzfristigen Kaltreiz an der Haut. Vorzugsweise werden Abklatschungen an den dorsalen Thoraxpartien bei Bettlägerigen durchgeführt mit dem Ziel, durch den atemvertiefenden Kaltreiz einer eventuell drohenden hypostatischen Pneumonie vorzubeugen und durch den über die Brustwand in die Tiefe einwirkenden deutlichen rhythmisch/mechanischen Effekt eine Lockerung des Bronchialsekretes, bzw. Expektoration zu erleichtern.

## 5.3 Balneotherapie

Christoph Gutenbrunner, Regina Stemberger, Richard Crevenna

### 5.3.1 Allgemeines zur Balneotherapie

In Mitteleuropa wird unter Balneotherapie die therapeutische Anwendung natürlicher Heilmittel (Heilwässer, Gase, Peloide) verstanden. In den angloamerikanischen Ländern wird dieser Begriff aber auch für die Bewegungstherapie im Wasser (Bewegungsbad) verwendet. Dieses Kapitel bezieht sich auf die erstgenannte Definition.

#### *Beschreibung der Methode*

*Heilwässer* sind natürliche Mineralwässer, die einen Elektrolytgehalt von mindestens 1000 mg oder bestimmte Mindestkonzentrationen an gelösten Gasen aufweisen. Darüber hinaus müssen therapeutische Wirkungen nachweisbar sein. Die therapeutisch relevanten Mineralstoffe und Gase sowie ihre wirksamen Mindestkonzentrationen sind in *Tabelle 5.1* zusammengestellt. Heilwässer können zu Bädern, Trinkkuren, Inhalationen oder Spülungen verwendet werden. Auch die aus einigen Quellen direkt austretenden oder durch Entgasung aus dem Quellwasser freigesetzten Gase Kohlenstoffdioxid ($CO_2$), Schwefelwasserstoff ($H_2S$) und Radon (Rn) werden als *Heilgase* therapeutisch genutzt.

Unter *Peloiden* (pelos: griech. = Schlamm) versteht man in der Balneologie breiartige wasserhaltige Mischungen, die entweder aus organischen (Torf für die Zubereitung von Moorbädern und -packungen) oder anorganischen (vulkanischer Tuff für die Zubereitung von Fangopackungen) Substanzen bestehen und in der Therapie verwendet werden. Anwendungsformen sind Voll- oder Teilbäder und Packungen. Für die therapeutische Wirksamkeit ist ein adäquates Verhältnis von Wasser und Grundsubstanz wichtig (breiige, nicht fließende Konsistenz).

#### *Wirkungen von Heilwasserbädern*

Die bei *Vollbädern* zum Tragen kommenden physikalischen Wirkfaktoren und die Grundprinzipen der chemischen Bäderwirkung sind bereits im Kapitel „Physiologische Grundlagen" geschildert. Die wichtigsten chemischen Wirkun-

**Tab. 5.1** Therapeutisch relevante Elektrolyte und gelöste Gase in Heilwässern und deren therapeutisch relevante Mindestkonzentrationen.

| Substanz | Chemische Formel | Wirksame Mindestkonzentrationen |
|---|---|---|
| **Kationen:** | | |
| Natrium | $Na^+$ | * |
| Kalzium | $Ca^{++}$ | 300 mg/l*** |
| Magnesium | $Mg^{++}$ | 150 mg/l*** |
| Eisen | $Fe^{++}$ | 20 mg/l*** |
| **Anionen:** | | |
| Chlorid | $Cl^-$ | * |
| Hydrogenkarbonat | $HCO_3^{--}$ | 1300 mg/l*** |
| Sulfat | $SO_4^{--}$ | 1200 mg/l*** |
| Fluorid | $F^-$ | 1,0 mg/l*** |
| Jodid | $J^-$ | 1,0 mg/l*** bzw. 0,1 mg/l**** |
| **Gelöste Gase:** | | |
| Kohlenstoffdioxid | $CO_2$ | 500 mg/l** bzw. 1000 mg/l *** |
| Schwefelwasserstoff | $H_2S$ | 10 mg/l** |
| Radon | $Rn$ | 666 Bq/l*** |

\* Therapeutische Mindestkonzetration für Natrium-Chloridbäder: 240 mval/l NaCl (= 1,5%)
\*\* bei Anwendung als Bäder
\*\*\* bei Anwendung als Trinkkur
\*\*\*\* Jodmangelprophylaxe

gen der Heilwasserbäder sind im Folgenden kurz darstellt. Ausführliche Beschreibungen finden sich bei Gutenbrunner u. Hildebrandt (1998).

**Kohlenstoffdioxidbäder**
$CO_2$ kann leicht in die Haut diffundieren (100mal stärker als Wasser) und bewirkt eine Dilatation der präkapillaren Arteriolen. Dies führt zu einer deutlichen Zunahme der Hautdurchblutung (temperaturabhängig bis auf das fünffache) mit Senkung des peripheren Kreislaufwiderstands und Blutdrucksenkung. Darüber hinaus hemmt $CO_2$ die Empfindlichkeit von Kaltrezeptoren, so dass sich $CO_2$-Bäder subjektiv wärmer anfühlen als reine Wasserbäder von gleicher Temperatur. Daher werden $CO_2$-Bäder ca. zwei Grad niedriger temperiert. Diese Hypothermie bewirkt weiterhin eine Bradykardie und Verminderung der Druckarbeit des Herzens zugunsten der Volumenarbeit. $CO_2$ ist ein Erstickungsgas, so dass im Bad die Inhalation von ausgasendem $CO_2$ vermieden werden muss.

**Schwefelwasserstoffbäder**
$H_2S$ wird ähnlich gut wie $CO_2$ über die Haut resorbiert und führt gleichfalls zu einer Hyperämie. Darüber hinaus bewirkt $H_2S$ eine Hemmung von Schmerzrezeptoren und wirkt somit analgetisch. Dieser Effekt ist nicht auf die gebadeten Körperteile beschränkt. Weiterhin werden durch $H_2S$ die Langerhanszellen der Haut langfristig gehemmt. Die Rückwirkungen dieses Phänomens auf die Immunregulation sind bisher allerdings noch nicht erforscht. Ob der nachgewiesene Einbau von $H_2S$ aus Schwefelbädern in den Gelenkknorpel therapeutisch relevant ist, ist nicht nachgewiesen. Da $H_2S$ ein starkes Atemgift darstellt, muss bei Schwefelbädern die Inhalation von ausgasendem $H_2S$ vermieden werden.

**Natriumchloridbäder**
NaCl bewirkt eine Elution von Substanzen wie Harnstoff und Urokaninsäure aus der Haut, was die UV-Empfindlichkeit steigert. Durch Disposition in der Haut mit Zuquellen der Schweißdrüsenausführungsgänge wird die Hautwasserabgabe vermindert. NaCl wirkt in der Haut darüber hinaus mitose- und juckreizhemmend. Eine nennenswerte Resorption von NaCl erfolgt über die Haut nicht.

### Radonbäder

Das radioaktive Gas Radon wird über die Haut gut resorbiert. Die wesentlichen Wirkungen im Organismus sind die bekannten Ionisierungseffekte mit Hemmung der Zellteilung und Stoffwechselminderung. Für Bäderkuren mit radonhaltigen Heilwässern sind in kontrollierten Studien günstige Langzeitwirkungen bei chronischen funktionellen und entzündlichen rheumatischen Erkrankungen nachgewiesen. Wegen möglicher teratogener Wirkungen ist die balneologische Anwendung heute umstritten. Im Sinne der Hormesis-Theorie[1] und wegen der nur kurzen biologischen Halbwertszeit ist eine Gefährdung der Patienten allerdings unwahrscheinlich. Epidemiologische Studien haben bei Patienten, die radioaktive Wässer zeitlich begrenzt angewendet haben, keine erhöhten Krebsraten nachweisen können.

### Peloidbäder

Peloide haben eine besonders gute Wärmehaltung und bilden bei Kontakt mit der Körperoberfläche aufgrund ihrer hohen Viskosität einen besonders breiten Temperaturgradienten aus *(Abb. 5.25)*. Daher können Peloidbäder und Packungen höher temperiert werden als Wasserbäder (bis ca. 47 °C) und bewirken eine besonders intensive und gleichzeitig schonende Hyperthermie. Ob die organischen Bestandteile des Moores spezielle pharmakodynamische Wirkungen besitzen, ist bis heute umstritten.

Bei Teilbädern spielen Auftrieb und hydrostatischer Druck naturgemäß keine Rolle. Gleiches gilt für Gasbäder. Bei Gasbädern spielt für die Sicherstellung einer ausreichenden Hautabsorption eine ausreichende Befeuchtung eine Rolle. (Der Begriff „Trockengasbad" ist daher irreführend!).

## *Medizinische Zusatzbäder*

### Rheumabäder

Bei den so genannten Rheumabädern steht das Therapieprinzip der Hautreizung im Vordergrund. So ist für alle Inhaltsstoffe von „Rheumabädern" eine hautdurchblutungssteigernde Wirkung nachgewiesen. Hierbei handelt es sich

---

[1] Der positive Effekt kleiner Dosen eines in hohen Dosen giftigen Stoffes wird *Hormesis* (hormao = griech. anregen, ermuntern) genannt.

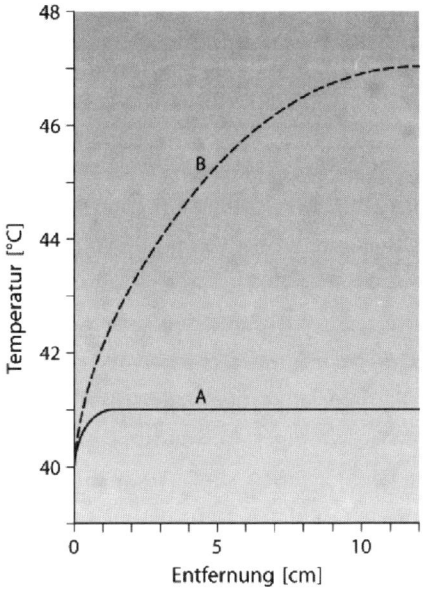

**Abb. 5.25**
Temperaturgradient im Wasser- (Kurve A) und Peloidbad (Kurve B). Abszisse: Abstand von der Hautoberfläche (nach Göpfert 1970, aus Gutenbrunner u. Hildebrandt 1998).

neben Pflanzenextrakten (Eukalyptusöl bzw. Cineol, Koniferenöl, Menthol, Nikotinsäureester, Wacholderöl) auch um Produkte der Ölbildung (Bituminosulfonat). Ob die für einige der Badezusätze (z.B. Bituminosulfonat bzw. Ichthyol) nachgewiesenen immunmodulierenden Wirkungen bei entzündlich-rheumatischen Erkrankungen eine klinische Relevanz besitzen, ist bisher nicht eindeutig geklärt.

Eine Besonderheit stellen die *Salicylat-Bäder* dar. So ist für Salicylsäure aus der Pharmakologie eine antiphlogistische und analgetische Wirkung aufgrund der Hemmung der Prostaglandinsynthese bekannt. Ob die im Bad resorbierten Salicylatmengen für diese Wirkung ausreichen, ist allerdings zweifelhaft. Es liegen aber überzeugende ärztliche Erfahrungsberichte über eine klinische Wirksamkeit bei Schmerzzuständen am Bewegungsapparat vor, die aber auch einem unspezifischen Reizeffekt mit Anstieg des Plasmakortisolspiegels zugeordnet werden könnten. Die Wirkungen von Schwefel- und Sole-Bädern, die auch künstlich hergestellt werden können, sind bereits oben beschrieben.

Bei degenerativen Erkrankungen des Bewegungsapparates werden in der Kneipp-Therapie auch Heublumen-Bäder angewendet, denen erfahrungsgemäß eine gewisse schmerzlindernde Wirkung zukommt. Sie könnte auf den Gehalt an Cumarinen zurückzuführen sein, der allerdings je nach Herkunft des Extraktes stark schwanken kann.

**Beruhigungsbäder**
Als Beruhigungsbäder werden Bäder bezeichnet, für die eine günstige Wirkung bei Schlafstörungen, allgemeiner innerer Unruhe und nervösen Befindlichkeitsstörungen nachgewiesen werden konnten. Hierzu zählen insbesondere Bäder, die Baldrian und indische Melisse enthalten. Als wirksame Substanzen werden hierbei die Valeriansäure und die Baldrian-L-bornylester (Baldrianbäder) bzw. das Citronellöl (Melissenbäder) angesehen. Baldrianhaltige Badezusätze enthalten häufig auch Hopfenextrakte, für die bei alleiniger Anwendung in Bädern allerdings keine sedierenden Wirkungen nachgewiesen sind. Auch für Lavendelöl, das traditionell (auch in der Aromatherapie) zur Beruhigung eingesetzt wird, liegen keine klinischen Studien vor.

**Dermatologische Bäder**
Die dermatologischen Bäder sind eine heterogene Gruppe, die teilweise hautpflegende (Rückfettung), keratolytische oder entzündungshemmende Eigenschaften besitzen. So besitzen Ichthyol- und Teerbäder u.a. juckreizstillende und bakteriostatische Wirkungen. Eichenrinde enthält Gerbstoffe, für die sekretionshemmende, adstringierende und juckreizstillende Effekte bekannt sind. Die aus Kamillenblüten hergestellten Badezusätze enthalten u.a. alpha-Bisbolol in relevanten Konzentrationen, dem nachweislich eine entzündungshemmende Wirkung auf die Haut zukommt (z.B. nachgewiesen an der Dämpfung der Aktivität der Langerhanszellen der Haut). Für Bisabolol sind auch antibakterielle und antimykotische Wirkungen beschrieben, deren therapeutische Relevanz allerdings umstritten ist. Kleie-Zusätze werden insbesondere in Stangerbädern verwendet, und zwar um mögliche Reizzustände der Haut zu mildern. Ölbäder haben durch Aufziehen eines Ölfilmes auf die Haut hautpflegende Eigenschaften. Sie reduzieren darüber hinaus das Herauslösen physiologischer Feuchthaltefaktoren (natural moisturizing factors) aus der Haut.

## 5.3 Balneotherapie

**Erkältungsbäder**

Bei den so genannten Erkältungsbädern handelt es sich um Badezusätze, deren ätherischen Öle eine überwiegend expektorierende Wirkung auf die Atemwege besitzen. Diese Öle können einerseits über die Haut aufgenommen und über die Atemluft an den Wirkort gelangen. Andererseits können sie aber auch direkt inhaliert werden. Solche ätherischen Öle sind beispielsweise im Eukalyptus (Cineol), Koniferenöl, Thymianöl und Menthol enthalten. Neben ihrer sekretolytischen Effekte wirken die enthaltenen ätherischen Öle, speziell Cineol, auch schwach hyperämisierend, lokalanästhetisch und antiseptisch sowie broncholytisch.

### Heilwassertrinkkuren

Die wichtigsten Trinkkurwirkungen sind (Literaturübersicht s. Gutenbrunner u. Hildebrandt 1994):

**Hydrogenkarbonatwirkungen**

$HCO_3$ puffert nach dem Trinken zunächst die Magensäure ab und kann bei wiederholtem (kurmäßigen) Trinken eine Normalisierung der Säureproduktion des Magens bewirken. Nach Resorption steigt die Alkalireserve des Blutes an. Von großer therapeutischer Bedeutung ist die harnalkalisierende Wirkung von $HCO_3$ (Urin-pH-Werte dosisabhängig zwischen 6,5 und 7,0), wodurch das Harnsteinbildungsrisiko für Harnsäure und Kalziumoxalat (CaOx) signifikant gesenkt werden kann. Bei CaOx-Harnsteinen bedeutet auch die Steigerung der Zitratausscheidung (non-ionic diffusion) eine metaphylaktische Wirkung.

**Sulfatwirkungen**

$SO_4$ wird im Darm relativ schlecht resorbiert und besitzt darüber hinaus einen hohen osmotischen Lösungsdruck. Durch das gebundene Wasser kommt es nach $SO_4$-Zufuhr zu einem Dehnungsreiz zur Freisetzung gastrointestinaler Hormone (Cholezystokinin, Pankreozymin, Neurotensin u.a.) mit reflektorischer Kontraktion der Gallenblase und Steigerung der exokrinen Pankreassekretion. Nach Sulfatwasserzufuhr kommt es je nach Empfindlichkeit ab einer Mindestdosis von 1000 mg/l zu einer reflektorischen Defäkation. Nach

Abschluss der Darmpassage können Sulfatwässer auch eine Stuhlverflüssigung bewirken (ab ca. 3000 g $SO_4$).

**Kalzium- und Magnesiumwirkungen**
Kalzium und Magnesium werden aus Heilwässern gut resorbiert. Heilwässer können somit zur Substitution und Supplementation dieser Mineralstoffe genutzt werden. Insbesondere bei Magnesium sind auch die bekannten pharmakodynamischen Wirkungen dieses Minerals (Dämpfung der neuromuskulären Erregbarkeit, antiarrythmische Wirkungen sowie günstige Wirkungen bei Schwangerschaftsgestosen und Migräne) zu erwarten.

**Substitutive Wirkungen**
Die in Mineralwässern gelösten Mineralstoffe und Spurenelemente sind durchweg vollständig ionisiert und daher gut resorbierbar. Substitutive Trinkkurwirkungen kommen neben Kalzium und Magnesium vor allem für Eisen (nur in zweiwertiger Form!), Fluorid, Jodid und einigen Spurenelementen in Betracht.

**Inhalationswirkungen**
Inhalationen mit natürlichen Mineralwässern haben vor allem schleimlösende Wirkungen. Diese werden einerseits durch die osmotischen Wirkungen von NaCl ausgelöst. Darüber hinaus hemmt $HCO_3$ spezifisch die Desoxyribonukleinsäuren und aktiviert die Proteasen im Mukus, Kalzium bricht die Crosslinks auf, und Jod hat eine spezifische mukolytische Wirkung *(Abb. 5.26)*. Schließlich regt Kalzium die Ziliarbewegung an. Die verbesserte mukoziliäre Clearance durch Heilwasserinhalationen ist mehrfach experimentell nachgewiesen worden.

**Wirksamkeit und Indikationen**
Neben den beschriebenen Akutwirkungen sind für die therapeutische Wirksamkeit balneologischer Anwendungen insbesondere die adaptiven Langzeiteffekte bei serieller Anwendung von Bedeutung. Hierbei ist der Mechanismus der funktionellen Adaptation (vgl. Kapitel „Physiologische Grundlagen") von besonderer Bedeutung, der für zahlreiche serielle Bäderanwendungen und Trinkkuren nachgewiesen ist. Diese funktionellen Adaptationen werden im

## 5.3 Balneotherapie

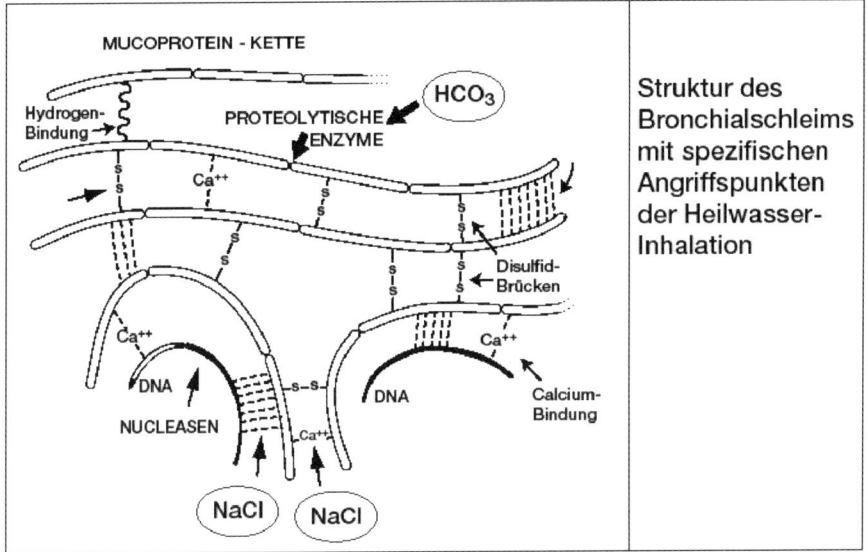

**Abb. 5.26** Schematische Darstellung der Wirkungen von Heilwasserinhaltsstoffen auf den Mukus (aus: Gutenbrunner u. Glaesener 1997).

Rahmen *medizinischer Kuren* (Heilverfahren) durch die kombinierte Anwendung mit anderen Therapieverfahren und den Klima- und Milieuwechsel (s.u.) noch verstärkt.

Die wichtigsten Indikationen für die Balneotherapie sind:
▷ *Herz-Kreislauf- und Stoffwechselerkrankungen.* Bei den zivilisatorisch bedingten chronischen Herz-Kreislauf- und Stoffwechselerkrankungen (arterielle Hypertonie, Hyperlipämien, Insulinresistenz) sind vor allem multimodale medizinische Kuren wirksam. Geeignete balneologische Heilmittel sind insbesondere $CO_2$-Bäder und $HCO_3$-Trinkkuren. Spezielle Indikationen für $CO_2$-Bäder sind vor allem das Chronische Regionale Schmerzsyndrom (CRPS, „M. Sudeck"), Mikrozirkulationsstörungen (z.B. diabetische Mikroangiopathie) und die periphere arterielle Verschlusskrankheit (pAVK). Auch bei chronisch venöser Insuffizienz konnten positive Wirkungen von $CO_2$-Bädern beobachtet werden.

▷ *Erkrankungen des Bewegungssystems.* Bei schmerzhaften und mit Muskeldysbalancen einhergehenden chronischen Erkrankungen des Bewegungssystems sind in Kombination mit anderen Therapieverfahren (Physiotherapie u. a.) thermoneutrale und hypertherme Vollbäder sowie hypertherme Peloidbäder und -packungen indiziert. Spezifische analgetische Wirkungen haben $H_2S$-Bäder, was vor allem bei multilokulären (z.B. Fibromyalgiesyndrom) und generalisierten Schmerzsyndromen therapeutisch von Bedeutung ist. Bei Erkrankungen ist aber auch die Bewegungstherapie im Wasser sinnvoll.

▷ *Atemwegserkrankungen.* Inhalationen mit $NaCl$-, $NaHCO_3$- und Ca-Heilwässern sind in Kombination mit anderen Therapiemaßnamen (medikamentöse Therapie, Atemtherapie) bei allen chronischen Atemwegserkrankungen indiziert, die mit einer veminderten mukoziliären Clearance einhergehen (z.B. COPD, Asthma)

▷ *Hauterkrankungen.* Wegen ihrer durchblutungssteigernden, schmerz- und entzündungshemmenden Eigenschaften sind Schwefelbäder bei Psoriasis und Neurodermitis indiziert. Auch Natrium-Chloridbäder können zur unterstützenden Behandlung eingesetzt werden (Mitosehemmung, Juckreizdämpfung). NaCl-Bäder haben synergistische Wirkungen auf anschließende UV-Bestrahlungen (Solephototherapie).

▷ *Magen-Darm-Erkrankungen.* Bei chronischen Oberbauchbeschwerden sind nach Ausschluss organischer Ursachen komplexe Heilverfahren zur vegetativen Äquilibrierung sinnvoll. Beim Dominieren von Magenbeschwerden sind vor allem Trinkkuren mit $HCO_3$-Wässer bei Gallen- und Pankreasbeschwerden $SO_4$-Wässer indiziert. Sulfatheilwässer eignen sich auch zur Behandlung der chronischen Obstipation.

▷ *Erkrankungen der Nieren und ableitenden Harnwege.* Bei chronisch-rezidivierenden Harnwegsinfekten und zur Harnsteinmetaphylaxe sind Trinkkuren wirksam. Wichtigstes Therapieprinzip sind die vermehrte Diurese mit Harnverdünnung und die Durchspülung der Harnwege. Bei Harnsäure-, Zystin-, und Kalziumoxalatharnsteinen ist eine pH-Anhebung durch $HCO_3$ wirksam. Mg mindert das CaOx-Harnsteinbildungsrisiko. Bei Infektsteinen sollten ansäuernde Sulfatwässer verwendet werden.

▷ *Gynäkologische Erkrankungen.* Beim Chronic Pelvic Pain Syndrome sind vor allem komplexe Kuren angezeigt. Als besonders wirksame balneologische

## 5.3 Balneotherapie

Anwendungen haben sich Moor- und Solebäder sowie intravaginale Mooranwendungen bewährt. Die früher übliche balneologische Behandlung der Sterilität ist heute umstritten.

▷ *Funktionelle Syndrome und chronische Erschöpfung.* Die Wirksamkeit komplexer Heilverfahren und medizinischer Kuren auf vegetative Regulationsstörungen und chronische Erschöpfungssyndrome ist in mehreren klinischen Studien nachgewiesen worden.

### *Kontraindikationen*

Heilwasser- und Peloidbäder, insbesondere wenn sie hypertherm angewendet werden, setzen eine *ausreichende Herz-Kreislauf-Funktion* voraus. Bei orthostatischer Labilität ist beim Verlassen des Bades besondere Vorsicht geboten. Bei offenen Hautverletzungen sind Bäder mit Ausnahme von $CO_2$-Bädern kontraindiziert.

Bei Trinkkuren muss eine ausreichende *Herz-* (Volumenbelastung) *und Nierenfunktion* vorausgesetzt werden. Sie sind bei Verschlusssyndromen des Darmes generell kontraindiziert. Spezielle Kontraindikationen einzelner balneotherapeutischer Anwendungen sind in *Tabelle 5.2* zusammengestellt.

**Tab. 5.2** Kontraindikationen spezieller Heilwasserinhaltsstoffe bei Trinkkuren.

| | |
|---|---|
| **Hydrogenkarbonat** | ▷ E. coli-Harnwegsinfekte<br>▷ Infektsteinbildung |
| **Kalzium** | ▷ Hyperresorptive Hyperkalziurie<br>▷ Hyperparathyreoidismus |
| **Jodid** | ▷ Hyperthyreose und Iodallergie |
| **Sulfat** | ▷ Darmverschluss und -invagination<br>▷ Verschlussikterus<br>▷ Akut-entzündliche Darmerkrankungen<br>▷ Dehydratationszustände |

### Dosierung und Kombinationsmöglichkeiten

Bäder und Trinkkuren sowie Inhalationen mit Heilwässern werden in der Regel seriell und im Rahmen stationärer oder ambulanter *medizinischer Kuren (Tab. 5.3)* angewendet und mit anderen Therapieverfahren (andere physikalische Therapien, Klimatherapie, Ernährungstherapie, gegebenenfalls auch mit Psychotherapie und edukativen Maßnahmen) kombiniert. Die *Gesamttherapiedauer* beträgt drei bis sechs Wochen. Bäder werden dabei in der Regel dreimal pro Woche, Trinkkuren und Inhalationen ein- bis zweimal täglich appliziert.

Bei den auch außerhalb von Kuren relevanten balneologischen Anwendungen gelten folgende *Dosierungsrichtlinien*:

▷ *$CO_2$-Bäder* bei CRPS, pAVK und Mikroangiopathien: tägliche Voll- oder Teilbäder mit einer Dauer von je 20 min und Temperaturen von 33–35 °C.
▷ *Trinkkuren* bei Harnsteinleiden: tägliches über den Tag verteiltes (incl. abendliche Trinkportion) Trinken von 1000 bis 2000 ml. Individuelle Dosierung unter Urin-pH-Kontrolle nach Mineralstoffgehalt des verordneten Heilwassers.

**Tab. 5.3** Definition und Therapieverfahren medizinischer Kuren (nach Gutenbrunner u. Schuh 2002).

Medizinische Kuren sind zeitlich begrenzte, ärztlich geleitete ambulante oder stationäre Maßnahmen, die in der Regel wohnortfern durchgeführt werden und die folgenden Therapiekomponenten enthalten:

▷ Ortswechsel (Klima- und Milieuwechsel)
▷ Balneotherapie
▷ Klimatherapie
▷ Hydrotherapie
▷ weitere Physikalische Therapieformen (Bewegungstherapie, Thermotherapie u.a.)
▷ Ernährung
▷ Psychologische Betreuung
▷ Gesundheitsbildung

## 5.3 Balneotherapie

▷ Trinkkuren bei funktionellen Oberbauchsyndromen und Obstipation: dreimal tägliches Trinken von 100–300 ml hydrogencarbonat- oder sulfathaltiger Heilwässer, bevorzugt vor den Mahlzeiten. Bei der Obstipationsbehandlung Dosierung nach eingetretener Veränderung der Stuhlkonsistenz (Cave: flüssige Stühle vermeiden!).
▷ Trinkkuren zur Mineralstoffsubstitution: Berechnung der täglichen Trinkmenge nach dem bestehenden Mineralstoffbedarf (Ernährungstabellen).
▷ Inhalationen mit natriumhydrogencarbonat- und kalziumhaltigen Heilwässern: zweimal tägliche Inhalationen von je 10–20 min Dauer.

### Literatur zu Kap. 5.3.1

Gutenbrunner Chr, Glaesener JJ (Hrsg.): Rehabilitation, Physikalische Medizin und Naturheilverfahren. SpringerMedizin Verlag, Heidelberg 2007.
Gutenbrunner Chr, Hildebrandt G (Hrsg.): Handbuch der Balneologie und medizinischen Klimatologie. Springer-Verlag, Berlin-Heidelberg-New York-Barcelona-Budapest-Hongkong-London-Mailand-Paris-Santa Clara-Singapur-Tokyo 1998
Gutenbrunner Chr, Hildebrandt G (Hrsg.): Handbuch der Heilwassertrinkkuren. Sonntag-Verlag, Stuttgart 1994
Gutenbrunner Chr, Schuh, A: Begriffsdefinitionen Medizinische Balneologie – Medizinische Klimatologie – Kurortmedizin. Phys. Med. Rehab. Kuror. 12: M 13 – M 14 (2002).
Pratzel, HG, Schnizer, W.: Handbuch der medizinischen Bäder. Haug-Verlag, Heidelberg 1994.

## 5.3.2 Medizinische Bäder und ihre Anwendung

### Bäder ohne Zusätze mit vorwiegend thermischer Wirkung

Je nachdem, ob kleinere oder größere Körperabschnitte oder auch der ganze Körper gebadet werden sollen, unterscheidet man Teilbäder, Halbbäder und Vollbäder. Zu den *Teilbädern* rechnet man die Hand- und Armbäder, die Fuß- und Unterschenkelbäder und die Sitzbäder. Im *Halbbad* sitzt der Patient aufrecht in der Wanne, und das Wasser reicht ihm nur bis in Nabelhöhe. Beim *Vollbad* liegt der Mensch im Allgemeinen bis zum Nackenhaaransatz im Wasser. Lediglich beim Überwärmungsbad ist ein weiteres Eintauchen des Kopfes erforderlich, so dass nur noch Mund, Nase und Augen aus dem Badewasser hervorragen.

Es gibt Patienten, die es aus unterschiedlichen Gründen nicht vertragen, bis zum Hals in das Wasser einzutauchen. Diesen verabreicht man – vielleicht nur für die erste Zeit bis zur Gewöhnung – ein Dreiviertelbad, d.h. man lässt das Wasser nur bis knapp in Herzhöhe des liegenden Patienten reichen. Für die verschiedenen Bäder sind folgende Wassermengen erforderlich: Hand- oder Armbad 15–20 l, Fuß- oder Unterschenkelbad 25–40 l, Sitzbad 50–80 l, Halbbad 100–120 l, Vollbad ca. 200 l.

Man kann Bäder temperaturkonstant verabfolgen, d.h. man lässt die Anfangstemperatur unverändert während der Dauer des Bades bestehen, man kann die Temperatur auch im Verlauf des Bades allmählich an- oder absteigen lassen, und schließlich ist es ebenfalls gebräuchlich zwei an sich konstante Temperaturen in regelmäßigem Wechsel anzuwenden (Wechselbäder).

Besondere Bäderformen sind die kalten und die heißen Tauchbäder, in die der Patient nur wenige Sekunden eintaucht. Mehrere Variationen kennt man bei den sogenannten Überwärmungs- oder Fieberbädern (Hyperthermiebädern). In diese Gruppe gehören vor allem die in der Temperatur ansteigenden Vollbäder nach Lampert, Schlenz und Walinski sowie die Dampf- und Schwitzbäder und ebenfalls das Schaumüberwärmungsbad nach Friedrich. Unter gewissen Einschränkungen kann man auch hierzu die Sauna zählen, deren Reizcharakteristikum allerdings der Wechsel zwischen warm und kalt ist.

*Teilbäder*

Sie sind wegen ihrer großen Variabilität, was die Größe und die Art der behandelten Körperpartie, die angewandte Temperatur, bzw. den Temperaturgang sowie die Dauer betrifft, ein wertvoller Bestandteil der fein zu dosierenden Hydrotherapie. Sie werden zumeist kurmäßig eingesetzt. Die durch Teilbäder ausgelöste wiederholte Belastung des peripheren Kreislaufs und des lokalen Stoffwechsels führt allmählich im Verlauf einer Behandlungsserie zu einer funktionellen Modifikation und entspricht den Prinzipien des Trainings. Wir wissen, dass Trainingsmaßnahmen zu einer Erhaltung oder Zunahme der Leistungsfähigkeit, im Fall des Teilbades der Leistungsfähigkeit der peripheren Kreislaufregulation und des Stoffwechsels führen. Weiterhin sind die auf kutiviszeralem Wege erfolgenden Einflussnahmen von der Haut aus auf segmental zugeordnete innere Organe bei der Anwendung der verschiedenen Teilbadformen zu berücksichtigen, ebenso aber auch die über die lokalen Effekte hinausgehenden Allgemeinwirkungen. Teilbäder eignen sich besonders auch dazu, von einer Extremität aus auf die Gliedmaße der kontralateralen Seite Einfluss zu nehmen, wenn diese selbst wegen einer Erkrankung nicht ins Wasser getaucht werden darf. So kann man beispielsweise durch ein temperaturansteigendes Fußbad am rechten Bein gefäßerweiternd auf den linken Fuß einwirken (vergl. konsensuelle Reaktion). Im gleichen Sinne lässt sich durch ein temperaturansteigendes Teilbad beider Arme eine Gefäßerweiterung an beiden Beinen erzielen (Fernteilbad nach Ratschow).

Von allen Teilbädern haben die Sitzbäder die ausgeprägteste Allgemeinwirkung. Sie können schon eine gewisse Kreislaufbelastung darstellen. Deshalb sollte der Patient möglichst entspannt in der Sitzbadewanne ruhen können. Auch Teilbäder werden entweder temperaturkonstant, temperaturansteigend oder -absteigend sowie als Wechselanwendungen verabfolgt.

**Kalte Teilbäder**

Voraussetzung für die Anwendung kalter Teilbäder ist – wie auch bei allen anderen Kaltanwendungen in der Hydrotherapie, etwa von Wickeln, Güssen, etc. – dass der Körper (vor allem die Füße) warm sind. Andernfalls muss für eine Erwärmung gesorgt werden, beispielsweise durch ein warmes Fußbad oder körperliche Betätigung. Falls nachfolgend Bettruhe eingehalten werden soll (bei Sitzbädern), ist das Bett vorzuwärmen.

▶ *Kaltes Sitzbad*

Es wirkt günstig auf die Durchblutung der Bauch- und Unterleibsorgane, ohne die Zirkulation in den Beinen wesentlich zu beeinflussen. Es wird angewendet zur Erzeugung reaktiver Mehrdurchblutung im Becken-Bauchraum, z.B. bei abklingenden entzündlichen Veränderungen, bei Hämorrhoiden, zur Behandlung chronischer Obstipation (anschließend Wärmflasche auf den Bauch) und abends bei Einschlafstörungen *(Abb. 5.27)*.
*Wassertemperatur:* 15–20 °C.
*Badedauer:* 6–10 Minuten.
Der Oberkörper bleibt bei der *Durchführung* dieses Bades bekleidet, das Hemd wird hochgebunden, damit es nicht in das Wasser taucht. Der Patient setzt sich

# Kapitel 5 Hydro- und Balneotherapie in der Praxis

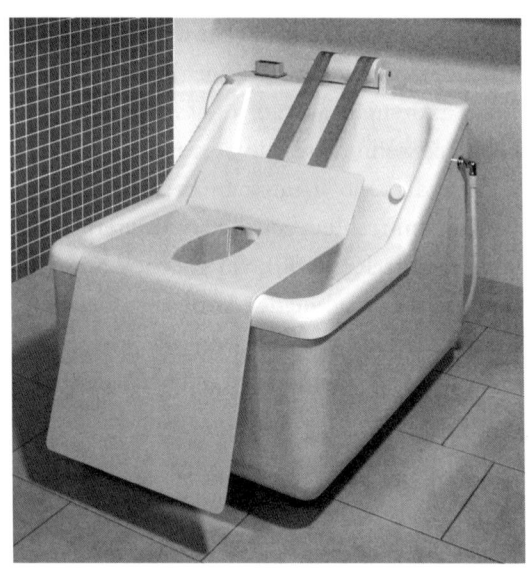

**Abb. 5.27**
Sitzbadewanne mit Lifter (Foto: Trautwein GmbH, Emmendingen).

kurz in die Sitzbadewanne; das Wasser soll etwa bis Nabelhöhe reichen. Nach dem Bad wird nur leicht abgetrocknet, der Patient legt sich ins vorgewärmte Bett.
*Kontraindikationen:* Ausgeprägte Herz-Kreislauf-Schwäche, z.B. bei Mitralstenose, krampfartige Unterleibsbeschwerden.

▶ *Kaltes Unterschenkelbad*
Es fördert die lokale Durchblutung im Sinne einer reaktiven Hyperämie (mit Auswirkung auf die Durchblutungsverhältnisse im kleinen Becken), kann aber auch zu einer Steigerung des Gefäßtonus beitragen. Kurze Kaltanwendungen wirken beruhigend und schlaffördernd. Längere Kaltanwendungen setzen die Durchblutung, insbesondere die entzündlich gesteigerte, herab und drosseln erhöhte Stoffwechselvorgänge. Dementsprechend werden kalte Unterschenkelbäder eingesetzt bei funktionellen Durchblutungsstörungen der Beine, bei Varikosis und abends bei Einschlafstörungen. Länger ausgedehnte kalte Unterschenkelbäder lindern schmerzhaft entzündliche Prozesse im Anwendungsbereich, z.B. eine akute Gichtattacke.
*Wassertemperatur:* um 15 °C.
*Badedauer:* 15 Sekunden bis 3 Minuten.

## 5.3 Balneotherapie

Zur *Durchführung* des Bades werden Füße und Unterschenkel freigemacht. Es ist darauf zu achten, dass keine Zirkulationsbehinderung besteht, etwa durch hochgezogene Hosen- oder Unterhosenbeine. Die Füße werden in eine ausreichend hohe Fußbadewanne gestellt. Das Wasser soll bis über die Wade, möglichst bis zum Wadenbeinköpfchen reichen. Waren die Füße bei Beginn der Anwendung gut durchwärmt, so wird das Kältegefühl nur wenige Sekunden gespürt und weicht rasch einem Wärmeempfinden. Dann kann das Bad beendet werden. Tritt statt des angenehmen Wärmeempfindens ein schneidender oder kneifender Schmerz auf, muss das Bad sofort abgebrochen werden. Kommt es nur verzögert zum Wärmegefühl, so können die Füße im Bad aneinandergerieben werden (zusätzlicher mechanischer, die Mehrdurchblutung fördernder Reiz).

*Varianten des kalten Unterschenkelbades sind:*
▷ Das *Wassertreten*. Es kann sowohl in einem Bachlauf, im Tretbecken oder in einer halb gefüllten Badewanne durchgeführt werden. Der Patient geht (im „Storchenschritt") durch das Wasser oder führt Tretbewegungen auf der Stelle aus. Dauer je nach Verträglichkeit 15 bis 50 Sekunden (bei Übung und Behagen auch bis zu 3 Minuten). Bei kneifendem Kälteschmerz sofort abbrechen!
▷ Das *Tautreten*. Der Patient geht dabei im taufeuchten Gras mehrere Minuten, üblicherweise 2–3 (5) Minuten. Anschließend sofort trockene Strümpfe und die Schuhe anziehen und durch schnelles Gehen oder Laufen für die Wiedererwärmung sorgen.
▷ Das *Schneegehen*. Es ist nur bei frischem, nicht verharschtem Schnee möglich. Füße schon im Hause freimachen, dann schnell (etwa 2–4 Minuten) im Schnee laufen, danach sofort ins warme Zimmer zurück, Nässe abstreifen, Füße kräftig reiben, trockene Strümpfe anziehen und Bewegung verschaffen.

Es gilt also grundsätzlich beim kalten Unterschenkelbad und auch bei seinen Varianten, dass die Nässe lediglich durch Abstreifen beseitigt wird, der Patient sich anschließend sofort wieder bekleidet und entweder ins vorgewärmte Bett legt oder durch ausreichende Bewegung für die Wiedererwärmung Sorge trägt.

*Kontraindikationen:* krampfartige Unterleibsbeschwerden, Blasenkatarrh, arterielle Durchblutungsstörungen der Beine.

## Kapitel 5 Hydro- und Balneotherapie in der Praxis

▶ *Kaltes Armbad*

Es führt nicht nur zu einer örtlichen Anregung der Zirkulation und des Stoffwechsels, sondern auf reflektorischem Wege ebenfalls zu einer Beeinflussung der Durchblutung der Thoraxorgane, aber auch der Herzschlagfolge. Deshalb sind kalte Armbäder einzusetzen bei funktionellen Durchblutungsstörungen der Hände und Arme, bei Ermüdungserscheinungen infolge Fehlbeanspruchung der Arm- und Handmuskulatur, bei nervösem Herzklopfen, zu raschem Ruhepuls (z.B. bei Schilddrüsenüberfunktion, vegetativer Fehlsteuerung oder sommerlicher Hitzebelastung), zur Beruhigung.

*Wassertemperatur:* 10–15 °C.
*Badedauer:* 10–30 Sekunden.

Man benötigt für ein Armbad eine ausreichend große Wanne, die das Eintauchen bis zur Oberarmmitte gestattet *(Abb. 5.28)*. Für den häuslichen Gebrauch kann auf ein ausreichend großes Waschbecken zurückgegriffen werden. Der Patient entblößt lediglich den oder die Arme. Nach dem Bad wird die Feuchtigkeit abgestreift, der Patient zieht die Hemdärmel wieder herunter und Jackett oder Bademantel über. Im Gehen lässt er die Arme kräftig hin und herpendeln, damit eine rasche Wiedererwärmung herbeigeführt wird.

*Kontraindikationen:* Neigung zu Gefäßspasmen, auch im Koronarbereich (Angina pectoris).

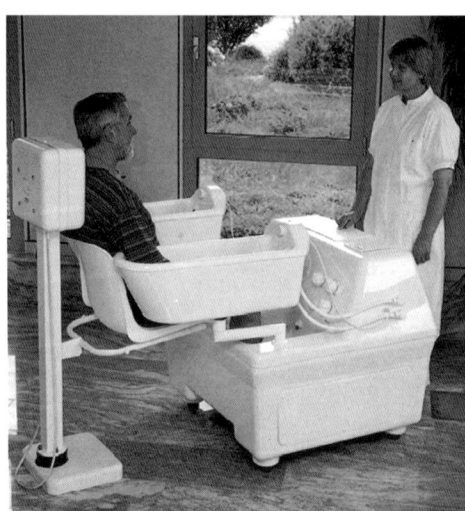

**Abb. 5.28**
Armbadewanne (Foto: Trautwein GmbH, Emmendingen).

## 5.3 Balneotherapie

**Warme/heiße Teilbäder**

Je nach Konstitution und Reaktionsvermögen des Patienten beziehungsweise Verlaufsform der zu behandelnden Störungen oder Erkrankungen, wird man zwischen warmen Anwendungen von etwa 36 bis 37 °C oder heißen von 38 bis 42 (45) °C wählen. Je chronischer der Reizzustand bei entzündlichen Beschwerden ist, desto eher wird man heiße Temperaturen anwenden, je akuter die Veränderungen sind, desto reizärmer soll die Behandlung, auch mit warmen Teilbädern, durchgeführt werden. Bei hochakuten entzündlichen Zuständen kommen kühlende Maßnahmen, wie absteigende Teilbäder oder auch Eisanwendungen zum Einsatz.

Zusätze von Kochsalz, Moorlauge, Salicylsäure-Huminsäure-Präparaten und Badeextrakten können die Wirkung des Bades fördern.

▶ *Warmes/heißes Sitzbad*

Es steigert erheblich die Durchblutung der Bauch- und Beckenorgane und wirkt damit bei chronischen Affektionen entzündungswidrig und aufsaugend. Auf krampfartige Zustände der glatten Muskulatur wirkt es entspannend, krampflösend.

Deshalb kann man es bei chronisch entzündlichen gynäkologischen Erkrankungen, chronischen Entzündungen der Harnblase, der männlichen Genitalorgane und bei Darm- sowie Nierenkoliken anwenden.

*Wassertemperatur:* warm = 36–38 °C, heiß = 39–42 °C.

*Badedauer:* warm = 15–20 Minuten, heiß = 10 Minuten.

Die *Durchführung* geschieht analog derjenigen des kalten Sitzbades, lediglich mit der Ergänzung, dass der Patient hier mit einem Badelaken und einer Wolldecke zugedeckt wird. Die Füße sollen nicht auf den kalten Fliesenboden aufgestellt werden. Entweder Pantoffeln anziehen oder die Füße auf einem Schemel lagern. Nach dem Sitzbad wird der Kranke gewöhnlich kurz kalt abgewaschen; nur bei Koliken oder anderen krampfartigen Beschwerden sollte das Abwaschen unterbleiben. Nachruhe im Bett.

*Kontraindikationen:* Dekompensation des Kreislaufs, Bluthochdruck, entzündliche Veränderungen der Bauch- und Beckenorgane, die mit Fieber einhergehen (Gefahr der nicht mehr kontrollierbaren Aktivierung einer Entzündung!).

> *Warmes/heißes Unterschenkelbad*

Wegen seiner durchblutungsfördernden Wirkung nicht nur auf Füße und Unterschenkel, sondern (wenn auch schwächer) auf Oberschenkel und Beckenorgane, wird dieses Teilbad bei funktionellen und leichten organischen Durchblutungsstörungen (diabetische Mikroangiopathie), aber auch bei subakuten oder chronischen entzündlichen Vorgängen, vorwiegend der Fuß- und Knöchelgelenke sowie zur Nachbehandlung traumatisch bedingter Störungen (nach Distorsionen, Zerrungen usw.) eingesetzt. Ebenfalls ist es bei Blasenkatarrh mit Harnverhaltung infolge von Erkältung hilfreich.

*Wassertemperatur:* warm = 36–38 °C, heiß = 39–42 (45) °C.

*Badedauer:* warm = 15–20 Minuten, heiß = 5–10 Minuten.

Ein kalter Knieguss nach dem Bad fördert die Wiederherstellung des Gefäßtonus. Der Patient soll anschließend entweder Bettruhe einhalten oder sich rasch abtrocknen, ankleiden und bewegen (zur Vermeidung hypotoner Kreislaufregulationsstörungen).

*Kontraindikationen:* Bluthochdruck, lokale hochentzündliche Veränderungen (aktivierte Arthrose, Gichtanfall, Thrombophlebitis).

> *Warmes/heißes Armbad*

Auch bei diesem Teilbad kommt es in der gesamten Arm- und Schulterregion zu einer ausgedehnten Durchblutungssteigerung und einer reflektorischen Einflussnahme auf die Thoraxorgane. So wird ein warmes/heißes Armbad angewendet bei rheumatischen Beschwerden der Finger-, Hand-, Ellbogen- und Schultergelenke, auch in der Nachbehandlung traumatisch bedingter Beschwerden, bei funktionellen Durchblutungsstörungen (chronisch kalte Hände), bei Überlastungssyndromen der Muskulatur, Sehnenscheidenreizungen und bei pektanginösen Beschwerden.

*Wassertemperatur:* warm = 36–38 °C, heiß = 39–42 (45) °C.

*Badedauer:* warm 15–20 Minuten, heiß 5–10 Minuten.

Nach dem Bad abtrocknen, ankleiden und bewegen.

*Kontraindikationen* für das heiße Armbad: Bluthochdruck, lokale hochentzündliche Veränderungen (akuter Schub einer progredient chronischen Polyarthritis).

## 5.3 Balneotherapie

**Temperaturansteigende Teilbäder**
Bei ihrer Durchführung wird unter Auslassung der primären, vasokonstriktorischen Gefäßreaktion eine mit dem Temperaturanstieg synchron verlaufende Gefäßerweiterung bewirkt, die anfangs die Haut und Unterhaut des gebadeten Bezirks erfasst, sich dann aber bei fortschreitender Wärmezufuhr aus dem Bade über die gesamte Körperdecke ausdehnen kann. Dementsprechend wird nicht nur der lokale Stoffwechsel angeregt, sondern es kommt gegebenenfalls zu einer passageren allgemeinen Stoffwechselsteigerung, zur Beeinflussung der Wärmeregulation und zum Schweißausbruch. Das kann nicht ohne Einfluss auf den Gesamtkreislauf bleiben. Man registriert häufig einen Blutdruckabfall, der eventuell so ausgeprägt sein kann, dass hypotone Beschwerden, wie Schwindel, bei stark dosierten ansteigenden Teilbädern auftreten. Andererseits führen temperaturansteigende Unterschenkel- und Armbäder zu einer deutlichen Verbesserung der Zirkulation im kleinen Kreislauf, so dass sie bei pulmonaler Stauung als Folge eines Mitralklappenfehlers oder einer Minderleistung der linken Herzhälfte hilfreich sind. Wenn keine anderen medikamentösen Maßnahmen möglich sind, vermag ein temperaturansteigendes Unterschenkelbad sogar ein beginnendes Lungenödem zu beseitigen!
Bei entsprechendem Temperaturverlauf und Dauer sind temperaturansteigende Teilbäder deutlich stärker einwirkend als die warmen oder heißen Teilbäder.
*Durchführung:* Gewöhnlich beginnt man temperaturansteigende Teilbäder mit einer Wassertemperatur von 34 bis 35 °C und steigert dann durch Zugabe heißen Wassers die Temperatur langsam im Verlauf von 10 bis 15 (20) Minuten auf ca. 40 bis 42 °C. Die Dosierung richtet sich letztendlich nach den Angaben des Patienten zur Verträglichkeit der Anwendung. Der Temperaturverlauf ist exakt zu kontrollieren (Thermometer). Für eine bequeme Haltung des Patienten ist zu sorgen! Die Temperatur sollte bis zum Schweißausbruch geführt, das Bad dann aber abgebrochen werden. Um den Wärmestau zu fördern, hängt man dem Patienten während des Teilbades ein Badetuch und eine Wolldecke um.
Nach temperaturansteigenden Teilbädern wird der Patient nicht kalt nachgewaschen. Er kleidet sich sofort an und hält stets eine Nachruhe von mindestens 30 Minuten ein.

▶ *Temperaturansteigendes Sitzbad*
Seine Anwendungsbereiche sind chronisch entzündliche Veränderungen der männlichen und weiblichen Genitalorgane (Prostatitis, Adnexitis), der Harnblase und krampfartige Zustände der ableitenden Harnwege (Harnleitersteinkolik). Ebenso kann das Bad bei Analfissuren angewendet werden.
Die *Durchführung* gleicht derjenigen des warmen/heißen Sitzbades. Weitere Angaben finden sich im vorhergehenden Abschnitt.
*Kontraindikationen:* Kreislaufdekompensation, örtliche hochentzündliche Prozesse.

▶ *Temperaturansteigendes Unterschenkelbad*
Dieses Teilbad wird eingesetzt bei peripheren arteriellen Durchblutungsstörungen (Arteriosklerose, Endangiitis obliterans, periphere Mikroangiopathie), entweder direkt, oder an der kontralateralen Extremität (bei Gangrän). Weiter zählen zu seinen Indikationen eine funktionelle Minderdurchblutung, wie sie beispielsweise beim Sudeck-Syndrom im Stadium II auftritt, und örtliche rheumatische Beschwerden. Auch bei einer beginnenden Erkältung kann dieses Teilbad zur Kupierung subjektiv störender Erscheinung beitragen. Bei wiederholter Anwendung fördert es die Senkung eines erhöhten Blutdruckes.
*Durchführung:* wie auf Seite 182 beschrieben.
*Kontraindikationen:* Örtliche entzündliche Prozesse, die bereits mit einer kräftigen Hyperämie einhergehen (akuter rheumatischer Schub, Sudeck-Syndrom Stadium I), schlaffe Lähmungen (da das Bad den herabgesetzten Tonus weiter mindern würde).

▶ *Temperaturansteigendes Armbad*
Bevorzugt wird es eingesetzt bei Angina pectoris, wobei es, regelmäßig und über viele Wochen durchgeführt, zu einem Verschwinden der durchblutungsbedingten Herzschmerzen kommen kann (reflektorisch induzierte Umstellung im Stoffwechsel des Herzmuskels, verbesserte Sauerstoff-Utilisation?). Bei Reststenokardien nach Herzinfarkt wird bereits in der zweiten bis dritten Woche nach dem Infarktereignis mit dem temperaturansteigenden Armbad begonnen. Aber auch Gefäßspasmen (durch extreme Kälteeinwirkung), Durchblutungsstörungen bei Sudeck-Syndrom Stadium II, Bluthochdruck, Asthma bronchiale (vorwiegend

im anfallsfreien Intervall) und chronisches Lungenemphysem zählen zu den Indikationen dieses Teilbades. Über die konsensuelle Reaktion lässt sich mit temperaturansteigenden Armbädern ebenfalls Einfluss nehmen auf periphere arterielle Durchblutungsstörungen der Beine (Fernteilbad nach Ratschow).

Die *Durchführung* hat sich an den vorstehend geschilderten Grundsätzen zu orientieren.

*Kontraindikationen:* Mit einer kräftigen Hyperämie verbundene entzündliche Veränderungen an Hand und Arm, schlaffe Lähmungen (vergleiche temperaturansteigendes Unterschenkelbad).

**Temperaturabsteigende Teilbäder**

Sie werden als Arm- oder Unterschenkelbäder eingesetzt zur Drosselung lokaler pathologischer Mehrdurchblutung, z.B. bei entzündlichen Prozessen (Abszesse, Sudeck-Syndrom Stadium I).

*Durchführung:* Beginnend im Indifferenzbereich wird die Wassertemperatur allmählich innerhalb 15 bis 20 Minuten auf 23 bis 25 °C abgesenkt. Gegebenenfalls kann bei dieser Temperatur das Bad noch 5 Minuten fortgesetzt werden. Ist die Mehrdurchblutung sehr ausgeprägt, wird das Bad mehrfach am Tage wiederholt.

> *Wechselteilbäder*

Man versteht darunter die wiederholte Einwirkung unterschiedlicher Temperaturen während einer Bademaßnahme. Sie fördern in stärkerem Maße als kalte oder warme Teilbäder bei reaktionsschwachen Patienten die reaktive Wiedererwärmung und begünstigen die Normalisierung einer gestörten Durchblutung und Wärmeregulation.

Wechselteilbäder beginnen grundsätzlich mit der Warmphase und werden mit der Kaltanwendung beendet. Gewöhnlich dauert die Wärmeeinwirkung bedeutend länger (etwa zehnmal so lange) als der Kältereiz, doch sind Variationen nach beiden Richtungen hin möglich.

Ein mehrmaliger (zwei- bis dreimaliger, später auch fünfmaliger) Wechsel zwischen warm und kalt steigert die Reizwirkung, doch hat sich die Zahl der Wiederholungen des Wechsels letztlich nach dem Reaktionsverhalten des Patienten zu richten.

Zwischen der höheren und der niedrigen Temperatur sollte mindestens eine Differenz von 12, besser noch von 20 Temperaturgraden bestehen. Die Wassertemperatur in der warmen Teilbadewanne hält man zumeist zwischen 36 und 38 °C. Dementsprechend niedriger stellt man das Wasser in der kalten Wanne ein.

▶ *Wechselsitzbad*

Es wird empfohlen bei Darmfunktionsstörungen, bei Meteorismus sowie bei chronisch entzündlichen Prozessen im Beckenbereich.
Zur *Durchführung* sind zwei Sitzbadewannen erforderlich, von denen eine mit Wasser von 39 bis 40 °C, die andere mit solchem von 15 bis 20 °C gefüllt ist. Der Patient setzt sich zuerst für 3 bis 5 Minuten in das heiße Wasser und wechselt dann für etwa 20 bis 30 Sekunden in die kalte Sitzbadewanne. Es wird bis zu dreimal gewechselt. Dementsprechend ist die Badedauer mit 10 bis 17 Minuten anzusetzen.
Nach dem Wechselsitzbad wird der Patient abgetrocknet und legt sich zur Nachruhe in das vorgewärmte Bett.
*Kontraindikationen:* Kreislaufdekompensation, fieberhafte entzündliche Veränderungen der Bauch- und Beckenorgane.

▶ *Wechselunterschenkelbad*

Wegen der durch dieses Bad ausgelösten starken Hyperämie, die aber den Gefäß- und Muskeltonus wenig beeinflusst, verwendet man Wechselunterschenkelbäder gern zum „Zirkulationstraining" bei funktionellen Kreislaufstörungen (chronisch kalte Füße), nicht jedoch organischen arteriellen Durchblutungsstörungen wegen der Gefahr einer paradoxen Reaktion. Der beruhigende, dämpfende Einfluß dieses Bades auf das Vegetativum wirkt sich günstig bei Bluthochdruck und bei Schlafstörungen aus.
*Durchführung:* mit zwei Teilbadewannen *(Abb. 5.29)*, deren eine mit warmem Wasser von ca. 38 °C, die andere mit solchem von 20 °C gefüllt ist. Das Wasser soll bis über die Waden reichen. Füße für 3 bis 6 Minuten in das heiße Wasser stellen, dann für 10 bis 13 Sekunden in das kalte Wasser überwechseln und gegebenenfalls diesen Vorgang noch ein- bis zweimal wiederholen.
*Badedauer:* 10 bis 20 Minuten. Der Minderung der Temperaturreize infolge Erwärmung oder Abkühlung der dem Unterschenkel zunächst befindlichen

## 5.3 Balneotherapie

**Abb. 5.29**
Wechselfußbad (Foto: Trautwein GmbH, Emmendingen).

Wasserschichten sollte der Patient dadurch entgegenwirken, dass er die Füße und Unterschenkel im Wasser etwas bewegt oder Gehbewegungen ausführt. Bei längerer Gesamtbadedauer ist darauf zu achten, dass die Ausgangstemperatur in den Teilbadewannen sich nicht zu sehr verändert; eventuell muss nachtemperiert werden.

Nach dem Bade werden Füße und Unterschenkel abgetrocknet. Der Patient legt sich entweder ins vorgewärmte Bett oder kleidet sich rasch an und bewegt sich.
*Kontraindikationen:* Neigung zu Gefäßspasmen, arterielle Durchblutungsstörungen der Beine.

▶ *Wechselarmbad*
Wirksam durch „Zirkulationstraining" bei chronisch kalten Händen, bei Sudeck-Syndrom im Stadium III.
*Durchführung:* Eine Wanne mit warmem Wasser von ca. 38 °C, eine Wanne mit kaltem Wasser von 15 bis 20 °C füllen. Bei besonders kontrastarmen Bädern soll die obere Temperatur 38 °C nicht übersteigen und die untere nicht unter 26 bis 28 °C betragen. Mit heiß beginnen und mit kalt enden. Warmphase 3 bis 4 Minuten, Kaltphase 10 bis 20 Sekunden bei dreimaligem Wechsel. Gesamtdauer der Anwendung 10 bis 15 Minuten.

Nach dem Bad Abtrocknen der Arme, der Patient soll sich anschließend bekleidet bewegen.
*Kontraindikationen:* Neigung zu Gefäßspasmen, Angina pectoris.

### Heiße Tauchbäder

Sie erzeugen nicht nur eine äußerst starke Hyperämie, sondern können auch durch die lokale Gewebsüberwärmung eine Abtötung von pathogenen Keimen bewirken. Deshalb werden sie bei septischen Wunden und Panaritien an Füßen und Händen verwendet.

Die *Wassertemperatur* ist so heiß, wie der Patient es gerade vertragen kann, eventuell 48 (50) °C. Personen mit Sensibilitätsstörungen in den zu behandelnden Extremitätenabschnitten sind selbstverständlich von dieser Behandlung auszuschließen. Verbrennungsgefahr!

Zur *Durchführung* taucht der Patient seine Hand (oder seinen Fuß) ohne Verband nur kurz in das heiße Wasser ein und zieht sie sofort wieder heraus. Bei diesem kurzen Eintauchen wird die hohe Wassertemperatur kaum als solche wahrgenommen. Es wird dann weiterhin in kurzen Abständen die Hand (beziehungsweise der Fuß) immer wieder, und zwar zunehmend tiefer und länger, eingetaucht. Allmählich kommt es zu einer Gewöhnung an die Wassertemperatur und nach einiger Zeit kann die Hand (der Fuß) ununterbrochen im heißen Wasser belassen werden.

*Badedauer:* bis 10 Minuten.

*Kontraindikationen:* Sensibilitätsstörungen, periphere Durchblutungsstörungen mit Neigung zu Gefäßspasmen (z.B. bei Diabetes mellitus).

### Vollbäder

Bezüglich der Allgemeinwirkungen nehmen Vollbäder selbstverständlich einen erheblich höheren Stellenwert als Teilbäder ein. Ist es erforderlich, die Allgemeinwirkungen abzuschwächen, so kann man auf Halbbäder ausweichen, bei denen das Wasser in der Wanne dem Patienten etwa bis in Nabelhöhe reichen soll. Eine weitere Abstufung hinsichtlich der Allgemeinwirkung gestatten die Dreiviertelbäder, deren Wasserspiegel vorn etwa in Höhe der 8. Rippe endet. In der Praxis haben die allein durch thermische Einflüsse wirkenden Vollbäder in den letzten Jahrzehnten erheblich an Bedeutung verloren.

## 5.3 Balneotherapie

*Kontraindikationen:* Allgemein sind Vollbäder nicht angezeigt bei fieberhaften und infektiösen Erkrankungen, Herzinsuffizienz Stadium III und IV (NYHA), hochgradiger Koronarinsuffizienz und Bluthochdruck Stad. IV (WHO).

▸ *Kaltes Tauchvollbad*

Es bewirkt einen sehr plötzlichen Wärmeentzug und einen kräftigen Anreiz für das Einsetzen einer reaktiven Wärmeproduktion, dadurch vorübergehende Steigerung des Stoffwechsels. Das kalte Tauchbad wird vorwiegend zur Abhärtung genommen. Weiterhin wird es – ein gesundes Herz-Kreislauf-System vorausgesetzt – wegen seiner anregenden und erfrischenden Wirkung empfohlen.

Der Körper muss vor dem Bad ausreichend erwärmt sein. Die Anwendung darf niemals kurz vor oder nach dem Essen durchgeführt werden. Der zeitliche Abstand zu den Mahlzeiten soll mindestens ein bis zwei Stunden betragen.

*Wassertemperatur:* 15–20 °C.

*Badedauer:* 15–20 Sekunden.

Der Patient soll vorsichtig und nicht zu rasch in die Wanne steigen, bis zum Hals untertauchen und in der Position 5 bis 20 Sekunden ruhig atmend liegenbleiben (beim Halbbad sitzt der Patient in der Wanne); dann aussteigen. Lenden- und Kreuzbeingegend werden abgetrocknet, sonst nur die Nässe abgestreift. Der Patient legt sich anschließend entweder ins vorgewärmte Bett oder kleidet sich rasch an und sorgt durch Bewegung (leichte Gymnastik) für schnelle Wiedererwärmung. Tritt diese nur verzögert ein, soll der Patient heißen Tee oder Fruchtsaft trinken; im Bett nachruhenden Personen kann man eine Wärmflasche an die Füße legen.

*Besondere Kontraindikationen:* Gefäßspasmen, Blasenleiden, rheumatische Beschwerden.

▸ *Temperaturabsteigendes Vollbad*

Es dient dem Wärmeentzug mit dem Ziel einer Herabsetzung der Körpertemperatur bei Fiebernden.

*Wassertemperatur:* Bei Fiebernden liegt sie zum Beginn nur wenige Grade unter der Körpertemperatur, um einen Kälteschock zu vermeiden. Während des Bades wird die Anfangstemperatur um 5–6 °C gesenkt.

*Badedauer:* im Allgemeinen 10 Minuten, jedoch nicht länger als 15 Minuten. Der Patient legt sich bequem in die Wanne und verhält sich ruhig. Während des Zulaufens des kalten Wassers kann der Patient an den vorderen Körperpartien mit einer weichen Bürste abgerieben werden. Dadurch kommt es zur Erweiterung der Hautgefäße, die Wärmeabgabe an das Wasser wird gefördert, die Herabsetzung der erhöhten Körpertemperatur eher erreicht und gleichzeitig das subjektive Kältegefühl gemildert.
Nach dem Bad wird der Patient gut abgetrocknet und in das vorgewärmte Bett gelegt. Fröstelt er, so gibt man ihm heißen Tee oder Fruchtsaft zu trinken.
*Kontraindikationen:* Herzinsuffizienz Stadium III und IV (NYHA), hochgradige Koronarinsuffizienz, Bluthochdruck Stad. IV (WHO).
Warme Vollbäder werden praktisch stets mit arzneilichen Zusätzen versehen und deshalb ab Seite 179 besprochen.

> *Temperaturansteigendes Vollbad*

Es eignet sich wegen seiner den Stoffwechsel und die Wärmeproduktion anregenden Wirkung als Schwitzbad bei beginnenden Erkältungskrankheiten. Der krampflösende Wärmeeinfluss wird ausgenutzt bei Harnleitersteinen (vgl. auch subquales Darmbad S. 227). Bezüglich seiner Wirkung kommt das temperaturansteigende Vollbad schon nahe an das Überwärmungsbad heran.
Vor dem Bad soll der Patient Blase und Darm entleeren. Zur vorhergehenden Mahlzeit sollte eine Stunde Abstand bestehen.
*Wassertemperatur:* Zu Beginn des Bades 36 °C, langsam ansteigend – je nach Verträglichkeit – bis auf 40 (42) °C.
*Badedauer:* durchschnittlich 30 Minuten.
Das Bad kann bei kräftigem Schweißausbruch auch schon früher abgebrochen werden. Der Patient steigt in die Wanne und streckt sich bequem aus. Das Wasser reicht ihm bis zu den Schultern (beim etwas schonenderen Dreiviertelbad bis zur Mitte des Thorax). Heißes Wasser langsam zulaufen lassen, bis der Patient in Schweiß gerät. Dabei geht man gewöhnlich nicht über 40 °C Wassertemperatur hinaus (Kontrolle mit Thermometer!). Unmittelbar vor Beendigung des Bades senkt man die Wassertemperatur wieder deutlich ab, möglichst bis 37 °C. Dann steigt der Patient aus der Wanne, wobei das Badepersonal ihm behilflich ist, und wird zur vorbereiteten Trockenpackung geleitet. Die Trocken-

packung kann, wenn der Patient Beklemmungsgefühl äußert, über der Brust etwas aufgeschlagen werden. Bei starkem Nachschwitzen wird der Kranke aus der Trockenpackung nach 30 bis 60 Minuten „herausgewaschen" (s. S. 240).
*Kontraindikationen:* s. Vollbäder, Seite 192.

> *Überwärmungsbad*

Es ist eine besondere Form des temperaturansteigenden Vollbades und dient zur Erzeugung einer fieberähnlicher Erhöhung der Körpertemperatur. Der Patient wird auf einer Liege so flach im Wasser gelagert, dass auch der Kopf mit eintaucht und lediglich Augen, Mund und Nase aus dem Wasser ragen. Bei Trommelfellschäden ist für einen wasserundurchlässigen Verschluss des Gehörganges Sorge zu tragen.

Dadurch, dass der Körper praktisch vollständig im Wasser liegt, ist die Wärmeregulation aufgehoben, eine Wärmeabgabe an das Wasser kann nicht erfolgen, die Schweißverdunstung ist unmöglich (auch wenn kräftig Schweiß produziert wird). So entsteht im Überwärmungsbad zunächst ein Wärmestau, und weiterhin wird dem Körper dann zusätzlich über das Bademedium Wärme zugeführt: die Körpertemperatur steigt an.

*Indikationen:* Zur Anwendung kommen Überwärmungsbäder zur allgemeinen Umstimmung, zur Steigerung der Abwehrkräfte des Körpers, bei entzündlichem chronischem Gelenkrheumatismus im schubfreien Intervall, auch bei M. Bechterew, in der Nachbehandlung der Poliomyelitiskranken und bei chronischen Eiterungen (fistelnde Knochenmarkentzündung). Für Herz und Kreislauf sind diese Bäder insgesamt etwas weniger belastend als heiße Bäder mit hoher Anfangstemperatur. Tritt während des Bades ein Unbehagen auf (Beklemmungsgefühl, Pulsbeschleunigung), so kann man jederzeit die Wassertemperatur senken oder das Bad beenden. Vor dem Bad soll der Patient Blase und Darm entleeren.

*Wassertemperatur:* Mit 35–36 °C beginnend, dann alle 5 Minuten um etwa 1 °C steigern bis insgesamt auf 40 (42) °C.

*Badedauer:* je nach Verträglichkeit 20–30 Minuten oder auch länger.

Zur *Durchführung* des Bades legt sich der Patient auf die Liege und wird mit dieser in die Spezialwanne abgesenkt. Für entspannte Lagerung ist zu sorgen. Die Wanne muss ausreichend groß sein und etwa 1,90 m bis 2 m Innenlänge haben. Kleineren Personen wird eine Fußstütze in die Wanne gestellt, oder sie legen die Beine auf einen quer gespannten Gurt.

Das Ansteigen der Wassertemperatur wird unterschiedlich gehandhabt. Neben dem betont langsamen Anstieg, wie oben beschrieben, wendet man auch das rhythmisch-impulsartige Ansteigen an. Dabei geht man zunächst schnell mit der Wassertemperatur hoch und lässt sie dann auf die erreichte Körpertemperatur wieder zurückfallen. Je langsamer der Anstieg erfolgt, desto geringer ist die Differenz zwischen der Wasser- und der Körpertemperatur. Die Körpertemperatur misst man oral. Den Puls kontrolliert man an der Halsschlagader. Die Kontrolle erfolgt alle fünf Minuten, die Ergebnisse trägt man in ein Protokoll ein. Es gibt auch automatisch schreibende Registriereinrichtungen. Der Puls steigt entsprechend der Körpertemperatur an und erreicht bei 40 °C etwa 120 bis 140 Schläge pro Minute. Bei guten Kreislaufverhältnissen ist das durchaus tragbar. Dennoch geht man im Allgemeinen nicht über 38,5 bis 39,5 °C Körpertemperatur hinaus. Übersteigt der Puls deutlich 140 Schläge pro Minute oder kommt es zu einem Missverhältnis zwischen Pulsfrequenz und Körpertemperatur, bei dem die Pulsfrequenz auffallend hoch ansteigt, so geht man mit der Wassertemperatur auf 37 bis 38 °C zurück, übergießt Unterarme und Unterschenkel mit kaltem Wasser und kühlt auch noch Hals, Gesicht, Nacken und Herzgegend ab. Darunter beruhigt sich der Puls sehr rasch, ohne dass die Körpertemperatur merklich absinkt.

Treten während des Überwärmungsbades Beschwerden auf, insbesondere Unruhe, Zyanose, Herzdruck, Beklemmungsgefühl, so lässt man heißes Wasser aus der Wanne ablaufen und kaltes zufließen. Außerdem benetzt man die Herzgegend und den Nacken mit kaltem Wasser. Dadurch tonisiert man den Kreislauf und erfrischt den Patienten. Dann hebt man ihn aus der Wanne und legt ihn ins Bett.

Bei vegetativ labilen Personen oder Patienten mit latenter Tetanie muss die Atemfrequenz besonders sorgfältig beobachtet werden, um gegebenenfalls einer Hyperventilation und dem dadurch auszulösenden tetanischen Anfall vorbeugen zu können.

Überwärmungsbäder mit höheren Temperaturen dürfen nur unter ärztlicher Aufsicht durchgeführt werden.

Auch bei normaler Beendigung des Überwärmungsbades geht man abschließend mit der Wassertemperatur auf 37 bis 38 °C zurück, kühlt Arme, Herzgegend und Nacken ab, hebt den Patienten aus der Wanne und legt ihn in die vorbereitete Trockenpackung. Beim selbstständigen Aussteigen aus der Überwärmungswanne droht Kollapsgefahr. In der Trockenpackung wird der Patient flüchtig abgetrocknet. Schwitzt er in der Packung tüchtig nach, so wird ihm anschließend ein laues Bad verabfolgt oder er wird aus der Packung „herausgewaschen".
*Kontraindikationen:* s. Vollbad, Seite 192, stark reduzierter Allgemeinzustand.

> *Indifferentes Vollbad*

Es kann wegen seiner beruhigenden Wirkung bei Nervosität und bei Einschlafstörungen eingesetzt werden. Vorwiegend wird es jedoch mit sedierenden Zusätzen versehen angewendet (z.B. Beruhigungsbäder, s. S. 172).

## Bäder mit arzneilichen Zusätzen

Neben den durch die physikalischen Faktoren des Wassers (s. S. 47 ff.) bedingten, diesen Bädern gemeinsamen Einflüssen auf den Kreislauf, Stoffwechsel und die Wärmeregulation entfalten sie je nach der Art des Zusatzes weitere durchaus unterschiedliche Wirkungen:
▷ verstärkter Hautreiz
▷ Milderung eines bestehenden Hautreizes
▷ adstringierend (leicht gerbend, hautfestigend)
▷ pharmakodynamische Effekte im Körper durch Aufnahme von Stoffen aus dem Wasser in den Organismus (Resorption).

Die Beeinflussung des Hautreizes kann sowohl durch Aufnahme von Wasser oder Anteilen des Zusatzes in die Haut, als auch durch Herauslösen eingelagerter Substanzen aus der Haut (Elution) erfolgen. Oft laufen mehrere der genannten Vorgänge nebeneinander ab.

Die Haut stellt für die Resorption gelöster Stoffe aus dem Bad ein erhebliches Hindernis dar, und es ergeben sich in einer gewissen Relation zu der Konzentration im Badewasser für unterschiedliche Substanzen durchaus verschiedene Resorptionsquoten. Wohl kann aus dem Bad auch eine geringe Menge Wasser durch die Haut in den Körper gelangen, doch wird Schwefelwasserstoff annähernd zehnmal, $CO_2$ und ätherische Öle etwa hundertmal stärker resorbiert. Geringer als Wasser vermögen elementares Jod, Jodid, Kalium, Salizylsäure, Sulfat, Natrium, Chlorid und Eisen die Haut zu durchdringen. Insgesamt ist der Mechanismus der Resorption noch einer Reihe weiterer Variationen unterworfen, wie der Abhängigkeit von der Wasserstoffionenkonzentration (pH) in der Haut, von individuellen Unterschieden, von Temperatureinflüssen und von der Zugabe von Detergentien (Netzmitteln). Wichtig und besonders zu betonen ist aber, dass die resorbierten Substanzmengen fast immer so gering sind, dass ein entsprechender Substanzmangel im Körper nicht durch Aufnahme des Stoffes aus dem Bad ausgeglichen werden kann. Ausnahmen bilden lediglich ätherische Öle, deren resorbierte Mengen durchaus pharmakodynamische Effekte, d.h. Arzneimittelwirkungen, im Organismus auslösen können.

Viele der arzneilichen Zusätze sind in enger Anlehnung an die Inhaltsstoffe natürlicher Quellwässer entwickelt worden. Dies gilt insbesondere für die mineralischen Badezusätze. Die pflanzlichen Badezusätze, die eine lange von der Empirie begleitete Entwicklungsgeschichte aufweisen (bereits Hippokrates, 400 v. Chr. erwähnt Kräuterbäder), werden heute industriell hergestellt. Sie gliedern sich vorwiegend auf in vegetabilische Extrakte und in ätherische Öle. Die Badeextrakte enthalten die wasserlöslichen Extraktivstoffe (z.B. Eiweißstoffe, Gerbstoffe, Säuren) verschiedener Pflanzen, gegebenenfalls auch Anteile des in den Pflanzen enthaltenen ätherischen Öles. Bei der industriellen Herstellung vegetabilischer Badeextrakte wird zunächst aus den zerkleinerten Pflanzen oder Pflanzenteilen (Nadeln, Blättern, Blüten, Stengeln, Wurzeln), soweit das Ausgangsmaterial ölhaltig ist, durch Wasserdampf das ätherische Öl herausgelöst und durch Destillation isoliert. Anschließend werden durch heißes Wasser die Extraktivstoffe gewonnen und durch Verdampfung eingedickt. Mit der Wiederbeimengung geringer Mengen der ätherischen Öle zu dem eingedickten Produkt erhält man den Vollextrakt, der zur Bereitung der Bäder verwendet wird. In hochkonzentrierten wässrigen Extrakten lässt sich das ätherische Öl ohne Zusatz von weiteren Hilfsstoffen fein emulgieren. Eine Entmischung von Extrakt und ätherischem Öl tritt auch bei Verdünnung des Vollextraktes im Badewasser während der Dauer des Bades nicht auf.

Neben den Bädern mit Vollextrakten sind mehr und mehr Badezusätze, die nur ätherische Öle oder Mischungen dieser Öle auch mit weiteren chemischen Substanzen enthalten, in den Vordergrund getreten.

Unterschiedlich je nach Herkunft und auch nach Konzentration sind die Wirkungen der einzelnen ätherischen Öle. Manche sind in geringer Menge durchblutungsfördernd an der Haut, auch an den Schleimhäuten und hier ebenfalls sekretionsfördernd. In stärkerer Konzentration kann sich die gefäßerweiternde Wirkung noch verstärken, die Sekretionsförderung aber in eine Sekretionshemmung umschlagen.

Vollbäder mit pflanzlichen Extrakten (Vollextrakte) sollen mit mindestens 150 g der handelsüblichen Substanz durchgeführt werden. Bei ätherischen Ölen ist die Menge des Zusatzes abhängig von der Konzentration und richtet sich nach den Angaben des Herstellers. Besonders für den häuslichen Gebrauch bleibt es natürlich unbenommen, vegetabile Badezusätze durch Abkochungen von Kräutern, Heublumen, Haferstroh etc. selber herzustellen.

**Mineralische Badezusätze**
➤ *Solebad*

Solebäder werden bereitet, indem man dem Badewasser Kochsalz oder kochsalzhaltige Lösung (Sole) zugibt. Kochsalz für Badezwecke erhält man im Handel als sogenanntes Steinsalz (Rothenfelder, Staßfurter usw.), das nicht mit Salzsteuer belegt und relativ preisgünstig ist. Man kann selbstverständlich auch handelsübliches teureres Salz nehmen. Dort, wo solehaltige Quellen zur Verfügung stehen, werden deren Lösungen als Badezusatz eingesetzt. Gewöhnlich benutzt man Solebäder mit einer Konzentration von 1–4% (selten einmal bis 6%). Zur Herstellung von Solebädern solcher Konzentration benötigt man für ein Vollbad mit 200 l Inhalt eine Koch- oder Steinsalzmenge von 2–8 (bis 12) kg. Wird Steinsalz eingesetzt, so empfiehlt es sich, dieses zuvor in Wasser aufzulösen. Der Lösungsvorgang nimmt eine gewisse Zeit in Anspruch. Sind Solebäder laufend zu verabfolgen, so ist es zweckmäßig, sich eine entsprechende Menge Lösung auf Vorrat bereitzustellen.

Bei der Benutzung von Sole (oder Mutterlauge, einer durch Verdampfung gewonnenen Salzlösung) ist die Dosierung abhängig von der Konzentration der

Lösung. Von einer 20%igen Sole benötigt man für ein Vollbad mit einer Salzkonzentration von 2% beispielsweise 20 l.

*Wirkungsweise und Indikationen:* Im Solebad kommt es zu einem verstärkten Herauswaschen verschiedener chemischer Substanzen aus der Haut. Die Wasseraufnahme der Hornhaut ist geringer als im Wasserbad. Ein Zuschwellen der Schweißdrüsenausgänge wird dadurch verhindert, die Schweißabgabe im warmen Solebad nachweislich gefördert. Nach dem Solebad misst man eine stärkere Erhöhung der Hauttemperatur als nach einem vergleichbaren Wasserbad. Es werden zwar Na- und Cl-Ionen aus dem Solebad durch die Haut resorbiert, doch sind die Mengen insgesamt zu gering, um auf Bestand und Umsatz von Na- und Cl-Ionen im Organismus einen messbaren Einfluss auszuüben. Solebäder haben auch eine entschuppende Wirkung. Durch Abreiben der Salzschicht von der Hautoberfläche nach dem Baden kommt es zu einer massiven Entfernung von Korneozyten. Der durch die Sole an der Haut erzeugte leichte Reizzustand wird durch längere und wiederholte Einwirkung der Salzlösung verstärkt. Über die Hautreize kommt es zur Auslösung verschiedener vegetativer Reaktionen, die zu gewissen umstimmenden Effekten im Sinne einer unspezifischen Reiztherapie führen. So sind eine Normalisierung des vegetativen Tonus und eine Dämpfung der nervalen Erregbarkeit durch regelmäßige Solebäderanwendung beobachtet worden.

Zusammenfassend kann man sagen, dass Solebäder eine Verbesserung der Hautdurchblutung, eine Umstimmung des vegetativen Nervensystems, eine Erhöhung der Abwehrkräfte, eine Minderung der Anfälligkeit gegen Erkältungen und eine Desensibilisierung gegen Überempfindlichkeitsreaktionen (Allergie/Hyperergie) bewirken.

*Indikationen:* Arthritiden, Arthritis psoriatica, Weichteilrheumatismus, CRPS, Psoriasis, atopische Dermatitis, seborrhoisches Ekzem, Akne.

*Wassertemperatur:* 35–37 (38) °C.

*Badedauer:* 15–20 Minuten, seltener auch bis 30 Minuten.

Solebäder sind kurmäßig zu verabfolgen. Je nach Anweisung gibt man die Bäder täglich oder dreimal wöchentlich. Zu einer Badekur rechnet man 10 bis 12 (18) Bäder.

Nach dem Bade: nicht abspülen und duschen! Der Salzmantel soll auf der Haut erhalten bleiben. Nach einem Solebad sind noch lange die Salzspuren an der

## 5.3 Balneotherapie

Epidermis nachzuweisen! Eine Nachruhe ist nach dem Solebad erforderlich, sie soll mindestens eine halbe Stunde betragen.

*Kontraindikationen:* s. Vollbäder, Seite 179 ff., offene Wunden, nässende Hauterkrankungen.

▶ *Schwefelbad*

Zur Bereitung eines Schwefelbades verwendet man zumeist handelsübliche Badezusätze in der vom Hersteller angegebenen Dosierung. Diese Zusätze enthalten entweder kolloidalen Schwefel, Kalium sulfuratum (sogenannte Schwefelleber = Hepar sulfuris) oder andere im Wasser Schwefel abspaltende Verbindungen.

Unabhängig von diesen Präparaten kann man aber auch auf Kalium sulfuratum, eine Verschmelzung von Schwefel und kohlensaurem Kalium, das man aus der Apotheke bezieht, zurückgreifen. Von dieser Substanz werden für ein Vollbad 100 bis 125 g gerechnet. Die Schwefelleber löst man vorher völlig auf und gießt die so gewonnene Lösung in das fertig temperierte Badewasser. Ein sorgfältiges Auflösen der Substanz ist aus zweierlei Gründen wichtig: erstens verätzen ungelöste Teilchen die Haut und färben sie schwarz, zweitens entwickeln sich, wenn das Präparat oder die Lösung vor dem Einlaufenlassen des Wassers in die Wanne gegeben wird, starke Schwefelwasserstoffdämpfe, die nicht nur Metallteile, z.B. die Armaturen, im Baderaum angreifen, sondern auch wegen ihres Geruchs sehr belästigend sind. Wenn Schwefelbäder laufend durchzuführen sind, setzt man ein bis zwei Tage vorher jeweils eine Lösung von Schwefelleber und Wasser zu gleichen Teilen an. Das Gefäß sollte mit einem Deckel verschlossen sein (wegen des Schwefelgeruches). Vor Benutzung der so gewonnenen Lösung sind die darauf schwimmenden Reste der Substanz abzuschöpfen. Für ein Vollbad verwendet man von der fertigen Lösung 200 bis 250 ccm.

*Wirkungsweise und Indikationen:* Aus den Präparaten erfolgt im Wasser oder durch organische Substanzen der Haut die Freisetzung von Schwefelwasserstoff, der relativ leicht durch die Haut in den Körper aufgenommen wird. Die Resorption ist abhängig von der Konzentration im Badewasser, dem pH-Wert der Haut und dem des Badewassers. Aus einem warmen Vollbad von 30 Minuten Dauer, mit einem Sulfidgehalt von 50 mg/kg werden etwa 1,5 mg Schwefel aufgenommen. Ungleich größer ist die Sulfidmenge, die sich an die Haut anlagert und noch über 24 Stunden lang eine gewisse Nachresorption ermöglicht. Aber auch durch die Inhalation des aus dem Badewasser entweichenden Schwefelwasserstoffs werden zusätzliche Schwefelmengen aufgenommen. Sie sollen die der perkutanen Resorption bis zum 15fachen übertreffen. Dennoch sind die aus dem Bad in den Körper gelangten Schwefelmengen zu gering, um Substitutionseffekte hervorzurufen. Der Schwefel wird im Organismus relativ rasch in großmolekulare Eiweißbausteine eingebaut. Für die Beeinflussung rheumatischer Prozesse durch Schwefelbäder hat man unter anderem die Affinität des resorbierten Schwefels zu verschiedenen enzymatischen Prozessen und die daraus sich ergebenden regulativen Auswirkungen auf den mesenchymalen Stoffwechsel verantwortlich gemacht. Schwefelbäder üben auf die Haut ebenfalls eine lokale chemische Reizwirkung aus, die nicht nur eine Hautrötung hervorruft, sondern die auch eine am Fermentsystem der Haut angreifende Stoffwechselblockierung begünstigt. Deshalb sind Schwefelbäder angezeigt bei Hauterkrankungen (Erkrankungen aus dem seborrhoischen Formenkreis, Furunkulose, Ekzeme, juckende Hauterkrankungen, Juckreiz bei Hämorrhoiden, Pyodermien, Perniones, Mykosen, Urticaria, Hyperhidrosis, Psoriasis vulgaris, Neurodermitis), bei chronisch entzündlichen gynäkologischen Erkrankungen (Adnexitis, Perimetritis, Fluor vaginalis, Pelvipathia), bei Erkrankungen des rheumatischen Formenkreises (RA, M.Bechterew), Arthrosis deformans, degenerative Wirbelsäulenschäden, Folgezustände nach Endoprothesen-Operationen, bei muskulären Schmerzen.

Schwefelbäder werden zumeist in einer Serie zwei- bis dreimal wöchentlich verabfolgt; besonders bei Hautleiden oder rheumatischen Beschwerden tritt der erwünschte anhaltende Erfolg oft erst nach 10 bis 12 Bädern auf. Vor dem Bad sind Ringe oder andere Schmucksachen vom Patienten abzulegen, da sie gegebenenfalls sich verfärben können.

Bei der *Durchführung* des Bades wird dem fertig temperierten Badewasser das Schwefelpräparat zugegeben und verrührt. Das Wasser verfärbt sich entweder milchig-trüb oder gelblich-grün.

*Wassertemperatur:* bei Hautleiden 35–36 °C, bei rheumatischen Beschwerden 37–38 (39) °C.

*Badedauer:* 15–20 Minuten, in besonderen Fällen bis zu 30 Minuten.

## 5.3 Balneotherapie

Nach dem Bade nicht abspülen oder duschen (Nachresorption!). Ausreichende Nachruhe ist erforderlich!
*Kontraindikationen:* s. Vollbäder, Seite 179 ff.

> *Jodbad*

Es wird zweckmäßigerweise mit einem handelsüblichen Präparat in der vom Hersteller angegebenen Dosierung bereitet. Diese Zusätze enthalten überwiegend Kaliumjodid und daneben einen kleineren Anteil elementares Jod. Man kann aber auch allein mit Kaliumjodid (aus der Apotheke) ein Jodbad herstellen; dann rechnet man 50 bis 100g pro Vollbad. Wenn der Patient in das Bad gestiegen ist, wird die Wanne wegen der entweichenden Joddämpfe abgedeckt, eine Inhalation der Dämpfe durch den Badenden dadurch verhindert.

*Wirkungsweise und Indikationen:* Die Jodresorption aus dem Bad durch die Haut ist im Vergleich zum täglichen Stoffumsatz im Körper relativ gering. Es kommt allerdings nach dem Bad zu einer deutlichen Nachresorption des in die Hautschichten eingelagerten Jods. Darüber hinaus wird auch ein Teil des leicht flüchtigen elementaren Jods vom Badenden durch Inhalation aufgenommen. Elementares Jod durchdringt rascher als Jodid die Haut, doch sind sowohl das elementare Jod, als auch das Jodid im Organismus letztlich wirkungsgleich, da sie leicht ineinander umgewandelt werden.

Besonders das elementare Jod entfaltet eine Reizwirkung und steigert die periphere Durchblutung. Jodid wirkt quellend auf Kolloide und Gewebe und wird deshalb eingesetzt zur Erweichung chronisch entzündlicher und narbiger Gewebe, auch des Bewegungsapparates. Bei der großen Affinität des Jods zur Schilddrüse wird ein beträchtlicher Anteil des in den Körper aufgenommenen Jods in der Schilddrüse gebunden und in die Hormonproduktion einbezogen. Eine Substitutionsbehandlung mit Jodbädern bei Jodmangel scheitert aber an der nicht exakt bestimmbaren Resorptionsmenge. Jodbäder führen zu einer Kreislaufumstellung mit Entspannung des arteriellen Systems und Blutdrucksenkung. Jodwirkungen auf den Lipidstoffwechsel und auf arteriosklerotische Veränderungen werden diskutiert. Die Heilanzeigen basieren auf diesen Erkenntnissen und umfassen: Furunkulose und andere eitrige Erkrankungen der Haut, Arteriosklerose und ihre Folgen, wie Bluthochdruck, Arthrosen und andere degenerative Veränderungen, wie Osteochondrose, Neuralgien.

*Wassertemperatur:* 35–36 °C, bei Arthrosen und Osteochondrosen auch 37 bis 38 °C.
*Badedauer:* 10–20 Minuten.
Nach dem Bad soll der Baderaum gründlich gelüftet werden. Der Patient hält ausreichende Nachruhe.
*Kontraindikationen:* Jodüberempfindlichkeit, manifeste Hyperthyreose, hochgradige Koronarinsuffizienz, Hypertonie Stadium IV (WHO), Herzinsuffizienz Stadium III und IV (NYHA), fieberhafte Infekte.

### ▶ Bromhaltige Bäder

*Wirkungsweise und Indikationen:* Bromhaltige Bäder können dämpfend auf das gesamte Nervensystem wirken. Deshalb finden bromhaltige Bäder Anwendung bei Schlafstörungen und nervöser Übererregbarkeit. Klinische Studien für die Wirksamkeit von Bromid als Badezusatz liegen nicht vor. Es existieren keine medizinisch anerkannte Indikationen. Brom wurde lange Zeit systemisch als Sedativum eingesetzt, eine solche Wirkung als Badezusatz ist nicht belegt.
*Badetemperatur:* 34–35 (36) °C
*Badedauer:* 15–20 Minuten.
Nach dem Bade soll der Patient Nachruhe einhalten. Bei Schlafstörungen wird das Bad abends vor dem Zubettgehen genommen. Gegebenenfalls ist die Wiedererwärmung des Patienten zu unterstützen, etwa mit einer Wärmflasche.
*Kontraindikationen:* s. Vollbäder, Seite 179 ff.

### ▶ Kohlensäurebad

Man kann ein Kohlensäurebad auf zweierlei Weise zubereiten, entweder auf chemischem oder auf mechanischem Wege.
Bei der *chemischen Zubereitung* verwendet man doppeltkohlensaures Natrium (Natriumhydrogenkarbonat = Kohlensäureträger) und ein anderes Salz (z.B. Aluminiumsulfat = Kohlensäureentwickler), das in Verbindung mit dem Natriumhydrogenkarbonat aus diesem $CO_2$-Gas entwickeln kann. Im Moment der Bildung dieses Gases (in statu nascendi) kann sich das Gas relativ gut mit Wasser verbinden, beziehungsweise im Wasser physikalisch gelöst bleiben. Die Zubereitung erfolgt zumeist mit handelsüblichen Fabrikaten, die man nach beiliegender Gebrauchsanweisung einsetzt.

## 5.3 Balneotherapie

Zunächst wird der Kohlensäureträger ins bereits fertig temperierte Badewasser gegeben und gut umgerührt. Dann lässt man den Patienten in das Bad steigen und gibt den Kohlensäureentwickler gleichmäßig verteilt ins Wasser. Dabei sollte möglichst ein direkter Hautkontakt mit diesen Salzstücken vermieden werden. Die Kohlensäuregas-Entwicklung setzt sofort ein. Die meisten Präparate sind so eingestellt, dass etwa 120 l Gas freigesetzt werden, von denen sich der größte Teil im Badewasser löst; nur ein geringer Teil entweicht und bleibt, da das $CO_2$-Gas schwerer als Luft ist, als unsichtbare Schicht über dem Wasserspiegel. Das Gas darf nicht eingeatmet werden. Deshalb ist auf eine entsprechende Lagerung des Patienten in der Wanne zu achten: Das Gesicht soll höher als der Wannenrand oder der Überlaufstutzen der Wanne gehalten werden. Das $CO_2$-Gas fließt über den Wannenrand hinab auf den Fußboden. In diesem Zusammenhang empfiehlt sich die Teilabdeckung der Wanne mit einer Plexiglasscheibe, die im Halsbereich entsprechend ausgeschnitten ist. Sie gewährleistet, dass das Gesicht des Patienten sich oberhalb des Wannenrandes befindet und kein Kohlendioxidgas eingeatmet werden kann.

Die *mechanische Zubereitung* erfolgt mit Hilfe einer besonderen Imprägnier-Apparatur, in welche das kalte Wasser unter einem Überdruck von etwa 3 bar mit gasförmiger Kohlensäure aus einer Stahlflasche gesättigt wird, bevor man es dem in der Wanne befindlichen warmen Wasser beimischt *(Abb. 5.30)*. Zweckmäßigerweise füllt man die Wanne etwa ein Drittel mit heißem Wasser und gibt dann den Schlauch, über den das $CO_2$-imprägnierte Wasser zufließt, auf den Wannenboden. Hat man die Wanne bis zum Vollbad mit dem kalten Kohlensäurewasser aufgefüllt, so bedarf es gewöhnlich nur noch der Zugabe einer geringen Menge von Leitungswasser, um die gewünschte Badetemperatur einzustellen. Dabei ist besonders darauf zu achten, dass möglichst nicht,

**Abb. 5.30** Kohlensäure-Imprägnierapparat (Foto: Trautwein GmbH, Emmendingen).

oder wenn, dann nur langsam und schonend umgerührt wird, um ein Entweichen des $CO_2$-Gases zu vermeiden. Die im Imprägnierverfahren hergestellten Kohlensäurebäder zeichnen sich vor allem durch eine feine Bläschenentwicklung aus. Das Badewasser sollte mindestens 1000 mg freies $CO_2$/kg Wasser enthalten. Imprägnierapparaturen bewähren sich besonders dann, wenn stets eine größere Zahl von Kohlensäurebädern verabfolgt werden muss.

*Wirkungsweise und Indikationen:* Über die Diffusion des physikalisch gelösten $CO_2$-Gases aus dem Badewasser in die Haut werden die charakteristischen Primärwirkungen des Kohlensäurebades ausgelöst: schon nach etwa einer Minute beginnend tritt zunehmend eine hellrote Hautfärbung auf, die nach drei bis fünf Minuten ihre stärkste Ausprägung erreicht hat und die streng auf die gebadeten Partien begrenzt ist. Sie ist Ausdruck einer lokal-chemisch ausgelösten Durchblutungssteigerung in der Körperdecke.

Bei kapillarmikroskopischen Untersuchungen ließ sich erkennen, dass im Kohlensäurebad die Zahl der durchbluteten Kapillaren zunimmt, wobei Form und Länge der einzelnen Gefäßschlingen unverändert bleiben. Die Strömungsgeschwindigkeit steigt an. Das ist besonders auf die Weitstellung der den Kapillaren vorgeschalteten Arteriolen und kleinsten Arterien zurückzuführen. Experimentelle Beobachtungen sprechen dafür, dass diese vasoaktive Reaktion nicht durch Gewebshormone, wie Histamin, Acetylcholin oder Serotonin, sondern direkt durch das perkutan resorbierte $CO_2$-Gas bewirkt wird, indem dieses den Tonus der glatten Muskulatur der terminalen und präterminalen Arteriolen herabsetzt, die Vasomotion der Hautgefäße aber dosisabhängig stimuliert. Die sich daraus ergebende Allgemeinwirkung zeigt sich insbesondere im regelmäßigen Absinken des arteriellen und diastolischen Blutdrucks im Kohlensäurebad. Die Muskeldurchblutung scheint in diesem Bad keine Beeinflussung zu erfahren. Die verstärkte Hautdurchblutung, sie wird mit einer Autotransfusion in die Körperperipherie verglichen, verändert letztlich auch die Druckarbeit des Herzens zugunsten einer ökonomisch günstigeren Arbeitsweise; das Herz arbeitet während des Bades im Schongang, die Herzfrequenz sinkt ab. Man nimmt an, dass diese Bradykardie durch eine Abkühlung des die Erregung des Herzens steuernden Sinusknotens infolge absinkender Bluttemperatur bedingt wird. Tatsächlich kommt es nämlich im thermoindifferenten Kohlensäurebad zu einer gewissen Auskühlung des Körpers.

## 5.3 Balneotherapie

Neben einer $CO_2$-Wirkung auf andere Hautrezeptoren (so nimmt im Kohlensäurebad die Juck- und Schmerzempfindlichkeit ab), imponiert besonders der Einfluss auf die Thermorezeptoren der Körperdecke. Die Indifferenzzone wird dadurch um etwa 2 °C nach unten verschoben, so dass die Empfindlichkeit der Kaltrezeptoren reduziert, die der Warmrezeptoren aber gesteigert wird. Deshalb können Kohlensäurebäder nicht nur – ohne, dass ein Kältegefühl auftritt – bei thermoindifferenter Temperatur, sondern auch noch darunter, bis ca. 31 °C genommen werden. Damit ist eine, gerade bei leichter Herz-Kreislauf-Schwäche oftmals ungünstig wirkende Wärmebelastung des Körpers von vornherein auszuschließen.

Ein gewisser zentral sedierender Effekt wird den Kohlensäurebädern ebenfalls zugeschrieben.

Die $CO_2$-Resorption erfolgt direkt aus dem Badewasser und nicht aus den sich alsbald nach dem Eintauchen ins Bad, beziehungsweise nach Zugabe des $CO_2$-Entwicklers auf der Haut bildenden zahlreichen Gasbläschen, die sich im steten Wechsel lösen, zur Wasseroberfläche emporsteigen und durch neue, auf der Haut sich ausbildende ersetzt werden.

*Indikationen*: arterielle Hypertonie, funktionelle arterielle Durchblutungsstörungen, Mikrozirkulationsstörungen der Haut, trophisch bedingte Ulzera der Haut, neurovegetativ und psychosomatisch bedingte Herz-Kreislauf-Störungen, chronisch venöse Insuffizienz, unterstützend bei Erkrankungen des rheumatischen Formenkreises, PNP, CRPS (M.Sudeck).

*Wassertemperatur:* Sie ist je nach Indikation und Belastungsfähigkeit des Patienten variabel anzusetzen, z.B. bei kardialen Erkrankungen 30–35 °C, bei Venenleiden 28–30 °C und bei Rheuma sogar 36–38 °C. Oberhalb einer Temperatur von 36 °C kommt es allerdings zu einer zunehmenden Entmischung von $CO_2$ und Wasser und zu einem verstärkten Entweichen des Gases.

*Badedauer:* Bei Herz-Kreislauf-Kranken sollte sie anfangs acht Minuten nicht übersteigen, doch kann sie im weiteren Verlauf der Bäderserie auf 10 bis 15 Minuten ausgedehnt werden. Bei schlecht heilenden Wunden oder bei Venenleiden – normale Herz-Kreislauf-Verhältnisse vorausgesetzt – kann die Badedauer gleich auf 15 Minuten angesetzt und bis zu 30 Minuten ausgedehnt werden. Ein ähnliches Vorgehen ist bei der unterstützenden Behandlung bei rheumatischen Beschwerden angebracht.

Da die Belastungsfähigkeit des Herzens für die Form, Temperatur und Dauer des Bades von ausschlaggebender Bedeutung ist, prüft man vor dem ersten Kohlensäurebad, ob der Patient überhaupt ein gewöhnliches, indifferentes Vollbad verträgt. Sind gewisse Zweifel angebracht, beginnt man stets mit Halb- oder Dreiviertelbädern von etwa 35 °C und geht dann, wenn die entsprechende Verträglichkeit sichergestellt ist, auf Vollbäder und niedrigere Temperaturen über. Ist eine besonders vorsichtige Dosierung angeraten, so verlängert man bei Halb- bzw. Dreiviertelbädern zunächst die Badezeit von fünf auf 10 oder 15 Minuten und geht erst dann auf Vollbäder über, allerdings anfänglich wieder nur mit einer Badedauer von ca. fünf Minuten beginnend. Der Kranke soll sich im Bad unbedingt ruhig verhalten, um eine Entmischung von $CO_2$-Gas und Wasser so gering wie möglich zu halten. Nach dem Bade soll der Körper abgeduscht werden. Nachruhe ist unbedingt einzuhalten! Der Baderaum ist nach jedem Kohlensäurebad ausreichend zu lüften!

*Kontraindikationen:* s. Vollbäder, Seite 179 ff., nässende großflächige Ekzeme, respiratorische Insuffizienz, frischer Herzinfarkt, trockene Gangrän.

> *Sauerstoffbad*

Dieses Bad kann sowohl auf chemischem als auch auf mechanischem Wege bereitet werden.

Die *chemische Zubereitung* eines Sauerstoffbades erfolgt mit zwei verschiedenen Chemikalien. Zunächst gibt man in das einlaufende Badewasser den sogenannten Sauerstoffentwickler einer handelsüblichen Packung. Dieser Sauerstoffentwickler enthält als Katalysator entweder anorganische Metallverbindungen oder organische Extrakte. Nachdem der Patient die Wanne bestiegen hat, wird der Sauerstoffträger dem Wasser zugegeben und gut verrührt. Dieser Sauerstoffträger besteht aus einer sauerstofffreien Peroxydverbindung, aus der durch den Entwickler Sauerstoff in sehr feinblasiger Form freigesetzt wird. Der Sauerstoff löst sich aber – im Gegensatz zur Kohlensäure – nur in äußerst geringer Menge im Wasser. Die Gasblasen steigen zur Wasseroberfläche auf, die Gasentwicklung ist lange nicht so stürmisch wie bei der chemischen Bereitung eines Kohlensäurebades. Im Handel gibt es eine ganze Reihe von Fertigfabrikaten, deren Inhalt pro Packung auf ein Vollbad berechnet ist und der gewöhnlich etwa 12 l Sauerstoffgas entwickelt.

Weitaus lebhafter ist die Blasenbildung bei der *mechanischen Bereitung* von Sauerstoffbädern. Dabei wird der Sauerstoff aus einer Stahlflasche durch einen am Boden der Wanne liegenden Verteilerrost geleitet. Auch bei diesem Vorgehen ist eine Lösung des Sauerstoffs im Badewedium von ganz untergeordneter Bedeutung. Die dem Verteilerrost entströmenden Blasen berühren die Körperdecke des Badenden, perlen an ihr entlang, üben einen milden taktilen Reiz aus und steigen zur Wasseroberfläche auf, wo sich das Gas der Außenluft beimengt. Das Sauerstoffgas muss während der ganzen Badedauer über den Verteilerrost zugeleitet werden.

*Wirkungsweise und Indikationen:* Bei dieser Anwendung muss davon ausgegangen werden, dass Sauerstoff zwar die Haut – wenn auch sehr viel geringer als Kohlendioxid – zu durchdringen vermag, dass die mögliche Resorption dieses Gases aus dem Badewasser aber in der Haut keine erkennbaren Reaktionen auslöst: Wir beobachten weder eine Hautrötung, noch spürt der Badende eine Änderung seines Temperaturempfindens. Sauerstoff löst sich nur in ganz geringem Maße im Wasser, so dass die Möglichkeit einer Sauerstoffresorption aus dem Bademedium in messbarem Ausmaß kaum zu erwarten ist. Das Wesentliche eines Sauerstoffbades ist das prickelnde Empfinden durch die an die Haut anstoßenden, sich von ihr wieder lösenden und an ihr vorbei streichenden und zur Wasseroberfläche aufsteigenden Gasbläschen. Der milde taktile Reiz dieser Gasbläschen auf die Berührungsrezeptoren der Körperdecke soll nicht ohne Auswirkung auf das vegetative Nervensystem sein und eine allgemeine nervliche Entspannung bewirken. Deshalb wird das Sauerstoffbad als Adjuvans empfohlen bei nervösen Erregungszuständen, Schlafstörungen, geringem Bluthochdruck.

*Wassertemperatur:* 35–36 °C.

*Badedauer:* 15–20 Minuten. Nach dem Bad soll der Patient sich abduschen und Nachruhe einhalten.

*Kontraindikationen:* Da die Sauerstoffbäder den Organismus kaum belasten, sind sie nur in solchen Fällen zu unterlassen, in denen Bäder ganz allgemein wegen der Temperaturbelastung oder der Auswirkungen des hydrostatischen Druckes nicht durchgeführt werden können, etwa bei Dekompensation des Herz-Kreislauf-Systems oder bei fieberhaften Infekten.

## Kapitel 5 Hydro- und Balneotherapie in der Praxis

> *Luftsprudelbad*

Diese Anwendung wäre eigentlich bei den Bädern mit thermischer und mechanischer Wirkung zu besprechen, doch erscheint die Abhandlung an dieser Stelle aus didaktischen Gründen in Verbindung mit dem Sauerstoffbad sinnvoll.

Das Luftsprudelbad wird ähnlich wie das mechanisch bereitete Sauerstoffbad durchgeführt, nur dass bei ihm die wesentlich billigere atmosphärische Luft mittels eines Kompressors (oder aus der Gasflasche) durch eine am Wannenboden liegende Luftsprudelmatte gepresst wird *(Abb. 5.31)*.

*Wirkungsweise und Indikationen:* Bei den handelsüblichen Geräten ist der Druck des Kompressors variabel einzustellen, so dass je nach Indikation und Konstitution des Patienten milde oder kräftige Reize durch die den Körper des Badenden treffenden Luftbläschen ausgelöst werden.

Lässt man beispielsweise über die Luftsprudelmatte 250 l erwärmte Luft pro Minute in das Bad einströmen, so wird das Wasser durch diese intensive Begasung in eine „kochende Bewegung" versetzt. Tausende von Luftbläschen streichen pro Sekunde an der Körperdecke entlang, halten die Sinneshaare in ständiger Bewegung

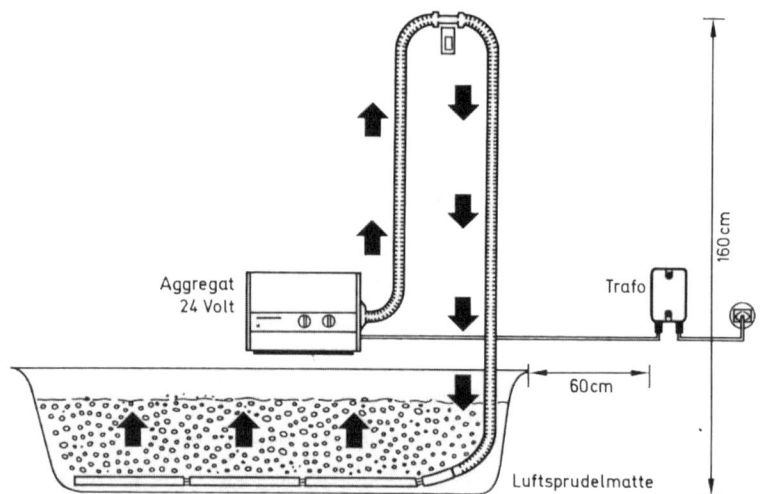

**Abb. 5.31** Beispiel für eine transportable Luftsprudeleinrichtung. Das Aggregat kann an eine normale Steckdose angeschlossen werden. Es arbeitet mit Niederspannung. Der Transformator befindet sich aus Sicherheitsgründen außerhalb der Reichweite des Badenden (Foto: Trautwein GmbH, Emmendingen).

und bewirken eine Dauererregung der Mechanorezeptoren. Daraus resultiert eine Pegeländerung vegetativer Regelgrößen, die sich nicht nur auf die Umstellung der Gesamt-Kreislauf-Regulation auswirkt, sondern ebenfalls im vagotonen Sinne auch Einfluss auf den Muskeltonus nimmt und allgemein entspannend wirkt. Darüber hinaus erzeugen die durch die Poren der Luftsprudelmatte ins Wasser gepressten Luftbläschen durch ihr diskontinuierliches Auftreten, durch ihr Aufsteigen, Konfluieren und Zerplatzen an der Wasseroberfläche eine heftige Verwirbelung des Wassers. Dadurch werden Druck- und Zugeffekte auf die im Wasser befindlichen Körperabschnitte ausgeübt im Sinne einer Vibration beziehungsweise Schüttelung. Diese Wirkung ist am Badenden deutlich sichtbar und auch tastbar. Weiterhin entsteht durch kräftige Begasung des Wassers ein fortgeleiteter Schwingschall, der den Körper durchdringt. Dass die erwähnten Druckschwankungen nicht nur auf die Körperdecke beschränkt bleiben, sondern sogar intraabdominell noch nachweisbar sind, konnte experimentell belegt werden. Die großflächige und zeitlich extendierte Schüttelung im Luftsprudelbad ist durchaus einer apparativen Massage vergleichbar und therapeutisch über die thermischen Effekte eines solchen Bades hinaus nutzbar. Die infolge der Sprudelwirkung verstärkte Konvektion ermöglicht einen intensiveren Temperaturaustausch zwischen Körperdecke und Bademedium als im einfachen Wannenbad. Dementsprechend kühlt der Körper im kalten Luftsprudelbad rascher aus, während sich die Körperkerntemperatur im heißen Luftsprudelbad deutlich rascher erhöht als im normalen Wasserbad jeweils gleicher Temperatur. Auch die Durchblutung der Haut nimmt im heißen Luftsprudelbad stärker zu als im heißen Wasserbad.

Luftsprudelbäder werden gern als „Inhalationsbad" genutzt. Gibt man dem Bad ätherische Öle zu, so weist die Einatmungsluft über einem Luftsprudelbad eine 30 bis 50mal höhere Konzentration dieser ätherischen Öle auf, als über einem Wasserbad. Der günstige therapeutische Effekt verschiedener ätherischer Öle (z.B. Thymian) auf Affektionen des Bronchialsystems ist bekannt. Will man zusätzlich noch die Gefäßwirkung verstärken, so kann man dem Badewasser Fichtennadel-, Heublumen- oder Kräuterextrakte zugeben. Die beruhigende Wirkung eines Luftsprudelbades lässt sich durch Hopfen- oder Baldrianzusätze steigern.

Über die Beeinflussung der vegetativen Regulation führen Luftsprudelbäder bei Blutdruckveränderungen zu einer gewissen Normalisierung. Sie sind sowohl bei

Blutunterdruck, als auch bei leichteren Formen des Bluthochdrucks serienmäßig einzusetzen. Weiterhin sind diese Bäder zu empfehlen bei muskulären Überbelastungsbeschwerden, Wirbelsäulensyndromen, nervöser Übererregbarkeit und bei Schlafstörungen.

*Wassertemperatur:* Gewöhnlich 35–36 °C, bei Erfordernis auch höher.
*Badedauer:* im Mittel 20 Minuten.
Nachruhe im Anschluss an das Bad ist erforderlich.
*Kontraindikationen:* siehe Vollbäder, Seite 179 ff.

Nicht selten wird der Begriff Luftperlbad fälschlicherweise synonym für Luftsprudelbad verwendet. Beim Luftperlbad jedoch ist der Luftdurchsatz sehr viel geringer. So kann man davon ausgehen, dass beim Luftperlbad nur etwa 10 l pro Minute durch einen Spezialrost ins Badewasser abgegeben werden.

Eine nennenswerte Verwirbelung des Wassers tritt dabei ebenso wenig auf, wie messbare oder sichtbare Druckschwankungen am oder im Körper des Badenden, auch keine anderen mechanischen Beeinflussungen im Sinne von Vibrationen oder Schüttelungen. Das Luftperlbad ist in seiner Wirkung beschränkt auf die Erregung oberflächlicher taktiler Hautsinnesorgane.

### ▸ Schaumbad

Das Schaumbad ist ein kreislaufschonendes Schwitzbad und wird mit der gleichen Apparatur hergestellt, die man auch für die Bereitung von Luftsprudelbädern einsetzt.

*Durchführung:* Man füllt die Wanne etwa 10 bis 15 cm hoch mit Wasser von 40 bis 42 °C, so dass dem später einsteigenden Patienten kaum die Oberschenkel bedeckt sind. Durch diese geringe Wassermenge kommt der hydrostatische Druck praktisch in Fortfall. Nachdem das Wasser die vorgesehene Höhe in der Wanne erreicht hat, gibt man einen Schaumbildner in das Bad. Dann legt man den Verteilerrost in die Wanne und schaltet den Kompressor ein. In kurzer Zeit entwickelt sich ein fester Schaum, der bald die Wanne bis zum Rande füllt. Erst jetzt steigt der Patient vorsichtig ins Bad. Bei genügender Schaumentwicklung reicht ihm dann dieser Schaum bis zum Hals. Sollten noch Partien von Brust, Schultern oder Armen aus dem Schaum herausragen, sind diese Teile sorgfältig mit Schaum abzudecken.

Der Schaum nimmt eine durchschnittliche Temperatur von ca. 35 °C an, wobei allerdings zu bedenken ist, dass die Temperatur dicht über dem heißen Wasser höher und zum Wannenrand hin niedriger sein wird als 35 °C.

*Wirkungsweise und Indikationen:* Das heiße Wasser, welches dem Patienten praktisch nur die Beine bedeckt, heizt die Körpertemperatur langsam auf. Der kühlere Schaum bewirkt nur eine relative und geringe Abkühlung des Oberkörpers, verhütet aber zugleich, dass durch einen möglichen Luftzug der Körper einen Wärmeverlust erleidet. Während der Badedauer steigt demzufolge die Körpertemperatur langsam an, und die Gefäße im Bereich des Oberkörpers bleiben dennoch tonisiert. Auf dieser Tonisierung und auf dem Fortfall des hydrostatischen Drucks beruht hauptsächlich die kreislaufschonende Wirkung des Schaumbades.

*Badedauer:* 15–20 Minuten.

*Nach dem Bad:* Schaum abstreifen. Möglichst eine Stunde Nachruhe. Der Schaum lässt sich leichter aus der Wanne entfernen, wenn man etwas Seifenlösung darüber träufelt oder ihn mit der Handbrause aus der Wanne spült.

*Kontraindikationen:* siehe Vollbäder, Seite 179 ff.

> ▶ *Moorextrakt-/Moorlaugenbad*

Die Durchführung von natürlichen Moor- oder Schlammbädern setzt nicht nur entsprechende Einrichtungen voraus, sondern bereitet besonders dann, wenn sie entfernt von den natürlichen Moor- oder Schlammlagerstätten abgegeben werden sollen, erhebliche Probleme. Insbesondere ist der Transport der nassen Peloide sehr kostenintensiv, die Beseitigung der abgebadeten Substanzen nicht minder, außerdem werden an die Lagerung in größerem Umfang besondere Anforderungen gestellt, insbesondere damit das Material nicht austrocknet, was die spätere Verwendung einschränken würde. Aus diesen Gründen hat man versucht, Ersatzlösungen für natürliche Moorbäder zu schaffen, welche zugleich auch einen Großteil der löslichen Bestandteile des Torfes, vor allem Huminsäuren, enthalten.

Die Bezeichnung dieser handelsüblichen Zusätze, die in flüssiger oder pastöser Form erhältlich sind, rührt daher, dass die Huminsäuren oder andere als wirksam angesehene Substanzen des Moores unter anderem über Laugen extrahiert werden.

Die fertigen Präparate, die in der vom Hersteller angegebenen Menge eingesetzt werden, sollen lt. Leistungsbeschreibung für physikalische Heilbehandlungen mindestens 8 g Huminsäuren pro Vollbad enthalten. Moorextrakt – beziehungsweise Moorlaugenbäder – sind aber nicht mit natürlichen breiförmigen Moorbädern (für welche gewöhnlich 70 bis 100 kg gemahlener Naturtorf verwendet werden) gleichzusetzen, weil ihnen der mechanische Faktor und besonders das typische Temperaturverhalten des Breibades fehlen, welche den natürlichen Moorbädern aufgrund ihrer Konsistenz eigen sind. Insofern sind Moorlaugen- beziehungsweise Moorextraktbäder vergleichbar mit anderen medizinischen Zusatzbädern.

*Wirkungsweise und Indikationen:* Die alkalilöslichen Huminsäuren sind Produkte der Vertorfung. Sie bedingen die braun-schwarze Farbe des Moores. Die Huminsäuren liegen im Torf als hochgequollene Gele vor und tragen wesentlich zur Wasserkapazität und Konsistenz des Peloids bei. Die großmolekularen Huminsäuren vermögen die Haut nicht zu durchdringen. Sie wirken jedoch – zusammen mit anderen im Moorbrei enthaltenen Gerbstoffen – adstringierend auf die Haut, indem sie die Entquellung fördern. Diese Wirkung beeinflusst auch die Permeabilität insgesamt. In Analogie zu den natürlichen Moorbädern werden Moorextrakt- beziehungsweise Moorlaugenbäder empfohlen bei rheumatischen Erkrankungen, wie Arthrosen, Osteochondrosen, bei Myalgien, Überlastungssyndromen, bei Frauenleiden, insbesondere akut entzündlichen Erkrankungen der Beckenorgane.

*Wassertemperatur:* 37–38 °C. Gelegentlich wird, um den thermischen Reiz des Bades zu erhöhen, die Anwendung auch ähnlich einem temperaturansteigenden Vollbad (s. S. 129), etwa von 35 bis auf 40 °C ansteigend, durchgeführt.

*Badedauer:* ca. 20 Minuten, vereinzelt auch bis zu 30 Minuten. Im Anschluss an das Bad Nachruhe einhalten.

*Kontraindikationen:* s. Vollbäder, Seite 179 ff., besonders aber akuter Schub eines chronischen Gelenkrheumatismus, aktivierte Arthrose, akute Adnexitis.

> *Salizylmoorbad*

Bäder dieser Gattung wurden in gewissem Sinne als Ersatz für natürliche Moorbäder entwickelt. Bei ihnen werden Huminsäuren mit Salizylsäureverbindungen gemischt. Vorstufen der Salizylsäure wurden früher aus der Rinde von

Weiden (Salix alba) gewonnen und als Schmerz- beziehungsweise Rheumamittel in der Volksmedizin verwendet. Deshalb lag es nahe, diesen Stoff oder verwandte Verbindungen den zur Behandlung rheumatischer Beschwerden eingesetzten Moorinhaltsstoffen zuzugeben.

*Wirkungsweise und Indikationen:* Salizylmoorbäder wirken sehr anstrengend, so dass es bereits während des Bades zu einem starken Schweißausbruch kommt, der auch nach dem Bad gewöhnlich eine längere Zeit anhält. Er ist Ausdruck der Resorption eines Teiles der Salizylsäureverbindungen aus dem Badewasser, denn auch oral aufgenommene Salizylsäurepräparate haben eine ähnliche schweißtreibende Wirkung. Es ist experimentell bestätigt, dass Salizylsäure in ausreichender Dosis perkutan resorbiert werden kann. Salizylsäure beziehungsweise deren Verbindungen lassen sich auch trotz mehrmaligen Waschens noch Stunden nach dem Bad auf der Haut nachweisen, so dass eine längere Nachresorptionsphase – damit verbunden eine zeitlich ausgedehnte schmerzlindernde Wirkung – angenommen werden darf. Salizylsäure steigert die Nebennierenrindenfunktion und zwar nicht unmittelbar, sondern durch vermehrte ACTH-Ausschüttung. Der günstige Einfluss von Nebennierenrindenhormonen auf rheumatische Prozesse ist bekannt und wird auch medikamentös in vielen Fällen ausgenutzt. Der Huminsäureanteil des Badezusatzes erhöht die Resorptionsquote der Salizylate.

Bei extremen Härtegraden des Badewassers kann es allerdings zu chemischen Reaktionen zwischen den Salizylsäureverbindungen und dem Kalkanteil des Wassers kommen. Dabei entstehen unlösliche, nicht resorbierbare Substanzen, wodurch der Badezusatz wirkungslos werden kann. Eingesetzt werden Salizylmoorbäder bei rheumatischen Erkrankungen einschließlich Wurzelreizsyndromen, bei Neuralgien, Ischias, gynäkologischen Erkrankungen, insbesondere chronischer Adnexitis.

*Wassertemperatur:* Gewöhnlich 37–38 °C, lediglich bei neuralgischen Schmerzen kann es günstig sein, zunächst mit Temperaturen von 35–36 °C zu beginnen.

*Badedauer:* 20 Minuten.

Nach dem Bad wird der Patient – wenn nicht anders verordnet – nur locker eingepackt, damit die Schweißneigung während der mindestens dreißigminütigen Nachruhe abklingen kann.

*Kontraindikationen:* Wie bei Moorextrakt-/Moorlaugenbädern (s. S. 213).

### Bäder mit pflanzlichen Zusätzen

Die ursprünglich umfangreiche Palette der Badeextrakte wurde in den letzten Jahrzehnten mehr und mehr dort, wo es möglich war, weil die Rohstoffe auch verwertbare Mengen ätherischer Öle enthalten, durch entsprechende Ölbäder eingeschränkt, wobei die Indikationen der Badeextrakte weitgehend auch für die Ölbäder übernommen wurden.

Bei Vollbädern mit pflanzlichen Zusätzen gelten die allgemeinen Kontraindikationen. Weiterhin sind Vollbäder zumeist nicht angezeigt bei großflächigen nässenden Ekzemen, Zusätze mit ätherischen Ölen dort, wo eine Überempfindlichkeit gegenüber diesen Stoffen besteht. Nach Vollbädern ist in jedem Falle eine Nachruhe erforderlich.

▸ *Fichtennadelextrakt (Fichtennadelbadeöl)*
(verwandt: Tannennadel, Latschenkiefer)
Fichtennadelextrakt ist ein konzentrierter wässriger Auszug aus kleinen nadelbesetzten Zweigen von Fichten und Tannen. Er enthält einen geringen Anteil ätherischer Koniferennadelöle und zwischen 10 und 15% Gerbstoffe. Fichtennadelbadeöl, auch als Fichtennadelbademilch im Handel, ist als 20 bis 30%ige Lösung erhältlich.

*Wirkungsweise und Indikationen:* Die eingesetzten Badezusätze üben einen milden Hautreiz aus, fördern die Hautdurchblutung und wirken leicht sedierend. Sowohl Fichtennadelextrakt als auch Fichtennadelölbäder werden bei Nervosität, Erschöpfungszuständen, klimakterischen Beschwerden, Schlaflosigkeit, unterstützend bei rheumatischen Beschwerden eingesetzt. Bei nervösen Beschwerden, Schlaflosigkeit, aber auch bei Bronchitis, wird das Fichtennadelölbad gern mit einem Luftsprudelbad kombiniert angewendet. Die Wirkung wird dadurch noch erhöht.

*Durchführung:* Die handelsüblichen Präparate werden nach Angaben des Herstellers dem fertig temperierten Wasser beigegeben. Von Extrakten werden im Mittel 100–200 g, von den ätherischen Ölen 20–30 ml für ein Vollbad benötigt.

*Wassertemperatur:* bei nervösen Störungen 35 (36) °C, bei rheumatischen Beschwerden 37 (38) °C.

*Badedauer:* im Mittel 20 Minuten.

## 5.3 Balneotherapie

▶ *Fichtenrindenextrakt*
Er wird aus den Rinden mindestens vierzigjähriger Fichten hergestellt und soll einen Gerbstoffgehalt von mehr als 25% besitzen.
*Wirkungsweise und Indikationen:* Der durch die Extraktstoffe ausgelöste Hautreiz wirkt lindernd bei rheumatischen, aber auch bei nicht zu ausgeprägten arthrotischen Beschwerden. Es werden etwa 150 g des Handelspräparates in ein Vollbad gegeben.
*Wassertemperatur:* 37 (bis 40) °C.
*Badedauer:* 20 Minuten.

▶ *Eichenrindenextrakt*
Gewonnen als konzentrierter wässriger Auszug aus der Rinde junger Eichenstämme. Er enthält mindestens 25% Gerbstoffe.
*Wirkungsweise und Indikationen:* Die Gerbstoffe bewirken eine Minderung der Sekretion bei nässenden Hautveränderungen. Sie sind zugleich auch juckreizstillend und antiseptisch. Weiche, empfindliche Haut wird gefestigt. Der adstringierende Effekt des Extraktes wird bei Teil- und Vollbädern ausgenutzt zur Behandlung von chronischen, insbesondere nässenden Ekzemen, Verbrennungswunden, Ulcus cruris, Analfissuren, Hyperhidrosis, Windeldermatitis, Afterekzemen und Hämorrhoiden.
Für ein Vollbad benötigt man etwa 150 g des Handelspräparates, für ein Sitzbad 50 g, für Hand- oder Fußbäder jeweils 10 g.
*Wassertemperatur:* 32–35 °C.
*Badedauer:* 10–20 Minuten.

▶ *Heublumenextrakt*
Grundlage ist artenreiches Heu aus dem Mittelgebirge und Alpenvorland.
*Wirkungsweise und Indikationen:* Auf rein empirischer Basis wird der Extrakt seit Jahrzehnten unterstützend bei der Behandlung von Neuralgien, besonders bei Ischias und bei rheumatischen Beschwerden eingesetzt. Man gibt 150 g eines Fertigextraktes auf ein Vollbad.
*Wassertemperatur:* je nach Akuität der Beschwerden entweder 35–36 °C oder bei abklingenden Schmerzen gegebenenfalls auch 37–38 °C.
*Badedauer:* etwa 20 Minuten.

➤ *Schachtelhalmextrakt (Zinnkrautextrakt)*
Der Auszug aus den oberirdischen Teilen des Schachtelhalmes ist reich an Kieselsäure.
*Wirkungsweise und Indikationen:* Der Kieselsäure wird eine granulationsfördernde Wirkung bei Hautdefekten beigemessen. Deshalb werden Bäder mit Schachtelhalmextrakt unterstützend angewandt bei tiefen, besonders schlecht heilenden Wunden, nach Verbrennungen, bei Ulcus cruris und Dekubitus. Für ein Vollbad gibt man 150 g Extrakt in die Wanne, zur Bereitung eines Sitzbades werden ca. 50 g benötigt.
*Wassertemperatur:* 35–36 °C.
*Badedauer:* 15–30 Minuten.

➤ *Haferstrohextrakt*
Er wird gewonnen aus getrocknetem, schimmelfreiem Haferstroh. Der konzentrierte wässrige Auszug enthält ebenfalls – wie Schachtelhalm – einen wesentlichen Anteil kolloidaler Kieselsäure.
*Wirkungsweise, Indikation und Anwendung* wie bei Schachtelhalm.

➤ *Weizenkleieextrakt*
Grundlage des konzentrierten wässrigen Auszuges ist reine staubfreie Weizenkleie.
*Wirkungsweise und Indikationen:* Nach dem Bad bleibt ein hauchdünner Film der Kleie auf der Haut zurück und mildert juckreizauslösende äußere Einflüsse. Deshalb werden Weizenkleieextraktbäder unterstützend in der Nachbehandlung juckender Exzeme und bei Urtikaria eingesetzt, als Teilbad auch beim Wundsein der Säuglinge und bei Dekubitus.
Eine ähnliche Wirkung wie Weizenkleieextrakt und damit das gleiche Indikationsgebiet weisen Molke(Milchserum-)zusätze auf (Dosierung entsprechend Herstellerangaben).
Von dem im Handel erhältlichen Weizenkleieextrakt benötigt man 150 g für die Bereitung eines Vollbades und etwa 30–50 g für ein Teilbad. Man kann allerdings auch 1–2 kg Weizenkleie in 4–6 l Wasser etwa eine halbe Stunde kochen, dann durchseihen und die Flüssigkeit dem Vollbad zusetzen.

*Wassertemperatur:* 35–36 °C.
*Badedauer:* 15–30 Minuten. Zur Nachruhe keine feste Einpackung, Schwitzen vermeiden!

➤ *Kamillenblütenextrakt*
Er enthält neben den wässrigen Auszugstoffen der Kamille im Konzentrat einen geringen Anteil (mindestens 0,05 g) Kamillenöl (DAB6). Zu Kamillenbädern können auch wässrige alkoholhaltige Auszüge der Kamille, die gleichfalls in geringer Menge Kamillenöl enthalten, oder handelsübliche Kamillen-Badeöle angewandt werden.
*Wirkungsweise und Indikationen:* Die Wirkstoffe der Kamille sind einerseits ausgeprägt entzündungswidrig, vermögen andererseits aber auch die Granulation von schlecht heilenden Wunden anzuregen. Kamillenpräparate werden deswegen verwendet bei entzündlichen Hauterkrankungen, Abszessen, Furunkeln, infizierten Wunden, Analfissuren, Hämorrhoiden oder Dekubitus.
Während beim Extrakt 150 g für ein Vollbad gerechnet werden, richtet man sich bei den Badeölen und anderen Kamillenauszügen in der Dosierung nach den Angaben der Hersteller.
*Wassertemperatur:* bei stärker entzündlichen Reizzuständen 33–35 °C, sonst 36–37 °C.
*Badedauer:* 15–20 Minuten.

➤ *Rosmarinblätterextrakt*
Das aus den schonend getrockneten Blättern des Rosmarins gewonnene Konzentrat enthält mindestens 1,5% Rosmarinöl (DAB8). Vielfach werden statt des Extraktes auch Rosmarinöl-Badezusätze zur Bereitung entsprechender Bäder verwendet.
*Wirkungsweise und Indikationen:* Vorwiegend die Hauptbestandteile des Rosmarinöles haben einen durchblutungsfördernden Effekt, der über die Resorption der Badeinhaltsstoffe ausgelöst wird. Diese Badezusätze sind nicht nur bei peripheren arteriellen Durchblutungsstörungen angezeigt (im Feldversuch wurde eine Verbesserung der Gehstrecke unter dem Einfluss einer Rosmarinölbadekur dokumentiert), sondern auch bei mangelhafter Hautdurchblutung, bei Frostbeulen, Akrozyanose, zur Verbesserung der peripheren Kreislaufregulation

und zur gesteigerten Resorption bei Blutergüssen infolge Quetschungen, Muskelzerrungen, Verstauchungen usw.
*Durchführung:* 150 g Extrakt auf ein Vollbad oder Badeöl nach Angaben des Herstellers.
*Wassertemperatur:* 36–37 °C.
*Badedauer:* im Mittel 20 Minuten.

> *Baldrianwurzelextrakt*

Der konzentrierte wässrige Auszug aus den schonend getrockneten Wurzeln des Baldrians soll mindestens 0,2% Baldrianöl (DAB 6) enthalten. Die handelsüblichen Baldrian-Badeöle besitzen ca. 15 bis 20 g synthetisches Baldrianöl.
*Wirkungsweise und Indikationen:* Baldrian wirkt beruhigend und entspannend und wird daher v.a. bei Schlafstörungen und nervösen Leiden eingesetzt.
Für ein Vollbad: Extrakt 150 g, Badeöl nach Angaben des Herstellers.
*Wassertemperatur:* 36–37 °C.
*Badedauer:* etwa 20 Minuten.

> *Kalmuswurzelextrakt*

Er wird aus den schonend getrockneten Rhizomen (Wurzelstöcken) des Kalmus gewonnen. Der Extrakt soll einen Anteil von mindestens 0,25% Kalmusöl (DAB 6) aufweisen. Kalmus-Badeöle sind mit einem hohen Anteil synthetischen Kalmusöls bereitet.
*Wirkungsweise und Indikationen:* Dem im Kalmusöl enthaltenen β-Asaron kommt eine schwach beruhigende Wirkung zu. Empirisch werden Kalmuswurzel-Badezusätze angewandt bei Erschöpfungszuständen, funktioneller Kreislaufschwäche und bei Schlafstörungen. Vom Extrakt nimmt man 150 g für ein Vollbad, Badeöle nach Angaben des Herstellers.
*Wassertemperatur:* 36–37 °C.
*Badedauer:* ca. 20 Minuten.

> *Thymiankrautextrakt*

Zur Herstellung werden Blüten, Blätter und Stengel des Thymians verwendet; der Extrakt soll mindestens 0,5% Thymianöl (DAB 6) enthalten. Bei gleicher Indikation können auch Thymian-Badeöle eingesetzt werden.

## 5.3 Balneotherapie

*Wirkungsweise und Indikationen:* Thymianbestandteile haben eine enge Beziehung zur Schleimhaut der Atemwege. Sie finden deshalb auch in zahlreichen Husten- beziehungsweise Bronchitismedikamenten Verwendung. Thymian-Badezusätze werden zur unterstützenden Behandlung gern eingesetzt bei Erkrankungen der Atemwege, wie Asthma, rezidivierend entzündeten Bronchiektasen, chronischer Bronchitis und Tracheitis. Besonders günstig als „Inhalationsbad" im Zusammenwirken mit einem Luftsprudelbad (s. S. 210).
*Dosierung:* Thymiankrautextrakt 150 g pro Vollbad, Thymian-Badeöl nach Herstellerangabe.
*Wassertemperatur:* 37–38 °C.
*Badedauer:* 20 Minuten.

> Lavendelblütenextrakt

Der Extrakt soll mindestens 0,5% Lavendelöl (DAB 8) enthalten. Bei gleicher Indikation werden vielfach auch Lavendel-Badeöle verwendet.
*Wirkungsweise und Indikationen:* Lavendelbestandteile, besonders aber das Lavendelöl, entfalten einen kräftigen Hautreiz, weshalb diese Bäder sowohl bei lokalen Hautveränderungen wie Frostbeulen oder chronisch kalten Füßen, als auch bei allgemeinen Durchblutungsstörungen sowohl funktioneller als auch organischer Ursache eingesetzt werden. Vom Extrakt gibt man auf ein Vollbad 150 g, vom Badeöl je nach Angaben des Herstellers.
*Wassertemperatur:* 35–37 (38) °C.
*Badedauer:* durchschnittlich 20 Minuten.

> Melissen-Badeöl

*Wirkungsweise und Indikationen:* Melisse besitzt ganz allgemein eine sedierende, krampflösende sowie eine blutdrucksenkende Wirkung. Das Öl lässt eine milde Hautreizwirkung erkennen. Angezeigt sind Melissen-Ölbäder bei Nervosität, Schlafstörungen, klimakterischen Beschwerden, funktionellen Herzbeschwerden sowie bei schlechter Hautdurchblutung. Dosierung nach Angaben des Herstellers.
*Wassertemperatur:* 35–36 (37) °C.
*Badedauer:* 20–30 Minuten.

Häufig verwendet werden auch Badezusätze, die zumeist aus mehreren ätherischen Ölen und gegebenenfalls weiteren chemischen Substanzen zusammengesetzt sind, und deren Inhaltsstoffen bestimmte Eigenschaften zugesprochen werden, etwa eine sedierende oder eine antirheumatische Wirkung. Sie sind unter den entsprechenden Bezeichnungen eingeführt.
▷ Rheuma-Bad siehe 5.3.1
▷ Sedativ-Bad siehe 5.3.1
▷ Tonikum-Bad

Diese Zusätze enthalten ätherische Öle, die über ihre milde Hautreizwirkung und Kreislaufanregung insgesamt zur vegetativen Stabilisierung beitragen können. Für die Dosierung ist auf die Angaben des Herstellers zu achten.
*Wassertemperatur:* 36–37 °C.
*Badedauer:* durchschnittlich 20 Minuten.

❯ *Teer-Bad* siehe 5.3.1

### *Bäder mit natürlichen ortsgebundenen Kurmitteln*

(Heilquellen, Heilgase, Peloide) siehe 5.3.1

### *Bäder mit thermischer und mechanischer Wirkung*

Im eigentlichen Sinn gehören auch die Luftsprudelbäder in diese Rubrik, doch wurden sie wegen ihrer Verbindung mit Zusatzbädern bereits auf Seite 210 besprochen.

### Duschenmassage

Man versteht hierunter die gleichzeitige Anwendung einer warmen Strahldusche mit geringem Druck und eine Handmassage. Dabei lässt man den zu behandelnden Körperteil von einem Strahl mit 38 bis 42 °C warmem Wasser berieseln, während man zugleich mit beiden Händen massiert. Eventuell kann, soweit möglich, der Patient den Schlauch auch selber halten. Erweist es sich jedoch als notwendig, dass der Masseur den Wasserstrahl regulieren muss, so kann er nur mit einer Hand massieren. Diese Methode eignet sich gut für Teilbehandlungen und bedarf kaum besonderer Einrichtungen. Eine andere Art der kombinierten Anwendung von Handmassage und warmer Dusche wird in

## 5.3 Balneotherapie

einigen Bädern Südfrankreichs und auch Osteuropas ausgeübt. Hierbei ist über einer Badewanne, in der eine Art Massagetisch steht, eine Einrichtung installiert, durch welche der liegende Patient vollständig mit warmen Strahl- oder Regenduschen benetzt werden kann. Während dieser Berieselung wird er vom Masseur mit beiden Händen massiert. Die Methode ermöglicht sowohl Teil- als auch Ganzbehandlungen.

**Unterwasserdruckstrahlmassage**
Weite Verbreitung hat heute die Unterwasserdruckstrahlmassage gefunden. Sie wird häufig abgekürzt, nicht korrekt, auch als Unterwassermassage bezeichnet. Wir verstehen hierunter die Anwendung eines Druckstrahles von etwa 0,5 bis 2,5 bar. Dieser Druckstrahl wird von einem Pumpenaggregat erzeugt und durch einen Spezialschlauch, der an seinem freien Ende mit einer auswechselbaren Düse versehen ist, gepresst und unter der Wasseroberfläche gegen den im Bade liegenden Körper gerichtet *(Abb. 5.32)*.
Die therapeutische Wirkungsbreite dieser Behandlungsform ist deshalb so groß, weil sich die Muskulatur im indifferenten/mild-warmen Wasser schon weitgehend entspannt. Durch diese Entspannung kann der Druckstrahl tiefer einwirken. So lassen sich bereits bei Anwendungen von geringen Druckwerten

Abb. 5.32
Unterwasserdruckstrahlmassage (Foto: Physiotherapiepraxis Hotel Bayerischer Hof, Rimbach).

(bis zu 1,5 bar) bei entsprechender Düsenauswahl schonende, praktisch schmerzlose Tiefenauflockerungen erreichen. Der geringe, doch immerhin vorhandene hydrostatische Druck wirkt rückstromfördernd und entstauend auf die Körperdecke, wodurch ebenfalls der Widerstand gegen die von außen kommenden mechanischen Einflüsse vermindert wird. Für die Durchführung der Unterwasserdruckstrahlmassage sind eine Spezialwanne mit mindestens 600 Liter Fassungsvermögen, eine Temperiereinrichtung und Druck- und Temperaturmessanlagen nötig. Eine große Wanne ist deshalb erforderlich, damit der Patient auch wirklich entspannt gelagert werden kann *(Abb. 5.33)*.

Das Pumpenaggregat muss natürlich in der Lage sein, auch bei zunehmendem Wasserdurchfluss einen ausreichenden Druck zu gewährleisten. So sollte es im Nullbereich bei einer Fördermenge von 0 l/min. einen Förderdruck von 40 mWS (Wassersäule), im unteren Bereich bei einer Fördermenge von 150 l/min. einen Förderdruck von 25 mWS und im oberen Bereich auch eine Fördermenge von mindestens 125 l/min. bei einem Förderdruck von 35 mWS gewährleisten.

Geeignet für die Unterwasserdruckstrahlmassage sind auch Schmetterlings- oder Flügelbadewannen, in denen die Behandlung mit Hilfe eines (fahrbaren) Pumpenaggregats durchgeführt wird und die gleichzeitig auch die Behandlung mit Bewegungsübungen gestatten.

Abb. 5.33 Unterwasser-Kombinationswanne (Foto: Trautwein GmbH, Emmendingen).

Man misst der Wassermenge, die pro Minute gegen den Körper geschleudert wird, die größere Bedeutung zu. Diese Wassermenge (1/min.) ist regulierbar, und zwar einmal durch die Auswahl verschieden weiter Düsen und zum anderen durch Veränderung des Druckes. Es ist verständlich, dass bei gleichem Druck durch eine weite Düse mehr Wasser pro Minute fließt als durch eine enge. Will man durch eine enge Düse ebensoviel Wasser in der Zeiteinheit strömen lassen wie durch eine weite, so muss der Druck entsprechend erhöht werden. Um über diese Verhältnisse eine Orientierung zu erhalten, hat man den Begriff des *Applikationswertes* eingeführt. Man berechnet den jeweiligen Applikationswert, indem man Druck (bar) und Wassermenge (1/min.) miteinander multipliziert. Es gibt Tabellen, aus denen man den Applikationswert bei den verschiedenen Druckwerten und Düsenweiten ablesen kann. Zur Erläuterung sei hier aus einer solchen Tabelle ein Beispiel herausgegriffen:

| Düsenquerschnitt | 40,0 mm$^2$ | 80,0 mm$^2$ |
|---|---|---|
| A-Wert bei 1,0 bar | 26,5 | 46,0 |
| A-Wert bei 1,5 bar | 46,0 | 85,0 |

Man darf jedoch bei kleinen Düsen den Druck nicht beliebig erhöhen, da die Massagewirkung eher punktförmig ist und bei zu hohem Druck stechende Schmerzen erzeugt werden.

Mit einer weiten Düse erzielt man eine mehrflächige Massagewirkung, die vom Patienten als angenehm empfunden wird und bei der die Muskulatur sehr entspannt wird. Als besonders zweckmäßig haben sich Düsen mit einem Durchmesser von etwa 7 bis 11 mm erwiesen. Dabei erhält man die günstigste Strahlwirkung bei einem Düsen-Haut-Abstand von 10 bis 12cm beziehungsweise Handbreite.

Eine Allgemeinbehandlung im Sinne einer Ganzheitsmassage mit weiter Düse und geringem Druck aktiviert den Kreislauf und Lymphstrom. Sie kann bei Vorliegen entsprechender vegetativ-funktioneller Durchblutungsstörungen, aber durchaus auch als alleinige Maßnahme genügen. Sie wird gleichfalls dann, wenn eine spezielle Indikation gegeben ist, stets als entstauende Einleitung der Unterwasserdruckstrahlmassage eingesetzt.

Die Allgemeinmassage dauert, nach der Anpassungszeit von ca. fünf Minuten, insgesamt etwa 20 Minuten. Eine mindestens halbstündige Nachruhe ist erforderlich.

Die Wirkungen der Allgemeinbehandlung auf Kreislauf und Atmung sind denen eines temperaturansteigenden Vollbades vergleichbar: Es kommt zur Abnahme des peripheren Gefäßwiderstandes, zur Senkung des Blutdruckes mit einer Vergrößerung der Amplitude durch Abnahme des diastolischen Druckes, darüber hinaus zu einer Steigerung der Puls- und der Atemfrequenz sowie des Schlagvolumens. Die nachhaltige Beeinflussung der nervalen Elemente der Körperdecke führt zu Reaktionen im Sinne einer vegetativen Gesamtumschaltung in Richtung zur Vagotonie.

Zu den speziellen *Indikationen* der Unterdruckstrahlmassage zählen insbesondere schmerzhafte Muskelveränderungen, Kontrakturen, Paresen, funktionelle und organische Durchblutungsstörungen, verschiedene Hauterkrankungen und auch Funktionsstörungen innerer Organe. Bei Ischialgie und Lumbago massiert man nicht nur das befallene Bein, sondern auch die dazugehörige Hüft- und Lendenmuskulatur, wobei man die nichtbefallene Seite zuerst behandelt. Brachialgien erfordern sinngemäß ein Durcharbeiten der Schulter- und Nackenmuskulatur, wobei aber die Austrittstellen der Nervenwurzeln ausgelassen werden müssen.

**Bürstenbad**

Es wird eingesetzt bei vegetativen Regulationsstörungen, Blutunterdruck, zur Verbesserung der Hautdurchblutung und des peripheren Kreislaufs.

*Durchführung:* Der Patient steigt in die halb gefüllte Wanne, taucht kurz einmal bis zum Hals unter und setzt sich dann leicht nach vorn gebeugt hin. Zuerst werden ihm Rücken und Flanken mit einer nassen, nicht zu harten Bürste in langen, regelmäßigen Strichen gebürstet, bis eine gleichmäßige Hautrötung auftritt. Dann legt sich der Patient zurück und man bürstet ihm unter Wasser die Extremitäten, Brust und Bauch ebenfalls mit ruhigen, langen Strichen.

Die *Wassertemperatur* soll anfangs 34–35 °C betragen. Nach der Bürstung kann die Temperatur durch Zugabe kalten Wassers um 4–5 °C gesenkt werden. Zum Abschluss des Bades bürstet man den Patienten nochmals in der beschriebenen Reihenfolge und entlässt ihn aus dem Bad.

## 5.3 Balneotherapie

Die *Gesamtdauer* der Anwendung beträgt 5–10 Minuten. Nach dem Bad begibt sich der Patient je nach Verordnung in ein vorgewärmtes Bett oder trocknet sich ab, kleidet sich an und führt leichte Bewegungsübungen durch.

*Kontraindikationen* sind entzündliche oder atrophische Hautveränderungen, dekompensierte Herz-Kreislauf-Regulation.

### Spezielle Bäder/besondere Badeformen

#### Subaquales Darmbad

Die besondere Konstruktion dieser abgekürzt auch als „Sudabad" bezeichneten Anwendung ermöglicht eine gründliche und geruchsfreie Darmspülung. Der Patient sitzt dabei in einem Wannenbad und stemmt die Füße gegen einen Wannenverkürzer, der je nach Körpergröße eingestellt wird. Durch ein dünnes Gummidarmrohr fließt aus einem Irrigatorgefäß warmes Wasser (dem gegebenenfalls etwas Kochsalz oder Kamillenauszug beigegeben werden kann, etwa je 30 g auf 20 l Wasser) in den Dickdarm. Das wieder ausgepresste Wasser wandert zusammen mit dem Kot durch ein anderes dickeres Rohr in einen Behälter, der in den Wannenabfluss gesteckt wird. In das dicke Abflussrohr ist ein Zwischenstück aus Plexiglas eingeschaltet, so dass man die Kotausscheidung beobachten kann. Mit Hilfe des subaqualen Darmbades lassen sich – je nach Notwendigkeit – innerhalb einer Dreiviertelstunde etwa 20 bis 30 l Wasser nacheinander irrigieren. Der Einlauf und der Abfluss erfolgen im Wechsel. Jedesmal, wenn der Darm einen gewissen Füllungsgrad erreicht hat, erträgt der Patient für kurze Zeit das Druckgefühl, atmet einige Male tief durch und presst dann den Darminhalt aus eigener Kraft wieder aus. Für Kranke, die nicht genügend Kraft zum Pressen haben, ist das Gerät mit einer Absaugmöglichkeit versehen, die das Entleeren des Darmes erleichtert.

*Durchführung:* Zunächst füllt man das Irrigatorgefäß mit 20 bis 30 l Wasser von 38–39 °C. Gegebenenfalls löst man darin 30 g Kochsalz oder gibt ebensoviel Kamillenauszug hinzu. Dann bereitet man die Wanne vor und schließt alle Einzelteile der Sudabad-Einrichtung an. Das Wasser in der Wanne wird auf 36 bis 37 °C temperiert. Dem Kranken legt man einen Hüftgürtel um, an dem die Verbindungsgurte zu einem „Sattel" befestigt werden. Dann fettet man das bereits mit dem „Sattel" verbundene Darmrohr ein und führt es vorsichtig so in den Darm ein, dass der Patient fest auf dem „Sattel" aufsitzt. Jetzt lässt man den

Patienten in die Wanne steigen und eine eher sitzende Position einnehmen. Daraufhin befestigt man die Zu- und Abflussrohre am „Sattel" und pumpt das Sattelkissen auf. Damit wird der Innenraum des „Sattels" gegenüber dem Badewasser abgedichtet.

Wenn alle Anschlüsse ordnungsgemäß befestigt sind, überprüft man nochmals, ob der Patient auch entspannt in der Wanne sitzen kann. Erst dann öffnet man den Zufluss des Irrigators und lässt sehr langsam Wasser aus diesem Gefäß in den Darm einlaufen. Je nach Darmfüllung, aber auch je nach Zustand des Patienten kann zunächst ein halber Liter Flüssigkeit in den Darm eingeführt werden. Gibt der Patient ein unangenehmes Spannungsgefühl im Leib an, das sich auch nicht durch einige tiefe Atemzüge lindern lässt, so fordert man ihn auf, dieses Druckgefühl eine kurze Zeit auszuhalten und dann den Darm durch Pressen zu entleeren. Gelingt das spontane Abpressen nicht sofort, wird man mit Absaugen nachhelfen. Dieser Vorgang ist aber nur zur Unterstützung des Kranken gedacht. Sobald wie möglich muss er die Darmentleerung aus eigener Kraft bewerkstelligen. Meist hat der Patient nach zwei- bis dreimaligem Wechsel selbst gelernt, diese spontan durchzuführen. Füllung und Leerung des Darmes erfolgen nun in gleichmäßigem Wechsel. Häufig nimmt die tolerierte Wassermenge dabei zu. Gewöhnlich wird so lange gewechselt, bis beim Abpressen kein Kot mehr im Glasteil des Abflussrohres zu sehen ist. Dann kann das Sudabad beendet werden.

Neben der reinen Darmauswaschung ist zu berücksichtigen, dass das warme Badewasser spasmolytisch auf verkrampfte Eingeweidehohlorgane wirkt, dass ein erheblicher Anteil der in den Darm eingeführten Flüssigkeit resorbiert und über die Nieren wieder ausgeschieden wird und dass die Anwendung erheblich peristaltikanregend wirkt.

*Indikationen:* Tiefsitzende Harnleitersteine (deren Abgang durch das Sudabad gefördert wird), chronische Obstipation (allerdings nicht als Dauerbehandlung, sondern nur zur Einleitung einer umfassenderen Therapie mit Diätumstellung, Bewegungsbehandlung, reflektorisch wirkenden Massagen etc.), chronische Vergiftungen (z.B. durch bromhaltige Schlafmittel).

*Kontraindikationen:* Erkrankungen des Darmes, besonders solche, die mit einer Schädigung der Darmwand verbunden sind, fieberhafte und infektiöse Erkrankungen, Hypertonie (Stad. IV WHO), hochgradige Koronarinsuffizienz, Herzinsuffizienz (Stadium III und IV NYHA), Ausscheidungsstörungen der Nieren, Prostatahypertrophie.

**Hydroelektrische Bäder**
Bei hydroelektrischen Bädern nutzt man die Leitfähigkeit des gewöhnlichen Wassers für den elektrischen Strom aus. Durch Anschließen der beiden Pole (Anode/Kathode) wird das Wasser in der Badewanne zu einer dem Körper völlig gleichmäßig und großflächig anliegenden Elektrode, die gleichzeitig die Gefahr von Verätzungen ausschließt, wie sie etwa an Metallelektroden bei weniger sorgfältiger Handhabung durchaus möglich ist. Mit hydroelektrischen Bädern gelingt es, den Körper oder Körperteile mit therapeutisch wirkenden Stromformen zu durchfließen, mit Hilfe dieses Stromes ggf. bestimmte Arzneistoffe durch die Haut in den Körper einzuschleusen (Iontophorese) und gleichzeitig die physikalischen, insbesondere die thermischen Wirkungen eines Teil- oder Vollbades zum Einsatz zu bringen. Hydroelektrische Bäder sind angezeigt bei Erkrankungen des peripheren Nervensystems, bedingt auch bei solchen des zentralen Nervensystems, bei Durchblutungsstörungen verschiedener Art sowie bei schmerzhaften rheumatischen Erkrankungen, wie etwa Lumbalgien oder M. Bechterew. Da an solchen Stellen, an denen eine nicht intakte Haut dem Eindringen des Stromes einen geringeren Widerstand entgegensetzt, ein unangenehmes Brennen auftritt, empfiehlt es sich, Hautdefekte mit einer fetthaltigen Salbe (Borsalbe, weiße Vaseline) abzudecken.
Die bekanntesten hydroelektrischen Bäder sind das Vierzellenbad und das unter dem Namen Stangerbad bekannte hydroelektrische Vollbad.

▶ *Vierzellenbad*
Die von Schnee eingeführte Anwendung besteht aus vier Teilbadwannen, nämlich zwei Arm- und zwei Fußwannen sowie einem Behandlungsstuhl *(Abb. 5.34)*. Jede Wanne besitzt eine (gegebenenfalls auch zwei) Elektroden mit entsprechenden Zuleitungen. Die Armwannen stehen auf schwenkbaren und in der Höhe verstellbaren Ständern, die Unterschenkelwannen sind gewöhnlich fest montiert auf einem Bodenbrett oder mit der Schalteinrichtung verbunden. Die früher üblichen Porzellanwannen sind heute durchweg durch Kunststoffwannen ersetzt.

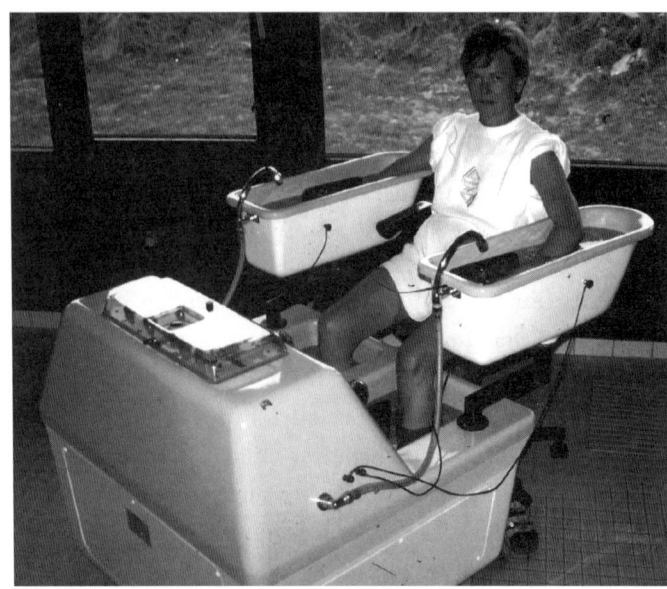

Abb. 5.34
4-Zellen-Bad
(Foto: Heisel/Jerosch,
Die Schulter, Pflaum
2009).

In der Schaltanlage mit Installationspult wird der Wechselstrom in einen galvanischen Strom umgewandelt. Das Gerät selbst arbeitet mit 24 Volt Gleichstrom. Durch eingebaute elektrische Verriegelungen sind Fehlschaltungen ausgeschlossen. Der Einstellbereich für die Stromstärke bei Vierzellenbädern bewegt sich zwischen 0 und 100 mA. Die Zuleitung des Stromes wird heutzutage meist über Drucktastenschalter vorgenommen. Dabei ist ein beliebiges Verteilen der Pole auf die einzelnen Wannen und damit auch auf die eingebrachten Extremitäten möglich. So können beispielsweise beide Arme auf „Plus", beide Beine auf „Minus" oder umgekehrt geschaltet werden. Im Bedarfsfall können auch drei Extremitäten auf „Plus" und eine auf „Minus" geschaltet werden. Insgesamt sind ca. 50 verschiedene Schalt- und Durchströmungsmöglichkeiten gegeben. In Teilwannen, die mit zwei Elektroden ausgestattet sind, können auch galvanische Einzelbäder durchgeführt werden.

*Wassertemperatur:* Sie beträgt im Allgemeinen 36–37 °C. Liegen arterielle Durchblutungsstörungen vor, ist es vorteilhafter, sich nach der Hauttemperatur der befallenen Extremität zu richten. Der Unterschied zwischen Wasser- und Hauttemperatur soll dabei nicht zu groß sein. Deshalb beginnt man in solchen

Fällen wenige Grade über der Hauttemperatur, lässt allmählich warmes Wasser zufließen, um die Wassertemperatur zu erhöhen und schaltet erst dann, wenn diese den Indifferenzbereich überschritten hat, den Strom ein.

*Durchführung:* Zunächst werden die Teilbadewannen mit dem temperierten Wasser etwa dreiviertel gefüllt. Der Stromregler muss auf „0" stehen. Der Patient entkleidet sich nur so weit wie nötig. Dann gibt er die zu behandelnden Unterschenkel und Unterarme in die Wannen. Erst jetzt wird die Stromflussrichtung, d.h. die Verteilung der „Plus"- und „Minus"-Pole eingestellt und danach der Strom eingeschaltet. Die Stromstärke wird jetzt langsam, einschleichend, verstärkt, bis der Patient ein noch gut erträgliches Prickeln auf der Haut verspürt (bei lokalisiertem Brenngefühl an Hautdefekten wird diese Stelle mit Vaseline oder Borsalbe abgedeckt).

*Dosierung:* Bei neuralgischen und myalgischen Beschwerden, bei Schmerzen auf der Basis degenerativer Gelenk- und Wirbelsäulenveränderungen temperiert man das Wasser auf 36–37 °C, schaltet den erkrankten Körperteil an die Anode und schleicht langsam bis auf 10, eventuell auch 20 mA hinauf. Für die Dauer der Durchströmung genügen 10–20 Minuten.

Soll bei schlaffen Lähmungen die Erregbarkeit im Nerv-Muskel-System gesteigert werden, so polt man die erkrankte Extremität auf „Minus" (Kathode), temperiert das Wasser auf etwa 35 °C und geht mit der Stromstärke bis an die Erträglichkeitsgrenze, zumeist aber nicht über 40 mA hinaus. Wassertemperaturen über 36 °C sollten in diesen Fällen vermieden werden, weil das warme Wasser bei längerer Badedauer den Tonus und die Erregbarkeit mindert, also im unerwünschten Sinne wirkt. Die Behandlungszeit beträgt 15–20 Minuten.

Funktionelle Durchblutungsstörungen, ständig kalte Füße, Frostschäden, werden in einem auf 37 bis 38 °C temperierten Vierzellenbad behandelt mit Stromstärken zwischen 20 und 30 mA bei einer Behandlungsdauer von 10 bis 15 Minuten. Dabei ist die Polung beliebig. Sie kann auch wechselweise angewandt werden (z.B. 5–7 Minuten Anode, 5–7 Minuten Kathode). Vor dem Umpolen muss aber stets mit der Stromstärke auf „0" mA heruntergegangen werden. Moderne Apparate gestatten ein Umpolen erst, wenn kein Stromfluss mehr gegeben ist.

Arterielle Durchblutungsstörungen, z.B. auf dem Boden einer ausgeprägten Arteriosklerose, erfordern eine vorsichtige Anpassung der Wassertemperatur.

Günstig ist ein Beginn mit etwa 34 °C und ein Anstieg der Wassertemperatur im Sinne der temperaturansteigenden Teilbäder (s. S. 180ff.). Die Polung ist hierbei ohne Bedeutung. Die Stromstärke soll im Allgemeinen 10 mA nicht überschreiten, weil bei diesen Erkrankungen nicht selten auch Sensibilitätsstörungen bestehen. Die Durchströmungsdauer beträgt 5–10 Minuten. Die Möglichkeit der Durchführung einer Iontophorese im Vierzellenbad kann an dieser Stelle nur angeschnitten werden. Die Histamin-Iontophorese (Histaminlösung oder histaminhaltige Präparate) wirkt erweiternd auf Hautgefäße und begünstigt die Durchlässigkeit der Haut, der Gefäßwand und der Zellmembran. Narbige Verwachsungen sprechen günstig auf eine Jod-Iontophorese (mit Kalium jodatum) an. Der Zusatz von Natrium salizylicum und die natürlichen Badewässer von Tölz, Kreuznach sowie Meerwasser wirken im Vierzellenbad günstig bei rheumatischen Beschwerden. Die Wahl des jeweiligen Pols ist für die Iontophoresebehandlung entscheidend. Als Grundregel gilt: Stoffe mit überwiegend positiven Ionen wandern zur Kathode und werden deshalb an der Anode angelegt, Stoffe mit überwiegend negativen Ionen wandern zur Anode und werden an der Kathode platziert. Positive Ionen (Kationen) sind: Wasserstoff, die Metalle, metallartige Radikale und die Alkaloide. Negative (Anionen) sind: die Halogene Chlor, Brom, Jod, die OH-Gruppe und die Säurereste ($NO_3$). Für die erwähnten Mittel bedeutet das, dass man Histamin an den positiven Pol, Jod-Kali und Natrium salizylicum an den negativen Pol anschließt.

Die Wassertemperatur und die Durchströmungszeiten sind die gleichen wie bei Vierzellenbädern üblich.

> *Hydroelektrisches Vollbad*

Seit der Entdeckung von Gray (1720), dass der menschliche Körper die Elektrizität zu leiten vermag und seit der Beobachtung von Galvani (1786) über die Reizbarkeit eines Nerv-Muskelpräparates durch einen Stromimpuls war man bemüht, elektrische Energie auch in der Heilkunde einzusetzen. 1803 berichtet Schreger über ein galvanisches Bad, bei welchem der eine Pol sich in dem salzhaltigen Badewasser befindet, der andere mit dem Körper des Patienten in Verbindung gebracht wird. Lange Zeit waren solche monopolaren elektrischen Bäder in Gebrauch. J. und H. Stanger beobachteten, dass sich die Effekte des

## 5.3 Balneotherapie

galvanischen Stromes noch steigern ließen, wenn das Bad mit einem gerbstoffhaltigen Wasser zubereitet wurde.

Die Wannen für hydroelektrische Bäder müssen aus einem isolierenden Material bestehen. Früher verwandte man solche aus Holz oder aus Fayence, heutzutage sind die Wannen durchweg aus glasfaserverstärktem Kunststoff. Die den Strom zuführenden Elektroden sind an der Innenseite der Wanne angeordnet *(Abb. 5.35)*. Sie sind entweder dauerhaft befestigt oder abnehmbar und bestehen aus großen Metall- oder Graphitplatten. Darüber hinaus können noch weitere Elektroden im Bad eingesetzt werden. Sie sind aber, um eine direkte Berührung des Patienten zu vermeiden, mit durchlöcherten Kunststoffüberzügen versehen. Bei verschiedenen Einrichtungen besteht ferner die Möglichkeit, einen Pol mit einer Spezialbürste zu verbinden, mit welcher im Wasser die zu behandelnden Körperpartien bestrichen werden. Von einem Schaltpult aus, das mit einem übersichtlichen und leicht verständlichen Schaltschema versehen ist,

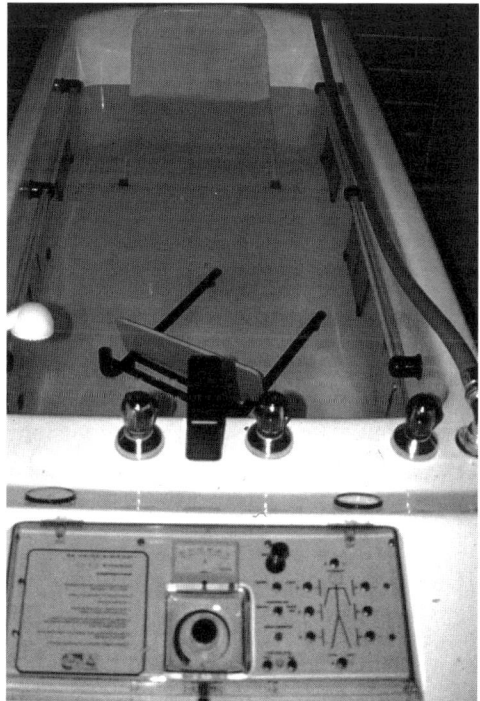

**Abb. 5.35**
Stangerbad (Foto: Heisel/Jerosch, Die Schulter, Pflaum 2009).

kann man den galvanischen Strom wahlweise den einzelnen Elektroden zuleiten und den Körper praktisch in allen Richtungen durchströmen. Da sich der Stromfluss über die gesamte Körperoberfläche verteilt, können im hydroelektrischen Vollbad deutlich größere Stromstärken als im Vierzellenbad zur Anwendung kommen. In Abhängigkeit von der Wasserhärte werden gewöhnlich Stromstärken zwischen 200 und 600 mA angewendet, wenngleich am Gerät maximale Stromstärken bis zu 2500 oder 3000 mA eingestellt werden könnten. Da das Wasser ein besserer Leiter als der Körper ist, fließen etwa zwei Drittel des Stromes am Körper vorbei. Lediglich ein Drittel überwindet den Hautwiderstand und kann im Körper seine Wirkung entfalten. Das hydroelektrische Vollbad (Stangerbad) bietet nicht nur hinsichtlich der Wassertemperatur, sondern auch bezüglich des Stromverlaufs und der Stromstärke einen großen Dosierungsspielraum und gestattet eine fein abgestufte Anpassung an die jeweiligen Indikationen und die unterschiedlichen Reizzustände.

Mittels Wärmeleitzahlmessungen konnte nachgewiesen werden, dass unter einer Gleichstromdurchflutung in der Haut eine Mehrdurchblutung von 500% ausgelöst werden kann und dass auch in der tiefer gelegenen Muskulatur noch eine Mehrdurchblutung von 300% auftritt.

Vielfach werden Zusätze zum hydroelektrischen Vollbad gegeben. Zumeist handelt es sich um gerbstoffhaltige Präparate, andererseits sind auch speziell für diesen Zweck angebotene Salze im Handel. Diese Zusätze dienen nicht dazu, die Leitfähigkeit des Badewassers zu verbessern. Das würde zu einer weiteren Minderung des die Haut durchdringenden Stromanteiles führen. Vielmehr ist das Ziel, mit diesen Zusätzen eine vermehrte Hautreizung herbeizuführen und damit den Hautwiderstand zu verringern.

*Durchführung:* Zunächst wird die Wanne mit dem entsprechend temperierten Wasser gefüllt. Bei neuritisch gefärbten Schmerzzuständen wird man die Temperatur auf 35–36 °C einstellen, bei chronisch entzündlichen Erkrankungen, wie rheumatischen Veränderungen und Frauenleiden kann man jedoch auch auf 38 bis 39 °C hochgehen. Man gibt den Zusatz in das Wasser und lässt den Patienten einsteigen. Der Strom ist abgeschaltet. Nach einer kurzen Eingewöhnungszeit, während der sich der Körper des Patienten auf den hydrostatischen Druck und auf die Temperatur einstellen soll, trifft man die Elektrodenwahl, schaltet den Strom ein und steigt langsam mit der Stromstärke so weit an, bis der Badende ein deutliches, aber nicht unangenehmes Kribbelgefühl an der Hautoberfläche verspürt. Dieses Gefühl lässt nach einigen Minuten nach, gegebenenfalls kann dann noch einmal „nachgeregelt", d.h. erneut die Stromstärke bis zum erträglichen Kribbelgefühl verstärkt werden.

Insgesamt wird die *Badedauer* 15–20 Minuten betragen. Zur Beendigung des Bades wird die Stromstärke langsam auf „0" zurückgeführt. Erst wenn der Strom wieder abgeschaltet ist, lässt man den Patienten aus der Wanne steigen. Eine Nachruhe ist dringend erforderlich.

Es wird noch einmal auf das Erfordernis des allmählichen Ein- und Ausschleichens mit der Stromstärke hingewiesen. Abrupte Veränderungen des Stromflusses, auch ein plötzlicher Polwechsel (wie er bei älteren Geräten gegebenenfalls noch möglich ist) ist unbedingt zu vermeiden, damit nicht unerwünschte Muskelkontraktionen durch die Stromflussänderung ausgelöst werden. Die hydroelektrischen Vollbäder müssen heutzutage mit einer Elektrodenwahlsperre ausgestattet sein, die einen Polwechsel nur ermöglicht, wenn der Strom wieder auf „0" zurückgeführt worden ist.

*Besondere Dosierungen*: Rheumatische Beschwerden, die ausgesprochen neuritisch gefärbt sind und bei denen eine intensive Wärmemaßnahme anfangs nicht gut vertragen wird, reagieren günstig, wenn man die hydroelektrischen Bäder mit etwa 35 °C anwendet.

*Badedauer:* 15 bis 20 Minuten.

Bei zentralmotorischen Störungen (spastischer Lähmung) steht die Behandlung des Spasmus und möglicher Hyperkinesen im Vordergrund. Hierbei sollte nur ein eben untersensibelschwelliger galvanischer Strom in absteigender Form zur Anwendung kommen, d.h. die Anode soll kopfwärts, die Kathode fußwärts liegen. Keine zusätzliche thermische Belastung, deshalb Wassertemperatur 35–36 °C bei einer Badedauer bis zu 20 Minuten.

Bei peripheren Lähmungen kommt es in der Regel auf die Steigerung der Erregbarkeit im Nerv-Muskel-System und auf die Besserung der Durchblutung an. Man temperiert möglichst nicht über 35–36 °C, geht aber mit der Stromstärke bis an die Verträglichkeitsgrenze bei einer Badedauer von 15–20 Minuten.

Bei Neuralgien, auch bei Myalgien, behandelt man sowohl die chronischen, als auch die akuten Beschwerden. Im akuten Stadium sind milde Stromstärken angezeigt, man behandelt unterschwellig. Das heißt, man geht zunächst mit der

Stromstärke so hoch, dass der Patient gerade eben ein Stromgefühl wahrnimmt und regelt dann wieder zurück, bis dieses Stromgefühl verschwunden ist. Bei polyneuritischen Beschwerden empfiehlt sich die absteigende Galvanisation.

Bei Armneuralgien, bei Ischias und Lumboischialgie lässt man die Anode von der erkrankten Seite her einwirken.

Die *Wassertemperatur* sollte bei akuten Zuständen 35 und 36 °C, bei subakuten Stadien 37 bis 38 °C betragen.

*Badedauer:* bis zu 20 Minuten.

Von den Gelenkerkrankungen behandelt man besonders die chronischen, aber auch die subakuten Formen der progredient chronischen Polyarthritis, des M. Bechterew und der Spondylarthrosen.

Auch von den Frauenleiden reagieren die chronischen Stadien, besonders der Endo-Parametritis und Adnexitis sowie Amenorrhoe und Dysmenorrhoe, gleichfalls die vasomotorischen Störungen im Klimakterium gut auf die Anwendung von hydroelektrischen Bädern. Bei diesen Erkrankungen beträgt die Wassertemperatur 37–38 °C, die Badedauer 20 Minuten.

*Kontraindikationen:* Entzündliche Hauterkrankungen, andere Hautleiden, bei denen der Reiz zu einer Verstärkung der Symptomatik führt, Psychosen, epileptische Anfälle, implantierte Herzschrittmacher und Defibrillatoren und die für Vollbäder geltenden Einschränkungen.

**Dampfbad**

Man kann Dampfbäder als Teil- oder Ganzbäder anwenden. Die Teilbäder werden zumeist in besonderen kastenartigen Anlagen abgegeben, in die der Dampf aus einem Dampfbereiter eingeleitet wird und die einzelne Extremitätenabschnitte aufnehmen können = Dampfkastenbäder. Für Ganzkörperdampfbäder setzt man vorwiegend möglichst gekachelte, gut belüftbare Räume ein, deren Luft mit Wasserdampf gesättigt ist. Diese feuchte Luft wirkt stärker auf den Organismus als trockene, weil die im Dampf gebundene Kondensationswärme frei wird und die Wärmeabgabe des Körpers auf dem Verdunstungswege wesentlich einschränkt. Deshalb beträgt die Raumtemperatur in einer Dampfkammer nur etwa 40–45 °C. Nach der Schwitzprozedur in einer Dampfkammer, die gewöhnlich nie länger als 10 Minuten dauern sollte, deren Zeit aber entscheidend abhängig ist von der subjektiven Verträglichkeit, wird dem Patienten ein laues oder temperaturabsteigendes Bad verabreicht, bzw. man lässt ihn temperiert duschen. Danach ist eine mindestens halbstündige Nachruhe erforderlich, um die im Organismus in Gang gesetzten Reaktionen abklingen zu lassen.

## *Literatur zu Kap. 5.3*

1 K.L. Schmidt: Kompendium der Balneologie und Kurortmedizin. Steinkopf Verlag Darmstadt 1989
2 C. Gutenbrunner, G. Hildebrandt(Hrsg.): Handbuch der Balneologie und medizinischen Klimatologie. Springer-Verlag 1998
3 PD Vash, TM Engels 3rd. Scrotal cooling increases rectal temperature in man. Exp Biol Med(Maywood) 2002 Feb;227(2):105–7
4 PJ Gupta. Effects of warm Sitzbath on symptoms in post-anal sphincterectomy in chronic anal fissure- a randomized and controlled study. World J Surg. 2007 Jul;31(7):1480–4
5 DJ Ramler. A comparison of cold and warm Sitzbaths for relief of postpartum perineal pain. J Obstet Gynecol Neonatal Nurs. 1986 Nov-Dec;15(6):471–4
6 EJ Sung, Y Tochihara. Effects of bathing and hot footbath on sleep in winter. J Physiol Anthropol Appl Human Sci. 2000 Jan;19(1):21–7
7 J Petrofsky, Lohmann E 3rd, S Lee, Z de la Cuesta. Effects of contrast baths on skin blood flow on the dorsal and plantar foot in people with type 2 diabetes and age matched controls. Physiother Theory Pract. 2007 Jul–Aug;23(4):189–97
8 C Tei, Y Horikiri, JC Park. Acute hemodynamic improvement by thermal vasodilatation in congestive heart failure. Circulation.1995 May 15;91(10):2582–90
9 Chr Gutenbrunner, G Hildebrandt: Handbuch der Balneologie und medizinischer Klimatologie. Springer 1998
10 H G Pratzel, W Schnizer: Handbuch der Medizinischen Bäder. Karl F. Haug Verlag 1992
11 G Pratzel, M Rimpler, U Kimmel: Medizinische Bäder. I.S.M.H. Verlag Geretsried 1996
12 C Ekmekcioglu, G Strauss-Blaschke, F Holzer, W Marktl. Effects of sulphur baths on antioxidative defense systems, peroxide concentrations and lipid levels in patients with degenerative osteoarthritis. Forsch Komplemtarmed Klass Naturheikd.2002 August;9(4):216–20
13 V Leibetseder, G Strauss-Blaschke, F Holzer, W Marktl, C Ekmekcioglu. Improving homocystein levels through balneotherapy: effects of sulphur baths. Clin Chim Acta. 2004 May; 343(1–2): 105–11
14 S Mancini Jr, A Piccinetti, G Nappi, S Mancini, A Caniato, S Coccheri. Clinical, functional and qualitiy of life changes after balneokinesis with sulphurous water in patients with varicose veins. Vasa.2003 Feb; 32(1):26–30
15 D Buskila, M Abu-Shakra, L Neumann, L Odes, E Schneider, D Flusser, S Sukunik. Balneotherapy for fibromyalgia at the Dead Sea. Rheumatol Int 2001 Apr; 20(3):105–8
16 S Susenik, D Buskila, L Neumann, AKleiner-Baumgarten, S Zimlichman, J Horowitz. Sulphur bath and mud pack treatment for rheumatoid arthritis at the Dead Sea Area. Ann Rheum Dis 1990 Feb; 49(2):99–102

17 A Franke, L Reiner, HG Pratzel, T Franke, KL Resch. Long-term effect of radon spa therapy in rheumatoid arthritis- a randomized, sham-controlled study and follow-up. Rheumatology (Oxford).2000 Aug;39(8):894–902

18 N Nishimura, J Sugenova, T Matsumoto, M Kato, H Sakakibara, T Nishiyama, Y Inukai, T Okagawa, AOgata. Effects of repeated carbon dioxide-rich water bathing on core temperature, cutaneous blood flow and thermal sensation. Eur J Appl Physiol.2002 Aug; 87 (4–5): 337–42. Epub 2002 Jun 7.

19 BR Hartmann, E Bassenge, M Pittler. Effect of carbon dioxide-enriched water and fresh water on the cutaneous microcirculation and oxygen tension in the skin of the foot. Angiology.1997 Apr;48(4):337–43

20 E Savin, O Balliart, P Bonnin, M Bedu, J Cheynel, J Coudert, JP Martineaud. Vasomotor effects of transcutaneous CO2 in stage II peripheral occlusive arterial disease. Angiology. 1995 Sep;46(9):785–91

21 C Ekmekcioglu, G Strauss-Blaschke, J Feyertag, N Klammer, W Marktl. The effect of balneotherapy on ambulatory blood pressure.Altern Ther Health Med. 2000 Nov; 6 (6): 46–53

22 T Akamine, N Taguchi.Effects of an artificially carbonated bath on athletic warm-up.J Hum Ergol(Tokyo).1998 Dec;27(1–2):22–9

23 T Toriyama, Y Kumada, T Matsubara, A Murata, A Ogino, H Hayashi, H Nakashima, H Takahashi, H Matsuo, H Kawahara.Effect of artificial carbon dioxide foot bathing on critical limb ischemia (Fontaine IV) in peripheral arterial disease patients. Int Angiol. 2002 Dec; 21 (4); 367–73

24 M Tafil-Klawe, AWozniak, T Drewa, I Ponikowska, J Drewa, G Drewa, K Wlodarczyk, D Olszewska, J Klawe, R Koslowska.Ozone therapy and the activity of selected lysosmal enzymes in blood serum of patients with lower limg ischemia associated with obliterative atheromatosis.Med Sci Monit.2002 Jul;8(7):CR520–5

25 T Iwai, Sato, T Yamada, Y Muraoka, K Sakurazawa, Y Inoue, H Kinoshita, M Endo. A new treatment for ischemic ulcers: foot bath therapy using high oxygen soluble fluid. J Cardiovasc Surg(Torino).1989 May-Jun;30(3):490–3

26 B Juve Meeker. Whirlpool therapy on postoperative pain and surgical wound healing: an exploration. Patient Educ Couns.1998 Jan;33(1):39–48

27 J Rush, S Burlock,K Lambert, M Loosley-Millman, B Hutchison, M Enkin.The effects of whirlpool baths in labor: a randomized, controlled trial. Birth.1996 Sep;23(3):136–43

28 TG Allison, CM Maresh, LE Armstrong.Cardiovascular responses in a whirlpool bath at 40 degrees C versus user-controlled water temperatures. Mayo Clin Proc.1998 Mar; 73 (3): 210–5

29 DK Li, T Janevic, R Odouli,L Liu. Hot tub use during pregnancy and the risk of miscarriage.Am J Epidemiol.2003 Nov;158(10):931–7

30 DT Burke, CH Ho, MA Saucier, G Stewart. Effects of hydrotherapy on pressure ulcer healing.Am J Phys Med Rehabil.1998 Sep-Oct;77(5):394–8

31 E Odabasi, M Turan, H Erdem, F Tekbas. Does mud pack treatment have any chemical effect? A randomized controlled clinical study.J Altern Complement Med.2008 Jun; 14 (5): 559–65

32 Fioravanti, G Perpignano, G Tirri, G Cardinale, C Gianniti, CE Lanza, A Loi, E Tirri, P Sfriso, F Cozzi.Effects of mud-bath treatment on fibromyalgia patients: a randomized clinical trial. Rheumatol Int.2007 Oct;27(12):1157–61. Epub 2007 May 23.
33 S Sukenik, D Buskila, L Neumann, AKleinert-Baumgarten.Mud pack therapy in rheumatoid arthritis. Clin Rheumatol.1992 Jun;11(2):243–7
34 D Evcik, V Kavunku, AYeter, I Yigit. The efficacy of balneotherapy and mud-pack therapy in patients with kne osteoarthritis. Joint Bone Spine.2007 Jan;74(1):60–5. Epub 2006 Nov 29
35 S Bellometti, L Galzigna. Function of the hypothalamic adrenal axis in patients with fibromyalgia syndrome undergoing mud-pack treatment. Int J Clin Pharmacol Res. 1999; 19 (1): 27–33
36 I Wigler, O Elkayman, D Paran, M Yaron. Spa therapy for gonarthrosis: a prospective study. Rheumatol Int.1995;15(2):65–8
37 O Elkayam, J Ophir, S Brener, D Paran, I Wigler, D Efron, Z Even-Paz, Y Politi, M Yaron. Immediate and delayed effects of treatment at the Dead Sea in patients with psoriatic arthritis. Rheumatol Int.2000;19(3):77–82
38 S Bellometti, M Poletto, C Gregotti, P Richelmi, F Berte. Mud bath therapy influence nitric oxide, myeloperoxidase and glutathione peroxidase serum levels in arthritic patients. Int J Clin Pharmacol Res.2000;20(3–4):69–80
39 S Bellometti, L Galzigna, P Richelmi, C Gregotti, F Berte. Both serum receptors of tumor necrosis factor are influenced by mud pack treatment in osteoarthrotic patiens. Int J Tissue React.2002;24(2):57–64
40 S Codish, M Abu-Shakra, D Flusser, M Friger, K Sukenik. Mud compress therapy for the hands of patients with rheumatoid arthritis. Rheumatol Int.2005 Jan;25(1):49–54. Epub 2003 Nov 14
41 F Cozzi, M Podswiadek, G Cardinale, F Oliviero, L Dani, P Sfriso, L Punzi. Mud-bath treatment in spondylitis associated with inflammatory bowel disease- a pilot randomozed clinical trial. Joint Bone Spine.2007 Oct;74(5):436–9. Epub 2007 May 30.
42 S. Cornwell, A Dale. Lavender oil and perineal repair. Mod Midwife.1995 Mar; 5(3):31–3
43 N Morris. The effects of lavender (Lavendula angustifolium) baths on psychological well-being: two exploratory randomised control trials. Complement Ther Med.2002 Dec; 10 (4): 223–8
44 J Gruenwald, HJ Graubaum, R Busch. Efficacy and tolerability of a fixed combination of thyme and primrose root in patients with acute bronchitis. A double-blind, randomized, placebo-controlled clinical trial. Arzneimittelforschung.2005;55(11):669–76
45 B Kemmerich, R Eberhardt, H Stammer. Efficacy and tolerability of a fluid extract combination of thyme herb and ivy leaves and matched placebo in adults suffering from acute bronchitis with productive cough. A prospective, double-blind, placebo-controlled clinical trial.
46 E Eksioglu, D Yazar, A Bal, HD Usan, A Cakci. Effects of Stanger bath therapy on fibromyalgia. Clin Rheumatol.2007 May;26(5):691–4. Epub 2006 Jul 29.
47 JT Viitasalo, K Niemelä, R Kaappola, T Korjus, M Levola, HV Mononen, HK Rusko, TE Takala. Warm underwater water-jet massage improves recovery from intense physical exercise. Eur J Appl Physiol Occup Physiol.1995;71(5):431–8

## 5.4 Wickel, Packungen, Auflagen

Als *Wickel* bezeichnet man ein feuchtes Tuch, mit welchem Teile des Körpers (Wadenwickel, Brustwickel) umhüllt werden und das mit einem trockenen Leinentuch und einem Wolltuch abgedeckt wird. Als *Packungen* werden in der Hydrotherapie solche Anwendungen angesprochen, bei denen zwei Drittel oder mehr der Körperoberfläche in Wickelart bedeckt werden (Ganzpackung). Es besteht also zwischen Wickel und Packung nur ein Größenunterschied, im Wirkprinzip sind sie gleich. Diese hydrotherapeutischen Packungen sind nicht identisch mit den Kälte- oder Wärmepackungen aus thermophysikalisch günstigen Materialien, z.B. Torf, Fango, Kryogel. Auflagen – auch der Begriff *Aufschläge* beziehungsweise Aufschläger ist noch im Gebrauch – unterscheiden sich von Wickeln dadurch, dass das feuchte Tuch nicht um den Körper oder die Extremität herumgewickelt, sondern nur von einer Seite her aufgelegt wird, während das trockene Leinen- und das Wolltuch um den Körperabschnitt wie beim Wickel herumgeführt werden. Als Kompressen werden mehrfach zusammengefaltete feuchte Tücher bezeichnet, die entweder ohne weitere Bedeckung oder mit einem trockenen Wolltuch abgedichtet auf die zu behandelnde Körperpartie aufgelegt werden.

### 5.4.1 Wickel

Grundsätzlich werden Wickel, Packungen und Auflagen nur im Bett und in einem gut gewärmten Raum verabreicht. Es ist darauf zu achten, dass der Patient vorher Blase und Darm entleert hat. Auch soll der Wickel nicht auf den vollen Magen verabfolgt werden. Gewöhnlich ist davon auszugehen, dass der Wickel kalt angelegt wird. Der Kältereiz bewirkt nach kurzer Vasokonstriktion eine Gefäßerweiterung und Mehrdurchblutung, die sich insbesondere bei größeren Wickeln auch auf den Gesamtstoffwechsel auszuwirken vermag. Aber allein schon die gesteigerte Stoffwechselaktivität in der Haut unter dem Wickel führt zu einer ganz erheblichen Mehrung der Ausscheidungen der Talg-und Schweißdrüsen.
Wenn ein Patient fröstelt und sich kalt fühlt, sind kalte Maßnahmen nicht angezeigt; hier empfehlen sich temperierte, beziehungsweise warme Wickel. Auch

## 5.4 Wickel, Packungen, Auflagen

neuritische Reizerscheinungen reagieren besser auf temperierte und warme als auf kalte und heiße Wickel. Heiße Wickel werden zur Behandlung von Koliken, z.B. des Magen-Darm- oder des Urogenitaltrakts, gelegentlich auch bei chronisch entzündlichen Gelenkveränderungen eingesetzt, dann aber so heiß wie gerade noch verträglich.

Bei bestimmten Indikationen sind Zusätze zur Wickelflüssigkeit gebräuchlich, überwiegend um die Wirkung des Wickels zu verstärken. *Weinessig* (etwa 100 bis 300 ccm auf 1 l Wasser) mildert das subjektive Kältegefühl des Wickels und erhöht die Hautreaktion. Essigzusatz wird besonders von Personen, die unter einer ausgesprochen schlechten Hautdurchblutung leiden, als angenehm empfunden. Gleichfalls den Hautreiz verstärkend wirkt eine Zugabe von 2 bis 3 Esslöffeln Salz auf 1 l der Wickelflüssigkeit. Sowohl von Kneipp als auch von Felke (1856–1926) wurde ein *Lehmzusatz* zum kalten Wickel dann verwendet, wenn dieser entzündungshemmende Wirkung entfalten sollte, z.B. bei phlebitischen Reizerscheinungen. Bereitet wird dieses Lehmwasser, indem man mehrere Handvoll pulverisierten Lehm in etwa 2 bis 3 l Wasser verrührt.

Heiß angelegte Wickel bei chronisch-entzündlichen Gelenkveränderungen können – da sie die örtliche Gefäßreaktion begünstigen – auch mit einem *Heublumenabsud* getränkt werden. Dieser wird hergestellt, indem man 1 bis 3 Handvoll Heusamen (Heublumen) in einen Leinenbeutel füllt, diesen verschließt und etwa eine halbe Stunde in 4 bis 5 l Wasser kocht. Da hinein wird das – vorher zusammengerollte – Wickeltuch getaucht. Auch Haferstroh lässt sich in gleicher Zubereitung und mit vergleichbarer Wirkung einsetzen.

Ebenfalls heiß angelegt wird der so genannte *Senfwickel*, der sich als Brustwickel bei chronischer Bronchitis, besonders aber auch bei schlecht sich lösenden Pneumonien und bei Pleuritis bewährt hat. Er wird zubereitet, indem 3 bis 6 gehäufte Esslöffel Senfmehl mit 5 Litern etwa 50 °C heißem (keinesfalls mit kochendem!) Wasser übergossen werden. Einige Minuten ziehen lassen, dann Wickeltuch eintauchen, gut auswinden und anlegen. Achtung! Wenn der Patient über das Auftreten eines Brenngefühls an der Haut berichtet, muss der Wickel abgenommen werden, da andernfalls Hautschäden auftreten könnten. Gewöhnlich wird der Senfwickel 10 bis 20 Minuten vertragen. Nach dem Abnehmen des Wickels ist eine starke Hautreizung im Sinne einer ausgeprägten Hyperämie zu erkennen. Eventuell der Haut noch anhaftende Senfkörnchen müssen durch eine warme Waschung entfernt werden. Ein Senfwickel kann auch bereitet werden durch Zusatz einer geringen Menge Senföl zur Wickelflüssigkeit.

Der Behandler hat beim Umgang mit Senfwickeln gewisse Vorsichtsmaßregeln einzuhalten: Er muss die Hände nach dem Umgang mit Senfwickeln sorgfältig waschen; keinesfalls darf er mit den mit Senfmehl verunreinigten Fingern ins Gesicht fassen, sich die Augen wischen etc.!

Während der von *Prießnitz* (1799–1841) beschriebene Umschlag zwischen dem feuchten Leinentuch und dem bedeckenden Wolltuch einen wasserdichten Stoff, z.B. Gummi- oder Plastiktuch hat, weshalb die Feuchtigkeit nur sehr schwer verdunsten kann, weist der Wickel nach *Kneipp* folgenden Aufbau auf: Dem Körper liegt ein nasses Tuch aus möglichst grob-porösem Leinen an, dieses wird bedeckt von einem trockenen Leinen- oder Baumwolltuch, das zum Schutz des äußeren Wolltuches allseitig etwa 2 bis 3 cm größer als das nasse Tuch sein soll, die äußere Abdeckung besteht aus einer Wolldecke, gegebenenfalls auch einem Flanelltuch in der Größe des nassen Wickeltuches, die aus hygienischen Gründen nicht direkt mit der Haut des Kranken in Berührung kommen soll *(Abb. 5.36)*. Der Wickel nach Kneipp gewährleistet eine gute Ausdunstung während der Liegedauer. Alle Wickelschichten müssen dicht und möglichst glatt dem Körper angelegt werden. Zweckmäßigerweise geht man dabei so vor: Man breitet über das Ruhebett in Höhe der zu wickelnden Kör-

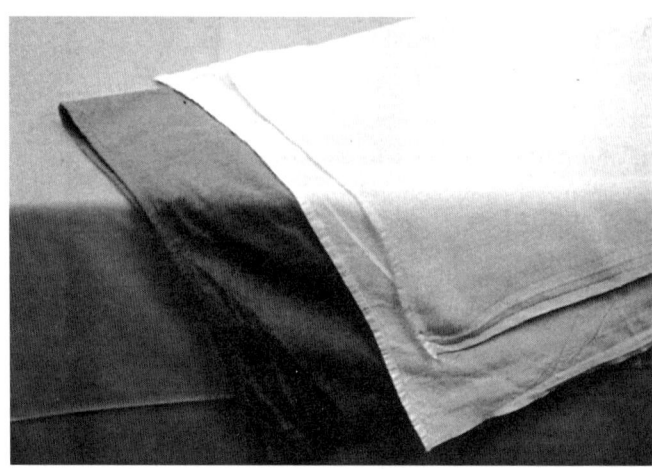

**Abb. 5.36** Vorbereitung eines Kurzwickels (beachte die Anordnung der Tücher).

## 5.4 Wickel, Packungen, Auflagen

perpartie zunächst das Wolltuch aus, und zwar so, dass es auf der einen Seite etwas weiter herunterhängt, als auf der anderen. Dann legt man über das Wolltuch das trockene Zwischentuch (es überragt die Wolldecke am oberen und unteren Rand um 2 cm!) und dann darauf das nasse Wickeltuch. Nun legt sich der völlig entkleidete Patient auf diesen Wickel. Mit schnellen Griffen schlägt der Behandler den länger herabhängenden Teil des nassen Wickeltuches um den Körper des Kranken und steckt ihn straff mit der Außenkante der linken Hand unter den Patienten, während die rechte Hand im Zug-Gegenzugverfahren den noch herabhängenden Teil des Wickeltuches strammzieht, der dann ebenfalls glatt und straff um den Körper des Patienten herumgeführt und untergesteckt wird. In gleicher Weise wird danach mit dem Zwischen- und dann mit dem Wolltuch verfahren. Abschließend wird der Kranke mit einer Woll- oder Bettdecke zugedeckt. Alle Handgriffe dürfen nur wenige Sekunden dauern. Der fertige Wickel muss fest anliegen und dem Körper anmodelliert sein. Nirgendwo darf der Patient das Gefühl haben, dass es in den Wickel „hineinzieht", weil sonst die Wiedererwärmung behindert und die Wickelwirkung gefährdet werden. Der Wickel soll möglichst faltenlos angelegt sein. Lediglich an Körperteilen, deren Umfang sich zwischen dem oberen und unteren Wickelrand ändert, etwa zwischen Lendenbereich, Gesäß und Oberschenkel, ist es erforderlich, Schrägfalten zu legen. Dadurch können sich trotz der Umfangsänderung keine Lufträume zwischen Wickel und Haut bilden, durch die der Wärmestau andernfalls ungünstig beeinflusst werden würde.

Die Maße für die gebräuchlichsten Wickel sind:
- Wadenwickel:    80 × 80 cm
- Beinwickel:     80 × 130 cm
- Armwickel:      60 × 90 cm
- Brustwickel:    40 × 180 cm
- Lendenwickel:   40 × 180 cm
- Kurzwickel:     80 × 180 cm
- Ganzpackung:    190 × 210 cm

Beim Anlegen eines Wickels ist – wie bei anderen hydrotherapeutischen Anwendungen zumeist in gleicher Weise – darauf zu achten, dass der Raum gut temperiert ist, dass Fenster und Türen geschlossen sind, dass während der Wickelzeit absolute Ruhe herrscht, insbesondere keine Musik die entspannende

Wirkung des Wickels beeinträchtigt, dass der Kranke vor Zugluft geschützt ist. (Das erreicht man am besten, wenn der Patient entweder morgens früh im Bett die Anwendung erhält oder zumindest eine halbe Stunde vor dem Wickel gut zugedeckt ruht; gegebenenfalls wird diese Erwärmung unterstützt durch eine Wärmflasche.)

Kranke und geschwächte Personen sollen nie ohne Aufsicht sein, gegebenenfalls wird dem Patienten eine Klingel in die Hand gegeben und mit eingepackt. Sowohl das grobporöse Wickeltuch als auch das Zwischentuch werden nach Gebrauch in die Wäscherei gegeben. Die Wolldecke, die durch das Zwischentuch vor Verunreinigung geschützt wurde, wird zum Austrocknen in einem gut belüfteten Raum aufgehängt.

Je nach Temperatur, Feuchtigkeitsgehalt und Anwendungsdauer der Wickel lassen sich recht unterschiedliche *Wirkungen* erzielen:

▷ Mit einem nur gering ausgewundenem, eine große Menge kalten Wassers enthaltendem Wickeltuch mit kurzer Liegedauer lässt sich dem Körper Wärme entziehen.

▷ Bleibt ein gut ausgewundener Wickel über den Zeitpunkt des Temperaturausgleichs zwischen Haut und Wickelflüssigkeit hinaus angelegt, so kommt es unter dem Wickel zu einem Wärmestau, und es setzt eine leichte Stoffwechselsteigerung, zunächst lokal, dann über den gesamten Körper ausgebreitet, ein.

▷ Wird die Wärmestauung nicht zeitlich begrenzt, bleibt der wärmestauende Wickel weiter angelegt, so führt das zum gründlichen und anhaltenden Schweißausbruch = schweißtreibender Wickel.

### *Wärmeentziehender Wickel (Packung)*

Das befeuchtete Tuch soll nur so weit ausgedrückt werden, dass es beim Anlegen nicht mehr tropft. Je mehr kaltes Wasser das Tuch enthält, desto mehr Wärme vermag es vom Körper abzunehmen. Daraus leitet sich auch die Indikation des wärmeentziehenden Wickels ab. Er wird bei Fieber angewendet. Ist ein Temperaturausgleich zwischen Körperdecke und Wickel erfolgt, nimmt der Wickel also keine Wärme mehr ab, so muss er entfernt und erneuert werden. Je nachdem wie hoch das Fieber und wie kalt das verwendete Wasser ist, variiert dieser Zeitpunkt des Temperaturausgleichs etwas. Im Allgemeinen wird man jedoch davon ausgehen dürfen, dass nach etwa 20 Minuten der wärmeentziehende Wickel gewechselt werden muss, wenn er nicht mehr als kalt empfunden wird. Nach drei- bis viermaliger Erneuerung ist eine deutliche Minderung der erhöhten Körpertemperatur festzustellen. Je nach Intensität des fieberauslösenden Krankheitsprozesses steigt die Körpertemperatur evtl. nach wenigen Stunden wieder an, dann muss die Serie wärmeentziehender Wickel wiederholt werden. Bevorzugt setzt man hierzu Waden-, Lenden- oder Brustwickel ein.

### *Wärmestauender Wickel (Packung)*

Er wird kurmäßig angewandt, um eine leichte Steigerung des Stoffwechsels zu erreichen, um eine reduzierte Reaktionsfähigkeit des Kreislaufs zu aktivieren und um nervöse Fehlsteuerungen abzubauen, d.h. es wird eine allmähliche Umstimmung der allgemeinen Reaktionslage angestrebt. Der Erfolg liegt also weniger in dem Effekt der einzelnen Anwendung, als in deren Summation im Rahmen einer sich über die Kur erstreckenden Behandlungsserie. Man kann wärmestauende Wickel selbstverständlich auch durchführen, wenn am gleichen Tage noch andere Behandlungen zur Anwendung kommen. Gewöhnlich gibt man den Wickel morgens früh im Bett. Man hat dann die Gewähr, dass der Patient ausreichend vorgewärmt ist. Wärmestauende Wickel können aber auch zu jeder anderen Tageszeit angelegt werden, z.B. abends als „Schlafwickel", nur ist dann ggf. für die nötige Vorwärmung des Patienten Sorge zu tragen.

Das nasse Tuch wird beim wärmestauenden Wickel stark ausgewrungen, der Kältereiz, der die Reaktion „herausfordert", ist nur von kurzer Dauer. Der Wärmeentzug ist gering, das nasse Tuch nimmt bald die Körperwärme an, und danach kommt es zum Wärmestau unter dem Wickel. Der gut zugedeckte Patient kann die gestaute Wärme nur ungenügend nach außen abgeben. Bevor es jedoch zum allgemeinen Schweißausbruch kommt, wird der Wickel abgenommen. Die ersten leichten Schweißspuren auf der Stirn der eingewickelten Person geben den Zeitpunkt dafür an. Im Durchschnitt ist das nach etwa 45–60 Minuten Liegedauer der Fall. Lose zugedeckt sollte der Patient noch mindestens eine halbe Stunde nach dieser Anwendung Bettruhe einhalten.

### Schweißtreibender Wickel (Packung)

Er wird eingesetzt zur Kupierung von Erkältungskrankheiten oder – auch wieder serienmäßig – zur intensiven Stoffwechselanregung bei Adipositas. Der schweißtreibende unterscheidet sich vom wärmestauenden Wickel nur durch die Liegedauer. Man lässt den Kranken so lange im Wickel, bis er kräftig schwitzt. Das ist nach etwa 1/2 bis 2 Stunden der Fall. Bei Fieber kann die Schweißbildung allerdings auch schon früher eintreten. Wichtig ist, dass auch bei diesem Wickel das nasse Tuch stark ausgewrungen wurde. Entscheidend ist, dass der Patient innerhalb der ersten halben Stunde im Wickel warm wird. Das kann nur erreicht werden, wenn der Wickel fest anliegt. Unter einem zu locker gelegten Wickel, der Luftzutritt von außen ermöglicht, bleibt die reaktive Wiedererwärmung aus, der Patient friert in der Packung. Wird der Patient jedoch trotz gut anliegenden Wickels in der vorgesehenen Zeit nicht warm, so muss man zusätzlich Wärme zuführen. Das geschieht am besten, indem man ihm heißen Tee oder heißen Fruchtsaft zu trinken gibt und Wärmflaschen mit einpackt. Auf keinen Fall dürfen alkoholische Getränke gereicht werden, da durch sie die typischen Reaktionsabläufe unabschätzbar verändert werden. Bleibt trotz aller Bemühungen die Wiedererwärmung aus, so muss der Wickel abgenommen werden.

Nach beendeter Schwitzprozedur wird der Patient aus dem Wickel mit einem temperiert befeuchteten Tuch „herausgewaschen", um das Nachschwitzen etwas einzudämmen. Nur lose zugedeckt soll der Kranke dann mindestens eine Stunde Nachruhe einhalten, damit der Wärmestau sich allmählich wieder zurückbilden und die weiteren im Körper angeregten Reaktionen abklingen können.

Es würde den Rahmen dieses Abschnittes überschreiten, sollten alle Wickelformen detailliert geschildert werden. Deshalb werden nur einige der typischen und gebräuchlichsten Wickel und Packungen eingehender beschrieben, weitere werden lediglich kurz erwähnt.

### Halswickel

Er wird gern eingesetzt bei entzündlichen Erkrankungen im Hals- und Rachenbereich, auch bei Heiserkeit im Gefolge eines grippalen Infektes. Hierbei wird der gut ausgewrungene Wickel vorwiegend im Sinne der Wärmestauung angewendet. Liegt allerdings eine hochfieberhafte Störung, z.B. eine akute Entzündung der Mandeln vor, so ist es zweckmäßig, den gut feuchten Wickel häufig zu wechseln zur Fiebersenkung und Entzündungsdämpfung. Das Innentuch des Halswickels soll ca. 10 cm breit und so lang sein, dass es mindestens zweimal um den Hals herumreicht (etwa 90 cm). Man kann gegebenenfalls auf ein trockenes Zwischentuch verzichten, wenn man für diesen Wickel ein in der Länge gefaltetes Handtuch nimmt, das nur auf der einen Längshälfte befeuchtet wurde. Die andere trockene Hälfte dient dann als Zwischentuch. Ein Wolltuch oder Wollschal bildet den Abschluss des Wickels.

## *Brustwickel*

Als unterstützende Maßnahme wird er empfohlen bei chronischer und akuter Bronchitis, bei Pleuritis und Pneumonie, auch bei massiver Beteiligung der Atmungsorgane im Verlauf einer Grippe.
Bei hochfieberhaften Zuständen kann der Brustwickel – häufig gewechselt – wärmeentziehend und fiebersenkend genutzt werden. Handelt es sich um subakute oder chronische Zustände, etwa nach einer Pleuritis oder um eine sich schlecht lösende Pneumonie, so wird man den kalt angelegten Wickel wärmestauend wirken lassen. Bei diesen Indikationen kann aber auch ein so genannter Senfwickel eingesetzt werden, d.h. ein Wickel, der mit einem Senfmehlzusatz versehen wurde. Der Senfwickel hat jedoch eine deutlich verkürzte Liegezeit. Er muss abgenommen werden, wenn der Patient über das Auftreten eines deutlichen Brenngefühls klagt.
Der Brustwickel reicht von den Achselhöhlen bis unter den Rippenbogen. Nach Aufrichten des Patienten im Bett werden die drei Tücher des Wickels so auf das Bett gelegt, dass sie beim Zurücklegen des Kranken in der richtigen Lage am Oberkörper appliziert werden können. Die Tücher werden nacheinander im Zug-Gegenzugverfahren um den Oberkörper gewunden. Sie sind glatt und faltenlos, aber auch stramm anzulegen, da nur das feste Anliegen eine rasche und ausreichende Wiedererwärmung garantiert. Das nasse Innentuch soll seitlich um mindestens 2 cm vom trockenen Zwischentuch überdeckt werden, damit keine örtliche Auskühlung entsteht, die der Wiedererwärmung entgegenwirken würde.

Der Brustwickel darf, auch wenn er stramm und fest anliegt, die Atmung nicht beeinträchtigen. Deshalb zieht man die Tücher bei mittlerer Atemstellung an und nicht bei tiefer Ein- oder Ausatmung.

## *Wadenwickel*

Wenn auch dieser Wickel – wie der Arm- oder Beinwickel – bei örtlichen Entzündungen oder rheumatischen Beschwerden je nach Indikation wärmeentziehend oder wärmestauend verordnet werden kann, so wird er doch überwiegend als wärmeentziehender Wickel zur Fiebersenkung eingesetzt. Er reicht von der Ferse bis zur Kniekehle *(Abb. 5.37a–b)* und ist einfach anzulegen. In der häuslichen Krankenpflege haben sich anstelle des dreischichtigen Wickels die sogenannten „nassen Socken" eingebürgert. Dabei werden nasse, mäßig ausgewrungene Baumwollsocken über Fuß und Wade gezogen und – ohne eine Zwischenlage – trockene Wollstrümpfe darübergestreift *(Abb. 5.38)*.

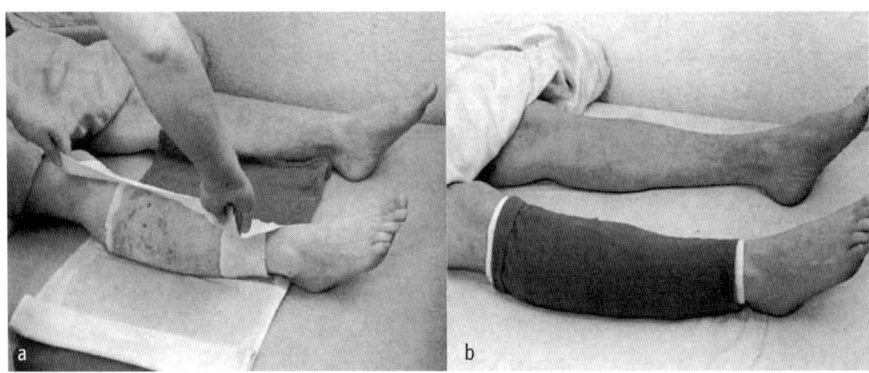

**Abb. 5.37a–b**
Anlegen eines Wadenwickels.

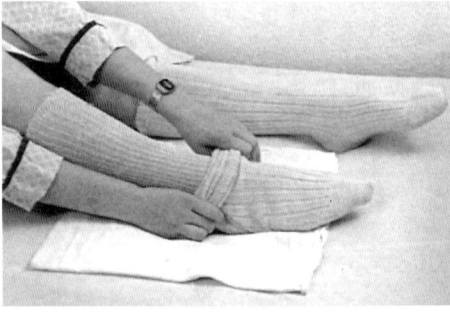

**Abb. 5.38**
„Nasse Socke".

Gewöhnlich wird der Wadenwickel kalt angelegt, lediglich bei Schüttelfrost ist ein warmer Wickel angezeigt.

### Arm- oder Beinwickel

Vorwiegend werden diese Wickel angewendet zur örtlichen Behandlung, z.B. bei Entzündungen der Venen oder der Lymphbahnen. Daneben lassen sich Bein- oder Armwickel auch – häufig gewechselt – zu Fiebersenkung oder als wärmestauender Wickel bei Schlaflosigkeit einsetzen. Zur Linderung örtlicher Entzündungen, etwa einer Thrombophlebitis oder Lymphangitis werden die Wickel kalt angelegt. Der kühlende Effekt kann verlängert werden, wenn das Innentuch des Wickels mit Lehmwasser getränkt wird. Es ist sorgfältig darauf zu achten, dass der Wickel abgenommen und erneuert wird, sobald der Temperaturausgleich zwischen Wickeltuch und Haut erfolgt ist. Würde der Wickel über diese Zeit hinaus liegenbleiben, so käme es unter ihm zum Wärmestau, der die Entzündung noch verstärken würde.

Soll der Wickel zur Linderung von rheumatischen Beschwerden oder von Überlastungsreaktionen an Sehnen, Bändern und Muskeln dienen, so wird er entweder als wärmestauender Wickel kalt oder gegebenenfalls auch warm angelegt. Bei anfallsweisem Hinken auf der Basis arterieller Durchblutungsstörungen sollte der Beinwickel warm verwendet werden. Warme Armwickel kommen bei Angina pectoris zur Anwendung. Achtung, bei entsprechenden Herzbeschwerden niemals kalte Wickel verwenden, sie könnten anfallsauslösend oder beschwerdeverstärkend wirken! Darüber hinaus ist bei der Anwendung von Kaltwickeln stets auf die Grundregel zu achten, die für alle Kaltmaßnahmen gilt: niemals kalte Anwendungen bei kalten Füßen oder kalten Händen.

Technisch bestehen zwischen dem Bein- und dem Armwickel keine nennenswerten Unterschiede. Man benötigt die üblichen drei Wickeltücher. Der Beinwickel umhüllt das ganze Bein, einschließlich des Fußes, bis zur Hüfte. Die Tücher werden durch Umschlagen am körpernahen Ende so abgeschrägt, dass man eine längere und eine kürzere Seite zur Verfügung hat. Dadurch lässt sich ein genaues Anlegen an der Leistenbeuge erreichen. Die längere Seite kommt an die Außenseite des Beines, die kürzere an die Innenseite. Zuerst werden Fuß und Waden umwickelt, dann der Oberschenkel. Der Armwickel reicht von der

Hand bis zur Schulter. Die Tücher werden zur Schulter hin schräg nach außen umgeschlagen, so dass die längere Seite des Wickeltuches an der Außenseite, das kürzere Ende an der Innenseite des Armes liegt. Man beginnt die Einwicklung durch sorgfältige Faltenlegung an der Hand und packt dann den Arm ein, wobei auf einen guten Abschluss des Wickels an der Schulter zu achten ist.

## *Lendenwickel*

Als kalt angelegter wärmestauender Wickel wird er empfohlen bei Einschlafstörungen, bei funktionellen Magen-Darm- oder Leber-Galle-Beschwerden. Dazu gehört auch der gastro-kardiale Symptomenkomplex, ebenso aber die chronische Verstopfung oder ein akuter Magen-Darm-Katarrh. Ferner wird der Wickel bei subakuten und chronischen Entzündungen im Bauch- und Beckenraum angewandt. Bei Koliken, Meteorismus, Menstruationsbeschwerden, chronischer Nierenentzündung oder chronischer Leberschwellung werden warme oder heiße Wickel eingesetzt.

Der Lendenwickel reicht vom unteren Rippenbogen bis zur Mitte der Oberschenkel. Beim Anlegen ist darauf zu achten, dass er fest anmodelliert ist. Das ist durch entsprechende Faltenlegung zu erreichen.

Eine mildere Wirkung als der Lendenwickel entfaltet die Leibauflage, deren Heilanzeigen sich mit denen des Lendenwickels decken. Sie kommt vorwiegend dann zur Anwendung, wenn die sorgfältige Anlage des Lendenwickels am bewegungsbehinderten oder geschwächten Patienten nicht möglich ist. Die Leibauflage kann sowohl als örtliche Heiß- als auch als Kaltanwendung dienen. Wolldecke und trockenes Zwischentuch werden unter dem Kranken hindurch geschoben. Ein mehrfach zusammengelegtes feuchtes Leinentuch wird so aufgelegt, dass es vom Rippenbogen bis zur Leistenbeuge reicht. Dann wird der Leib mit Zwischen- und Wolltuch umwickelt.

## *Kurzwickel*

Er wird besonders wegen seiner guten Beeinflussung des Wärmehaushalts und des Stoffwechsels angewendet. Im Übrigen ist er bei den gleichen Beschwerdebildern angezeigt, bei denen ein Lenden- oder Brustwickel eingesetzt wird. Verschiedentlich wird der Kurzwickel auch als Stamm- oder Rumpfwickel bezeichnet.

## 5.4 Wickel, Packungen, Auflagen

Er reicht von der Achselhöhle bis zur Mitte der Oberschenkel. Diese untere Grenze ist deshalb einzuhalten, weil sich hier der Wickel am besten dicht anmodellieren lässt, denn ein allseits festes Anliegen ist für die Wiedererwärmung unerlässlich.

Kann man den Wickel nicht entsprechend anlegen, weil der Patient zu immobil ist, so sollte man auf den Stammaufschlag oder den Oberaufschläger zurückgreifen. In diesem Fall werden nur das Woll- und das trockene Zwischentuch unter dem Rücken des Patienten hindurch geschoben und das nasse Tuch, das man der Größe entsprechend gefaltet hat, auf die Vorderseite des Rumpfes – auf den seitlichen Körperpartien etwas herabhängend – aufgelegt. Mit dem trockenen Zwischentuch wickelt man die nasse Auflage fest und schließt den Aufschlag mit der zirkulär geführten Wolldecke ab. Die Wirkung ist milder als die des Kurzwickels, im Prinzip aber die gleiche.

### *Dreiviertelpackung*

Sie kann zwar auch bei hohen Körpertemperaturen zum Wärmeentzug dienen, doch ist der erforderliche mehrfache Wechsel umständlich und bringt auch für den Kranken die Gefahr mit sich, dass er, wenn der Wechsel nicht rasch durchgeführt wird, zwischendurch abkühlt. Bevorzugt wird die Dreiviertelpackung als kurmäßige Anwendung genutzt zur Umstimmung und zur Stoffwechselsteigerung, zur Beeinflussung rheumatischer Beschwerden von Seiten der Wirbelsäule und der Gelenke der unteren Extremitäten und – hierbei allerdings als Einzelmaßnahme – zur Förderung des Schweißausbruchs bei Erkältungskrankheiten. Je nach angestrebter Wirkung kann man die Dreiviertelpackung wärmeentziehend, wärmestauend oder schweißtreibend anwenden.

Die Packung beginnt in Höhe der Achselhöhlen und reicht von dort bis um die Füße herum. Sie lässt also nicht nur Nacken und Schultern, sondern auch die Arme frei, was von vielen Patienten, die unter Beklemmungsgefühlen leiden, als angenehm empfunden wird. Am oberen Rand ist wieder darauf zu achten, dass das trockene Zwischentuch das nasse Wickeltuch zum Schutz der äußeren Wolldecke und zur Vermeidung von Abkühlung um 2 bis 3 cm überragt. Sonst ist die Technik wie bei der Ganzpackung (s. dort). Auch hier muss durch Zug und Gegenzug für das feste Anliegen der Packung gesorgt werden.

## Ganzpackung

Ganzpackungen können zwar als Einzelanwendungen zur Anregung des Schweißausbruchs bei Erkältungs- und Infektionskrankheiten dienen, doch werden sie überwiegend im Rahmen einer Kur zur Umstimmungsbehandlung und zur Stoffwechselsteigerung eingesetzt. Sie decken sich in ihren Heilanzeigen weitgehend mit denen der Dreiviertelpackung, wirken allerdings noch intensiver.

Die Ganzpackung umschließt den ganzen Körper mit Ausnahme des Kopfes. Zur Vorbereitung breitet man über ein Ruhebett zunächst eine große Wolldecke aus, und zwar derart, dass sie auf einer Seite etwas weiter herabhängt als auf der anderen. Am Kopfende wird die Wolldecke etwa handbreit nach unten umgeschlagen. Dann breitet man über die Wolldecke erst das trockene Zwischentuch und darüber das nasse Laken. Auch diese beiden Tücher schlägt man am Kopfende handbreit nach unten um. Am oberen Rand lässt man das trockene Zwischentuch gut handbreit die Wolldecke und auch das nasse Tuch überragen. Dadurch wird verhindert, dass die Wolldecke beim Einpacken mit der Haut des Patienten in Berührung kommt. Gleichzeitig ist auch das nasse Innentuch gut abgedeckt. Würde nämlich das nasse Tuch nach außen hervorragen, so könnte der Körper an dieser Stelle auskühlen, und die Erwärmung in der Packung würde in Frage gestellt sein. Auf das nasse Laken legt sich nun der völlig entkleidete Patient, und zwar so, dass ihm das nasse Laken im Nacken bis zum Haaransatz reicht. Dann hebt er beide Arme hoch. Mit schnellen Griffen schlägt der Behandler den weniger herabhängenden Teil des nassen Tuches glatt um den Körper des Patienten, so dass der obere Rand des Lakens in Höhe der Achselhöhlen zu liegen kommt. Auf der gegenüberliegenden Seite steckt er das Laken faltenlos unter den Rücken und unter das Gesäß des Kranken. Dann legt er es eng um und zwischen die Beine, so dass der Körper allseitig vom nassen Tuch bedeckt ist und nirgends Haut auf Haut liegt. Jetzt darf der Patient die Arme locker seitlich an den Rumpf legen und der Behandler schlägt nun den weiter herabhängenden Teil des Lakens ebenfalls glatt um den Körper des Patienten. Dabei müssen beide Schultern so eingepackt werden, dass das Laken auch am Hals gut anliegt. Der Rest des Lakens wird straff um den Rumpf und um die Beine gewickelt und das untere Ende um die Füße geschlagen. In gleicher Weise folgt dann das Einpacken mit dem trockenen

## 5.4 Wickel, Packungen, Auflagen

Zwischentuch, das mit einer besonderen Umschlagtechnik glatt über die Schultern gelegt wird, so dass es am Hals gut anliegt. Auch Rumpf und Bein werden mit raschen Griffen glatt und faltenlos eingepackt. Zuletzt hüllt man den Patienten in die Wolldecke ein. Bei Einsetzen der Wärmestauung wird es von vielen Patienten als angenehm empfunden, wenn sie ein kaltes, nasses Tuch auf die Stirn gelegt bekommen. Bei einer schweißtreibenden Packung ist sorgfältig darauf zu achten, dass dem Kranken regelmäßig in kurzen Abständen der Schweiß mit einem trockenen Tuch vom Gesicht und von der Stirn getupft wird.

### *Spanischer Mantel*

Er stellt eine Variante der Ganzpackung dar, die besonders in solchen Behandlungsstätten verwendet wird, in denen in größerem Umfang Ganzpackungen abgegeben werden. Beim spanischen Mantel ist an die Stelle des nassen Tuches ein weites bademantelähnliches Gewand aus grobem Leinen getreten, das vom Hals bis über die Füße reicht und dessen Ärmel die Fingerspitzen überragen. Der weite Mantel ist nach vorne offen, die Seitenteile werden aber beim Anziehen übereinander geschlagen. Der mit kaltem Wasser getränkte Mantel wird vom Patienten außerhalb des Bettes angezogen. Dann legt sich der Kranke in das wie zur Ganzpackung mit Zwischentuch und Wolldecke hergerichtete Bett, der Leinenmantel wird glatt gestrichen und die Einwicklung wie zur Ganzpackung durchgeführt. Die Wirkung des spanischen Mantels lässt sich mit derjenigen der Ganzpackung vergleichen, entsprechend sind auch die Indikationen identisch.

### *Salzhemd*

Es ist gewissermaßen ein verkürzter spanischer Mantel, bei dem Hände und Füße vom nassen Tuch nicht bedeckt werden. Das Hemd wird getränkt mit einer 2 bis 5%igen Solelösung (d.h. 20 bis 50 Gramm Haushaltssalz pro Liter Wasser). Die Sole übt einen kräftigen Hautreiz aus, begünstigt den Schweißausbruch und fördert die rasche Entwicklung des Ausschlages bei Infektionskrankheiten, wie Masern oder Scharlach.

### Weitere Wickelformen

Beim Kopfwickel werden Augen, Nase und Mundpartie freigelassen. Der Fußwickel bedeckt den Fuß bis zum oberen Sprunggelenk. Ein Handwickel reicht von den Fingerspitzen bis zur Mitte des Unterarms. Der Unteraufschläger ist mit dem Oberaufschläger hinsichtlich der Einwicklung vergleichbar, allerdings wird das nasse Tuch auf der Rückseite des Kranken angelegt und reicht von der Schulterblatthöhe bis zur Kniekehle. Einen T-Wickel verabfolgt man bei Blasen-, Prostata- oder ähnlichen Leiden: Man führt beim Lendenwickel noch ein schmales nasses Tuch vom Kreuzbein zwischen den Beinen des Kranken hindurch bis zum Unterleib. Als Schottenwickel bezeichnet man eine Variante des Brustwickels, bei welcher an das gewöhnliche Wickeltuch trägerartige Schulterbinden angenäht sind. Damit lassen sich die Lungenspitzenbereiche mit in den Wickel einbeziehen. Außerdem wird durch die Träger ein fester Sitz des Wickels gewährleistet. Der Brustwickel kann auch durch den Kreuzwickel ersetzt werden. Besonders für den weniger geübten Behandler lässt sich damit eine faltenlose, gut anliegende, dem Brustwickel vergleichbare Anwendung erreichen. Man benötigt für den Kreuzwickel eine 2,5 bis 3 Meter lange und (je nach Schulterbreite) 15 bis 20 cm breite Leinenbinde, die man in kaltes Wasser taucht, gut auswindet und in folgender Weise um Brust und Schultern wickelt: Den Kopf der Binde nimmt man in die rechte Hand, das freie Ende in die linke. Dann führt man die Binde von der rechten Brustwandseite (also unterhalb der Achselhöhle) schräg nach oben zur linken Schulter und von da aus schräg über den Rücken zum Ausgangspunkt zurück. Darauf lässt man die Binde quer über die Brust zur linken Brustkorbseite laufen, führt sie unter der linken Achselhöhle hindurch zum Rücken, überquert den Rücken schräg aufwärts bis zur rechten Schulter und über diese hinweg bis zur Brustmitte. Mit einer zweiten, trockenen und etwas breiteren Binde wickelt man die nasse fest.

## 5.4.2 Kalt- und Heißpackungen

Relativ oft ergibt sich das Erfordernis, dem Körper oder einzelnen Körperabschnitten Wärme zu entziehen oder zuzuführen. Ersteres ist der Fall, wenn es sich beispielsweise darum handelt, lokale Stoffwechselerhöhungen in Verbindung mit einem entzündlichen Prozess zu dämpfen oder reflektorische, eine Übungsbehandlung störende Reaktionen auszuschalten. Wärmezufuhr ist angezeigt zur Durchblutungsförderung, Anregung des Stoffwechsels, Spasmolyse und Tonusminderung der Muskulatur. Für diese Aufgaben ist eine Reihe von Verfahren und Materialien in Gebrauch, die sich je nach Erfordernis einsetzen lassen. Ihre Variationsbreite hinsichtlich der thermophysikalischen Gegebenheiten ist allerdings relativ groß. Das ist jedoch nicht von Nachteil, denn so ermöglichen gerade die vielfältigen Anwendungsmöglichkeiten eine dem Befund optimal anzupassende Dosierung.

### *Wärmeentziehende Verfahren*

Besonders ausgeprägt ist die Anwendungsbreite der Temperaturen bei den kühlenden, dem Körper Wärme entziehenden Anwendungen. Hier stehen uns Temperaturen zwischen etwa 15 °C, wie beim kalten Umschlag, über die kalte Packung von 5–10 °C, die Kryotherapie, d.h. die Behandlung mit Eis (kryos, griech. = Frost oder Eis), bis hin zur Kaltgasbehandlung mit maximal –180 °C zur Verfügung.

Selbstverständlich sind die durch *die Kälteeinflüsse ausgelösten Reaktionen in ihrer Ausprägung abhängig* von dem Grad der erreichten Gewebsabkühlung, damit aber auch abhängig *von den angewandten Verfahren*. Darüber hinaus lassen sich beispielsweise muskeltonussenkende, die Spindelaktivität und die Propriozeption des Muskels herabsetzende Effekte nur durch intensiv abkühlende Anwendungen erzielen.

*Wirkungsweise und Indikationen:* Die Anwendung von Kälte ganz allgemein, insbesondere aber in Form der Kryotherapie, umschließt *antiphlogistische,* analgetische, tonusvariierende und antiexsudative Effekte. Die bei lokalen Entzündungen gesteigerte Permeabilität der Gefäßwände, die Ausbildung perivaskulärer Exsudate, die vermehrte Leukozyten- und Lymphozytenemigration und der erhöhte Stoffwechsel mit vermehrter metabolischer Azidose werden durch Kälteeinwirkung herabgesetzt. Ebenso nimmt die Aktivität enzymatisch gesteuerter Entzündungsprozesse ab und die Freisetzung von Entzündungsmediatoren wird gehemmt. Letztere sind es, die besonders die nozizeptiven Schmerzrezeptoren aktivieren. Kälte reduziert jedoch nicht nur die rezeptorenreizenden Substanzen, sondern auch die Erregbarkeit dieser Rezeptoren selber und ebenso die Leitgeschwindigkeit in den afferenten Nervenbahnen, welche die Schmerzimpulse zentralwärts leiten, bis hin zu einer Teil- oder Ganzblockierung dieser Fasern und wirkt auf diesem Wege *analgetisch*.

Die *tonusvariierende* Wirkung der Eisanwendung läuft in unterschiedlichen Phasen ab. Bei nur kurzzeitiger, nur wenige Minuten dauernder Kryotherapie kommt es zu einer Tonussteigerung im Muskel. Das nutzt man aus bei der Behandlung hypotoner, paretischer Muskulatur, um eine anschließend an die Kälteeinwirkung durchzuführende Übungsbehandlung zu unterstützen. Eine über etwa 5 Minuten hinausgehende Eisbehandlung bewirkt am Muskel eine Reizschwellenerhöhung und führt zur Minderung des Muskeltonus. Dies wirkt sich günstig aus vor einer Bewegungsbehandlung spastisch veränderter Muskulatur. Die erwähnten Effekte der Kryotherapie kommen anfangs auch ohne eine direkte Abkühlung des Muskels zustande. Vermittelt und gesteuert werden sie vielmehr durch die neuralen Schaltungen zwischen Rezeptoren in der Haut, im Rückenmark und der Muskulatur. Erst mit zunehmender Abkühlung des Muskels selbst durch länger dauernden Wärmeentzug werden dann die Ansprechbarkeit der Muskelspindeln und somit die Propriozeption aus dem Muskel herabgesetzt.

Die unter Kälteeinfluss veränderte Kapillardurchblutung, der reduzierte Perfusionsdruck, die herabgesetzte Filtration und damit die verminderte Ödembildung wirken ebenso *antiexsudativ* wie die durch die Tonisierung der Venenwand bedingte Steigerung des venösen Rückflusses. Diese Faktoren zusammen führen zu einer Abschwellung, Entstauung und Senkung der Gewebsspannung. Besonders bei rheumatischen, aber auch bei anderen entzündlichen Schwellungen wird diese Kältewirkung ausgenutzt. Bei primären und auch sekundären Lymphödemen sollten Kälteanwendungen jedoch unterbleiben, da eine reaktive Hyperämie die Beschwerden ungünstig beeinflussen kann. Die Kältebehandlung, sowohl in Form der Kryo-, als auch der Kaltgastherapie, ist aber nicht nur unter dem Gesichtspunkt der tonusvariierenden, antiexsudativen, antiphlogistischen und analgetischen Wirkung zu sehen, sondern bevorzugt unter dem Aspekt, dass durch ihre über die Applikationszeit hinausreichenden Einflüsse eine weitreichende Bewegungsbehandlung ermöglicht wird. Das macht man sich nicht nur in der Behandlung schmerzhafter, entzündlicher, sondern auch spastischer Bewegungsstörungen zunutze.

## 5.4 Wickel, Packungen, Auflagen

*Kontraindikationen:* Als relative Kontraindikation gilt die Kälteanwendung bei Kindern unter sechs Jahren, bei alten, anämischen Patienten, im Bereich peripherer arterieller Durchblutungsstörungen und bei Neigung zu Angina pectoris. Eine absolute Kontraindikation stellen Kälteallergie und Raynaud-Syndrom dar.

### Kalter Umschlag

Er besteht aus einem mehrfach zusammengelegten feucht-kalt getränkten Tuch, welches die Aufgabe hat, dem Körper während der Liegedauer Wärme zu entziehen. Deshalb muss das Tuch ständig nass gehalten werden. Das geschieht entweder durch häufiges Wechseln oder durch wiederholtes Anfeuchten. Einen kalten Umschlag deckt man nicht mit einem trockenen Tuch ab, sondern lässt ihn unbedeckt.

### Kalte Packung

Man kann solche wärmeentziehenden Packungen durchführen mit kalt angerührtem Fangobrei oder Lehm. Kneipp empfahl hierfür gekühlten Quark. Wichtig ist es, damit der Wärmeentzug auch ausreichend ist, dass diese Packung mindestens 2 cm Dicke aufweist. Sie bleibt so lange liegen, bis sie so viel Wärme aufgenommen hat, dass ein weiterer Wärmeentzug nicht mehr stattfindet. Sowohl der kalte Umschlag, als auch die kalte Packung werden nur als lokale Anwendung eingesetzt.
*Indikationen:* örtliche Entzündungsprozesse (Thrombophlebitis, Abszess, aktivierte Arthrose, Gichtanfall, Polyarthritis).

### Kryotherapie

Zur Definition der Kryotherapie siehe Seite 255ff.
Zwar zählen zur Kryotherapie auch Eisbäder, doch sollen sie hier – ebenso wie Kältesprays – unberücksichtigt bleiben. Ebensowenig soll eine generalisierte Anwendung von Eis, welche die Körpertemperatur deutlich erniedrigt – man spricht dann von Hypothermie – besprochen werden, vielmehr ist die lokale Kryotherapie, die mit Kältepackungen durchgeführt wird, hier darzustellen. Die Zubereitung entsprechender *Kältepackungen* ist mit unterschiedlichen Materialien möglich.

Wenn solche Packungen – beispielsweise im klinischen Bereich in großer Zahl regelmäßig eingesetzt werden, so empfiehlt sich die Anschaffung eines Eisbereitungsautomaten, der fortlaufend *Brucheis* (Eischips) produziert. Die körnigen, unregelmäßig geformten Eisstücke frieren nicht zusammen und sind gut zu handhaben. Dieses Brucheis weist durchschnittlich nur eine Temperatur von –0,5 °C auf, die jedoch völlig ausreichend ist, da erst beim Tauvorgang, also bei 0 °C der stärkste Kühleffekt durch den Verbrauch von 80 kcal/1 Eis auftritt. Die Eischips werden entweder in ein Frotteetuch gepackt und mit diesem angelegt – die beim Tauvorgang auftretende Nässe kann allerdings unangenehm sein – oder sie werden in einen Beutel aus kältebeständiger Plastikfolie (etwa 1–2 kg Eis) gefüllt, den man sorgfältig wasserdicht verschließt. Es empfiehlt sich, den eisgefüllten Beutel – um mögliche Kälteschäden auszuschließen – nicht direkt auf die Haut zu bringen, sondern ein trockenes Tuch dazwischen zu legen.

Bei nicht zu häufigem Gebrauch von Kältepackungen kann auch auf die Benutzung eines mit einer schwachen Salzlösung (1 kg Salz auf 5 l Wasser) getränkten *Frotteetuches* zurückgegriffen werden. Das gut ausgewundene Tuch wird aufgerollt und in das Tiefkühlfach gelegt. Nach drei bis vier Stunden ist es ausreichend durchgekühlt, bleibt aber infolge der Gefrierpunktverschiebung durch die Salzlösung noch ausreichend modellierbar, kann also gut um Körperabschnitte herumgewickelt werden und als Kältepackung einwirken. Als *fertige Kältepackungen* dienen handelsübliche *Kompressen*, die in – auch bei Kälte noch ausreichend – schmiegsamen Plastikhüllen *(Abb. 5.39a–c)* verschiedener Größe und Form eine gelartige, selbst bei –12 °C gut verformbare Masse aus hydriertem Silikat *(Kryogel)* enthalten. Die geringe Temperaturleitfähigkeit dieser Substanzen ermöglicht die Anwendung von Temperaturen bis etwa –18 °C bei langer Wirkungsdauer. Die Kühlung dieser Packungen erfolgt im Tiefkühlfach oder in Gefrierschränken beziehungsweise -truhen. Zur Vermeidung von Kälteschäden ist zwischen die Kryogel-Packung und die Haut eine Stofflage, z.B. ein Frotteetuch zu bringen. Als *Applikationshilfen* für die Kältekissen stehen Elastik-Binden zur Verfügung. Diese Kältekissen sind mehrfach wieder zu verwenden. Es muss jedoch nach jeder Behandlung eine ausreichende Oberflächendesinfektion gefordert werden. Sie kann beispielsweise mit einem handelsüblichen alkoholischen Sprühdesinfektionsmittel erfolgen.

## 5.4 Wickel, Packungen, Auflagen 259

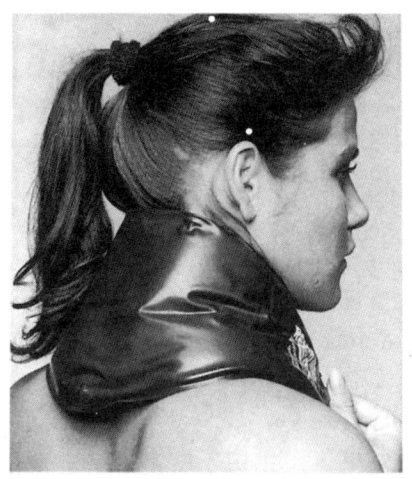
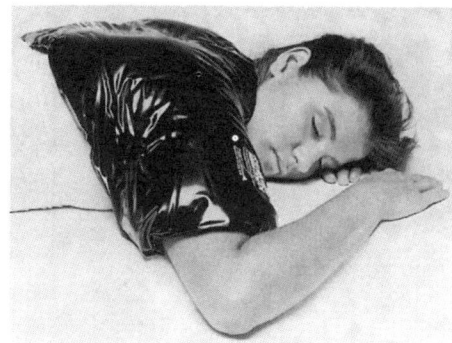
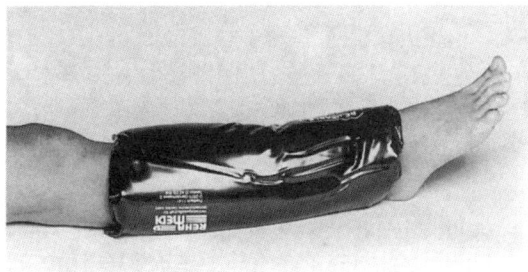

**Abb. 5.39a–c**
Örtliche Kälteapplikationen mit
Cryo-Soft-Kompressen.

Eine besondere Anwendungsform von *Kälte-Spezial-Kopfkompressen* ist erwähnenswert. Bei der Behandlung von Tumorpatienten mit Zytostatika kann es durch verschiedene Präparate zu einer passageren Schädigung der Haarfollikel und dadurch zu einem kompletten Haarausfall kommen. Eine Durchblutungsdrosselung der Kopfhaut zur Zeit der Zytostatikainfusion vermag diese unangenehme Begleitreaktion zu verhindern beziehungsweise zu verringern. Zu diesem Zweck werden dem Patienten etwa 10 Minuten vor der Chemotherapie besonders geformte Kompressen mit einer Temperatur von –12 bis –15 °C auf den Kopf gelegt und mit einer Kappe fixiert. Diese Kompresse sollte frühestens 30 Minuten nach Beendigung der Infusion abgenommen werden.

Eine weitere Form der Eisanwendung stellt der in Japan verbreitete, aber auch hierzulande vereinzelt schon verwendete *Eisbeutel* (ice bag) dar. Es handelt sich

# Kapitel 5 Hydro- und Balneotherapie in der Praxis

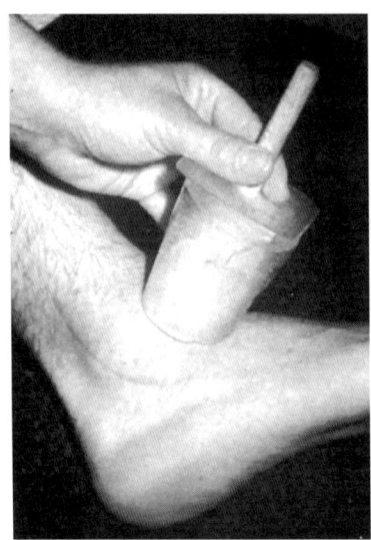

Abb. 5.40
Eisabreibung (Eismassage).

um einen länglichen, relativ dünnwandigen Gummibeutel, der mit etwa 1 kg Brucheis gefüllt wird, dem 3–4 Esslöffel möglichst grobkörniges Salz beigegeben sind. Der Beutel wird verschlossen. Sein Inhalt kühlt sich durch den vom Salz eingeleiteten Schmelzprozess des Eises stark (bis auf −18 °C) ab. Mit diesem Gummibeutel werden dann die zu behandelnden Körperpartien bestrichen. Leicht zu handhaben ist auch die so genannte *Eismassage* (Eisabreibung), bei der unter dauernder Tast- und Sichtkontrolle durch den Behandler Eisblocks in leicht kreisenden oder in Längsstrichen über die zu behandelnden Körperabschnitte geführt werden *(Abb. 5.40)*.

Die Herstellung der Eisblocks erfolgt, indem man leere Joghurtbecher mit Wasser füllt und in das Tiefkühlfach stellt. Als Haltegriff bei der späteren Eismassage kann man einen Holzspatel mit einfrieren lassen. Vor dem Gebrauch hält man den Plastikbecher kurz unter fließendes Wasser und kann dann den Eisblock leicht entnehmen. Auch spezialbehandeltes *Moor* lässt sich – in Plastikfolien eingeschweißt – als Kältepackung bis auf −10 °C abkühlen und dann als Kältekissen (mit verschiedener Form und Größe) anwenden.

Verschiedentlich wird Moor in natürlicher schlammartiger Konsistenz auf 3 °C herabgekühlt und zum *Moorkneten* bei akuter Exazerbation polyarthritischer Entzündungen in den Hand- und Fingergelenken eingesetzt.

**Lokale Kaltgastherapie**

1977 wurde das von dem japanischen Arzt Yamauschi entwickelte Verfahren bekannt, bei welchem Kaltgas zur Schmerzbekämpfung an rheumatisch veränderten Strukturen des Bewegungsapparates und zur Erleichterung einer intensiven Bewegungsbehandlung angewendet wird. In ihrer *Wirkung* ist diese Methode am ehesten mit einer Kurzzeit-Kryotherapie vergleichbar. Die lokale

## 5.4 Wickel, Packungen, Auflagen

Kaltgasanwendung beeinflusst in ganz bevorzugtem Maße das Verhalten der oberflächlichen Rezeptoren und führt zu einer weit über die Applikationszeit hinausgehenden Schmerzherabsetzung. Ihre *Indikationen* sind chronischer Gelenkrheumatismus und andere schmerzhafte Gelenkveränderungen.

Zur lokalen Kaltgasanwendung sind Geräte unterschiedlicher Art und Größe im Handel. Stets wird jedoch als Kaltgas flüssiger Stickstoff verwendet. Er befindet sich in einem Isoliergefäß. Bei einem Gerätetyp wird die Verdampfung des Stickstoffs durch eingeführte getrocknete Druckluft bewirkt, bei einer anderen Gerätesorte durch eine elektrisch gesteuerte Wärmeentwicklung. Der entstehende Kaltgasnebel wird über einen mit einer Düse versehenen isolierten Schlauch nach außen geführt *(Abb. 5.41)*. Die Temperatur des austretenden Kaltgases ist steuerbar. Gewöhnlich kommt das Kaltgas zwischen −130 und −160 °C zur Anwendung. Der aus der Düse austretende Kaltgasstrom wird unter kreisenden Bewegungen auf das zu behandelnde Areal gelenkt. Die Anwendungszeit beträgt nur 1–3, maximal 5 Minuten. Dabei kommt es zu einer Senkung der Hauttemperatur auf 7–10 °C. Um oberflächliche Erfrierungen zu vermeiden, ist eine ständige Sichtkontrolle durch den Behandler notwendig. Besonders gefährdet durch lokale Erfrierungen sind vorspringende Körperpartien.

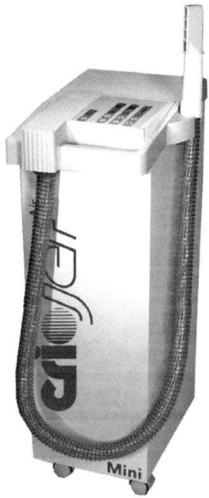

**Abb. 5.41**
Kaltgasgerät CRIOjet (Foto: Linde Gas Therapeutics GmbH, Niefen).

**Kältekammerbehandlung**

Die Kaltgastherapie wurde inzwischen zur Ganzkörperbehandlung weiterentwickelt. Dabei werden die nur mit Badezeug bekleideten Rheumakranken, deren Akren allerdings besonders gegen Erfrierungen geschützt sind (Ohrschützer, Handschuhe, Pantoffel, Nasen-Mundschutz) für 1–3 Minuten in einer speziellen Kältekammer einer Temperatur von −130 °C ausgesetzt. Die Wirkungsweise dieser Ganzkörper-Kaltgasanwendung ist in vielerlei Hinsicht identisch mit derjenigen der lokalen Kaltgastherapie. Besonders bei Patienten mit chronischer Polyarthritis, d.h. entzündlichem Befall vieler Gelenke, ist die nacheinander folgende lokale Behandlung mit Kaltgas eine sehr zeitaufwendige Maßnahme, die durch einen Kältekammeraufenthalt erheblich abgekürzt werden kann.

Durch die weit über die Applikationszeit hinausreichende Wirkung der Kälte wird eine anschließende Bewegungsbehandlung der schmerzhaft entzündeten Gelenke der Rheumapatienten, für die diese Anwendungsform des Kaltgases ebenfalls von Yamauschi eingeführt wurde, wesentlich erleichtert.

### *Wärmezuführende Anwendungen*

*Örtliche Wärmezufuhr* veranlasst den Organismus zunächst einmal dazu, die Wärme aus der Haut mit dem Blut abzutransportieren, zu verteilen, damit keine lokalen Hitzeschäden auftreten. Der Blutstrom übt diesbezüglich eine Schutzfunktion aus. Nach kurzfristiger Vasokonstriktion werden die Gefäße im erwärmten Bereich weitgestellt, es tritt sichtbar eine Hyperämie auf. Bei anhaltender lokaler Überwärmung breitet sich die Rötung auch auf weitere Abschnitte der Körperdecke aus.

*Wirkungsweise und Indikationen:* Wärmezufuhr wird immer dann therapeutisch ausgenutzt, wenn eine *vermehrte Durchblutung* erwünscht ist, die z.B. dazu dienen soll, verstärkt Stoffwechselschlacken aus den Geweben abzuführen, gegebenenfalls auch unter *Anregung des Stoffwechsels* selbst (van 't Hoffsche Regel). Ebenso ist mit einer Mehrdurchblutung auch eine verbesserte Versorgung des Gewebes mit Abwehrstoffen verbunden. Dadurch können umschriebene entzündliche Prozesse besonders im subakuten und chronischen Stadium mittels Wärmezufuhr vermindert oder beseitigt werden. *Akute entzündliche Veränderungen* dagegen *werden* durch Wärmeeinfluss zumeist aktiviert und zur weiteren Ausbreitung angeregt. Aus diesem Grunde kann Wärmeapplikation bei entzündlichen Veränderungen nicht schematisch verordnet werden. Manchmal ist es zwar angezeigt, eine oberflächliche akute Entzündung durch Wärme zu verstärken, nämlich dann, wenn beispielsweise die Reifung eines Abszesses beschleunigt werden soll. Im Großen und Ganzen jedoch wird man bei akut entzündlichen Prozessen auf eine Wärmezufuhr verzichten. Es muss in diesem Zusammenhang allerdings berücksichtigt werden, dass die *Eindringtiefe* der mit Packungen (oder Infrarot-Strahlen) zugeführten Wärme *relativ gering* ist.

## 5.4 Wickel, Packungen, Auflagen

Wohl kann man auf dem direkten Wege einen Teil der *oberflächlichen Muskulatur*, auch *Gelenke* ohne stärkere Bedeckung, wie das Knie- oder das Schultergelenk erreichen, doch ist eine unmittelbare Erwärmung innerer Organe nur mit Hochfrequenz-Wärmeanwendung (Kurzwellen) möglich. Über die auf die lokale Durchblutung abzielende Wirkung hinaus löst Wärmezufuhr aber auch weitere reflektorisch gesteuerte Durchblutungsänderungen aus, die als *konsensuelle Reaktion* in Erscheinung treten. So lässt sich durch lokale Wärmebehandlung eines Fußes eine Mehrdurchblutung des anderen Fußes erzielen, ja selbst die kräftige Erwärmung einer Hand führt zu einer nachweisbaren Erhöhung der Fußtemperatur. Die Ausnutzung der konsensuellen Reaktion ist dann von Bedeutung, wenn beispielsweise bei einer *arteriellen Verschlusskrankheit* die direkte Wärmezufuhr im Bereich der erkrankten Extremität nicht mehr möglich ist. Es müssen allerdings in dem mangelversorgten Gebiet noch Durchblutungsreserven vorhanden sein. Auch bei *Erfrierungen* der Zehen kann man im Rahmen der Notfalltherapie auf die reflektorische Durchblutungssteigerung über die Ausnutzung der konsensuellen Reaktion zurückgreifen. Die Anregung des Stoffwechsels und der dadurch ausgelöste vermehrte Sauerstoffverbrauch müssen dann jedoch mit einer Zunahme der Blutzufuhr synchron verlaufen, da sonst starke Schmerzen *(Sauerstoffmangelschmerzen)* im Gewebe auftreten können. Weitere reflektorische Effekte prägen sich an der Muskulatur unter Wärmeeinfluss aus. Sowohl die glatte, als auch die quergestreifte Muskulatur lassen unter Wärmezufuhr eine *Tonusminderung* erkennen. Spasmolytisch wird Wärme gern angewendet bei *schmerzhaften Verkrampfungen der Eingeweidehohlorgane.* Dabei wird der therapeutische Effekt nicht durch direkte Wärmeeinwirkung ausgelöst, sondern über kutiviszerale Wege. Deshalb braucht z.B. bei Gallen- oder Magenkoliken die Wärmeanwendung nicht unbedingt auf den Leib gegeben zu werden. Gewöhnlich lässt sich eine genauso gute Wirkung auch erzielen, wenn die Wärmezufuhr im Bereich der dem betroffenen Organ zugehörigen Headschen Zone erfolgt. Schmerzhafte Tonuserhöhungen der Muskulatur des Bewegungsapparates, besonders auf dem Boden *degenerativer Veränderungen der Wirbelsäule und Gelenke,* als Hartspann bekannt und tastbar, werden gleichfalls durch Wärmeanwendung gelindert und für eine zumeist nachfolgende Massage vorbereitet. Dabei kann man davon ausgehen, dass nur die oberflächlichen Muskeln direkt auf die

Wärmezufuhr reagieren, bei allen tieferen Muskelpartien kommt der tonusmindernde Wärmeeinfluss jedoch *auf nerval-reflektorischem Wege* zustande. Das aus der Haut abströmende erwärmte Blut beeinflusst Thermoregulationszentren im Gehirn, die sekundär steuernd auf den Muskeltonus einwirken. Das geschieht u. a. zu dem Zweck, dass die Muskulatur ihre eigene Wärmeproduktion reduziert. Wärme verbessert gleichfalls die *Dehnbarkeit bindegewebiger Strukturen.* Deshalb wird sie bevorzugt vor einer Bewegungsbehandlung, z.B. bei *Kontrakturen* eingesetzt. Ebenso nimmt die Beweglichkeit von Patienten mit einer *Sklerodermie* unter Wärmeeinfluss (wenn auch nur vorübergehend) deutlich zu. Auch auf das vegetative Nervensystem übt Wärme messbare Wirkungen aus. Besonders großflächige Wärmeapplikation zeigt allgemein dämpfende, beruhigende Einflüsse im Sinne einer *Vagotonie.* Die *Hormonproduktion* wird durch Wärmezufuhr ebenfalls stimuliert. Völlig unabhängig von möglichen chemischen Einflüssen gelingt der Nachweis einer solchen Anregung des Hypophysen-Nebennierenrinden-Systems selbst mit Packungen, welche chemisch völlig inert sind. Unter dem Wärmeeinfluss nimmt die Plasmakortisolmenge zwar zunächst ab, doch lässt sich bei Erreichen einer bestimmten Körpertemperatur dann ein gegenregulatorischer Anstieg erkennen, der Ausdruck einer vermehrten Nebennierenrindenhormonausschüttung ist. Gleichzeitig wird beobachtet, dass eine konsequente Wärmebehandlung bei Kranken mit *chronischer Polyarthritis* eine Reduktion der sonst erforderlichen Hormon-(Kortison-)gaben möglich macht. Man spricht in diesem Zusammenhang von einem kortisonsparenden Effekt der Wärmetherapie. Lokale Wärmeanwendungen haben auf den Gesamtkreislauf nur unbedeutende Auswirkungen. Wohl kommt es unter ihrem Einfluss zu einem vermehrten Abstrom von Blut in die Peripherie, damit zu einer gewissen Entlastung des Herzens infolge Absinken der zentralen Blutmenge und leichtem Anstieg der Pulsfrequenz, doch lösen diese Änderungen normalerweise keine Beschwerden oder Störungen der Kreislaufregulation, insbesondere keine wesentlichen Änderungen des Blutdrucks aus. Wenn dennoch gelegentlich von Patienten während einer Packung *auf das Herz bezogene Beschwerden* geklagt werden, so sind sie zumeist psychogen bedingt und ausgelöst durch die als Fesselung empfundene, oft unnötig straffe Einwicklung des Kranken. Durch Lockerung der Umhüllung lassen sich die störenden Sensationen rasch zum Abklingen

## 5.4 Wickel, Packungen, Auflagen

bringen. Erst bei extrem starker Wärmezufuhr, etwa durch eine Ganzkörperpackung kommt es zu Auswirkungen auf die Gesamtkreislaufregulation, zum vorübergehenden Anstieg des Körperstoffwechsels bis zu 30% und der Körpertemperatur auf mehr als 37 °C. Für Peloid-Parafin-Packungen werden diese Reaktionen zusammenfassend folgendermaßen beschrieben:

▷ *Lokalpackungen* lösen in erster Linie eine Hyperämie im behandelten Hautabschnitt aus, führen zu einer maximalen Erweiterung des peripheren arteriellen Systems und über die Aktivierung des Vasomotorenmechanismus zu einer Förderung des Blut- und Lymphstromes. Eine Permeabilitätssteigerung im erwärmten Gewebe ist nachweisbar. Herzfrequenz und andere Kreislaufparameter werden nicht messbar beeinflusst. Die Schweißproduktion nimmt deutlich zu.

▷ *Teilpackungen,* die schon größere Körperabschnitte bedecken, bewirken neben der Hyperämie der Haut unter der Packung auf reflektorischem Wege auch eine Tiefenhyperämie und damit Durchblutungsförderung innerer Organe. Leichte Herz-Kreislauf-Beeinflussungen sind zu verzeichnen, beispielsweise ein Anstieg der Herzschlagfolge um 10–20 Schläge pro Minute.

▷ *Ganzpackungen* beeinflussen die Herz-Kreislauf-Regulation ausgeprägter. Die Vergrößerung des Schlagvolumens des Herzens bedingt eine bessere Arterialisierung des Blutes. Der prozentuale $O_2$-Volumentanteil im venösen Blut kann eine Zunahme bis zu 30% erfahren. Die Exkretionsfunktion wird gesteigert, desgleichen der Grundumsatz. Das hormonelle System wird aktiviert, eine Erhöhung der Körpertemperatur erfolgt bis fast 38 °C. Dementsprechend steigen die Stoffwechselvorgänge an, denn 1 °C Temperaturanstieg im Gewebe lässt die chemischen Umsetzungsprozesse zwei- bis dreimal schneller ablaufen. Diese Beispiele zeigen, dass das Ausmaß der unter Wärmeeinfluss ausgelösten Reaktionen wesentlich von der Intensität der Wärmezufuhr abhängig ist. Die lokale Erwärmung der Haut führt zu einer Anhebung *der Schmerzschwelle* in der Körperdecke, wofür vermutlich weniger die Zunahme der Durchblutung, sondern vielmehr der Anstieg der Hauttemperatur verantwortlich ist. Die *Nervenleitgeschwindigkeit* peripherer Nerven wird unter Wärmeeinfluss gesteigert. Das macht man sich bei der Behandlung peripherer Lähmungen zunutze. Lokale Wärmeanwendung fördert die *Innervation der Schweißdrüsen*. Es kommt zur Steigerung der

Schweißbildung, die (pro m² Körperoberfläche) von 15 ml bis auf 500 ml/ 24 Std. zunehmen kann. Im Schweiß sind nicht nur Natriumchloridionen nachzuweisen, sondern auch andere Elektrolyte, ferner Harnstoff, Harnsäure und Aminosäuren.

Die *Kontraindikationen* der Wärmeanwendungen sind oben bereits größtenteils erwähnt. Sie lassen sich dahingehend zusammenfassen, dass überall dort Wärme fehl am Platze ist, wo *akute Entzündungen* vorliegen, welche die Gefahr beinhalten, dass sie durch Wärme aktiviert und unkontrollierbar werden. Ferner verbietet sich eine direkte Erwärmung überall dort, wo ein geschädigtes Gefäßsystem, z.B. bei *peripheren arteriellen Durchblutungsstörungen,* nicht mehr in der Lage ist, die einströmende Wärme entsprechend abzuleiten (Verbrennungsgefahr) beziehungsweise die Anforderungen eines durch Wärme erhöhten Gewebsstoffwechsels an eine gesteigerte Sauerstoffzufuhr zu erfüllen (Auftreten von Sauerstoffmangelschmerzen). *Krampfadern* reagieren ungünstig auf Wärmezufuhr, da eine weitere Tonusminderung ihrer sowieso schon stark erweiterten Gefäßwand zu einer noch stärker ausgeprägten Strömungsverlangsamung und damit zu einer ungünstigen Auswirkung auf die lokalen Permeabilitätsvorgänge führt.

Zur intensiven lokalen Wärmezufuhr stehen eine ganze Reihe recht unterschiedlicher *Materialien* zur Verfügung. Entscheidend für ihre Einsatzmöglichkeit zu therapeutischen Zwecken sind die jeweiligen thermophysikalischen Konstanten. So wird eine ca. 50 °C heiße Peloid-Paraffin-Packung gut von der Haut toleriert, eine ebenso heiße Aluminiumplatte würde dagegen zu Verbrennungen führen. Worin liegt hier der Unterschied in der Verträglichkeit begründet? Bei der Bewertung von Stoffen zur Heißanwendung kommt es zunächst auf das *Wärmeleitvermögen* der entsprechenden Substanz an. Dieses Wärmeleitvermögen ist das Maß für die Wärmemenge in cal, die durch 1 cm² einer 1 cm dicken Schicht bei 1 °C Temperaturdifferenz in 1 sec. hindurchfließt. Je höher das Wärmeleitvermögen ist, desto rascher erfolgt der Wärmeeinstrom in die Haut. Ist dieser so stark, dass das Blut mit seiner Kühlstromfunktion nicht nachkommen kann, kommt es zu lokalen Hitzeschäden (Verbrennungen). Es sind also für Heißpackungen beispielsweise nur solche Materialien geeignet, deren Wärmeleitvermögen sich innerhalb gewisser Grenzen bewegt, d.h. dass

## 5.4 Wickel, Packungen, Auflagen

sie keinen zu starken Wärmefluss aufweisen. Während das Wärmeleitvermögen von Luft relativ gering ist, wir vertragen in der Sauna Temperaturen bis fast 100 °C, ist dasjenige von Paraffin schon wesentlich höher. Dementsprechend werden paraffinhaltige Packungen auch nur bis zu einer Temperatur von etwas über 50 °C toleriert. Ein relativ hohes Wärmeleitvermögen besitzt Wasser. Badetemperaturen, selbst bei Teilbädern, von mehr als 43 °C sind kaum noch erträglich.

Ein weiterer Faktor bei der Beurteilung von wärmezuführenden Substanzen ist die *spezifische Wärme* des Materials. Darunter versteht man die Wärmemenge (in cal), die erforderlich ist, um ein 1 g der Substanz um 1 °C zu erwärmen. Die spezifische Wärme nimmt zu von Luft über Paraffin bis hin zu Wasser *(Abb. 5.42)*.

Häufig wird bei der Darstellung der physikalischen Faktoren auch auf die *Wärmekapazität* Bezug genommen. Die Wärmekapazität lässt das spezifische Gewicht unberücksichtigt, orientiert sich am Raummaß und gibt an, welche Wärmemenge erforderlich ist, um 1 cm³ des betreffenden Stoffes um 1 °C zu erwärmen. Die Wärmekapazität ist für Luft relativ gering, höher für Paraffin und noch mehr für Wasser.

Ein weiterer Begriff ist derjenige der *Wärmehaltung*. Er gibt die Zeit in Sekunden an, die notwendig ist, bis 1 ml des Materials um 1 °C erwärmt ist. Die

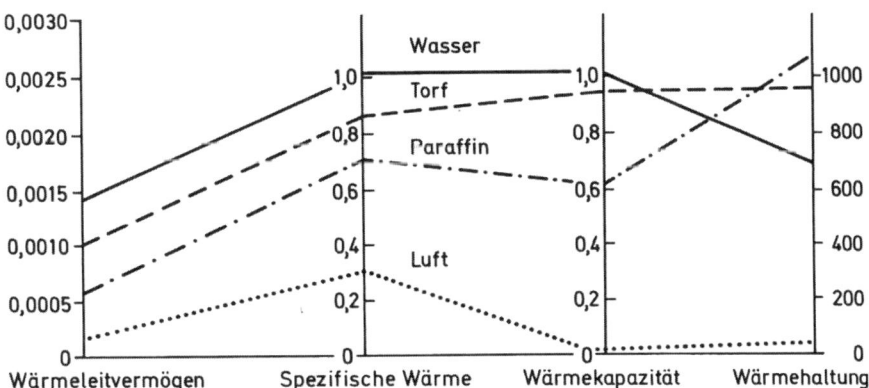

**Abb. 5.42** Gegenüberstellung der thermophysikalischen Eigenschaften des Wassers, des Torfes und des Paraffins denjenigen der Luft (nach Gillmann 1981).

Wärmehaltung ist gering bei Luft, deutlich größer bei Wasser und noch mehr bei Paraffin.

Diese angeführten physikalischen Einzelfaktoren sind für jedes verwendete Material spezifisch. Sie lassen sich zusammenfassen als diejenige Wärmemenge in cal, die in der Sekunde durch den Querschnitt von 1 cm$^2$ durchfließt, wenn senkrecht zu diesem auf der Strecke von 1 cm die Temperaturdifferenz von 1 °C herrscht. Die Wärmeleitung ist von entscheidender Bedeutung beim Wärmeaustausch zwischen wärmezuführendem Material und Haut. Dementsprechend muss die Wärmeleitung der verwendeten Substanz in einer vertretbaren Relation zur Wärmeleitung der Haut stehen. Ist diejenige eines Stoffes wesentlich höher als diejenige der Haut, so scheidet der Stoff für die Verwendung als Packungsmaterial aus. Das ist beispielsweise bei den Metallen der Fall. Dagegen erfüllen die Substanzen, die heutzutage für Heißpackungen Verwendung finden, diese thermophysikalischen Bedingungen. So kann bei einem Material mit niedriger Wärmeleitfähigkeit dieser scheinbare Nachteil durch höhere Applikationstemperaturen ausgeglichen werden. Paraffin hat beispielsweise eine niedrigere Leitfähigkeit als ein wässriger Fangobrei. Dementsprechend können paraffinhaltige Packungen auch höher temperiert angelegt werden als Fangobreipackungen.

Die besprochenen Gesichtspunkte, wie Wirkungsweise, Indikationen, Kontraindikationen und thermophysikalische Aspekte sind maßgebend für die nachfolgend im Einzelnen beschriebenen Wärme- beziehungsweise Heißanwendungen.

### Heiße Umschläge

Heiße Umschläge dienen der örtlichen Wärmezufuhr. Sie finden vornehmlich in der häuslichen Krankenpflege Anwendung. Sie erzeugen eine rasche, kräftige Hautdurchblutung. Man benötigt für einen heißen Umschlag ein nasses, heißes Innentuch, ein trockenes Zwischentuch und eine Wolldecke. Bei Umschlägen und Wickeln rollt man das Innentuch von beiden Seiten her auf (ähnlich wie eine zweiköpfige Binde), taucht es in heißes Wasser und wringt es in einem trockenen Frottiertuch (zum Schutz der eigenen Hände) gut aus. Das Anlegen des heißen Umschlages muss schnell geschehen, damit er nicht auskühlt. Aus diesem Grunde soll das Gefäß mit heißem Wasser sich möglichst nahe am Behandlungsbett befinden. Ist das aus irgendwelchen Gründen nicht möglich, so transportiert man das ausgewrungene heiße Tuch in Gummitücher eingedreht zum Patienten.

Der heiße Wickel hat die Neigung, schnell auszukühlen. Aus diesem Grunde muss man ihn fest mit einer wollenen Decke umhüllen. Am besten ist es, wenn man einen Wärmespender (z.B. Eine Gummiwärmflasche, aber *kein elektrisches Heizkissen!*) mit einpackt.

Diese Anwendungen sind besonders angezeigt bei entzündlichen Erkrankungen des Magen-Darm-Traktes und des Leber-Galle-Systems.

**Dampfkompressen**

Eine weitere Form der feuchten, örtlichen Hitzeanwendungen ist die Dampfkompresse. Ein Handtuch, in der Größe des zu behandelnden Gebietes entsprechend gefaltet, wird in sehr heißes Wasser getaucht. Mit einem Stab, einer Wäscheklammer oder einem anderen Hilfsgegenstand fischt man das Tuch heraus und drückt es zwischen zwei Deckeln (z.B. Kochtopfdeckeln) aus. Dann schlägt man das Tuch in ein Flanell- oder Frottiertuch und legt es auf die schmerzende Stelle. Möglicherweise muss die Haut durch mehrmaliges Auflegen und Abheben erst an die Hitze gewöhnt werden, bevor man die Kompresse liegenlassen kann. Lässt die Hitze nach, so wiederholt man die ganze Prozedur. Insgesamt sind zwei bis vier Wiederholungen hintereinander üblich.

Dampfkompressen haben eine intensive Wirkung und sind bei schmerzhaften Zuständen, Spasmen und Koliken angezeigt. Bei heftigen Neuralgien oder Neuritiden und akuten Entzündungen können Dampfkompressen jedoch Schmerzen verstärken!

**Heiße Rolle**

Eine recht praktische und wirkungsvolle Form der feuchten, örtlichen Hitzeanwendung ist die von Mammele eingeführte heiße Rolle. Sie gestattet eine *in weiten Grenzen abstufbare Dosierung* von milden bis krassen Wärmegraden und somit eine weitgehende Anpassung an individuelle Verträglichkeit und an unterschiedliche Indikationsgebiete. Außerdem kann sie in vielen Fällen dem Patienten zur *Selbstbehandlung* überlassen werden.

*Vorbereitung* der heißen Rolle: Von fünf nicht zu großen Frotteetüchern faltet man zunächst vier der Länge nach. Dann wickelt man das erste Tuch zu einer bindenartigen Rolle auf, und zwar derart, dass sich an der Faltkante eine spiralförmige Spitze herausschiebt. Auf der Gegenseite entsteht dadurch eine entsprechende trichterartige Vertiefung. Das zweite Frotteetuch wickelt man in derselben Weise über das erste; das dritte und vierte Tuch rollt man nunmehr zylindrisch um die beiden ersten, d.h. so, dass die Spitze und der Trichter nicht weiter vertieft werden. Das fünfte Tuch bleibt ausgebreitet in Bereitschaft liegen.

Es ist unbedingt wichtig, dass die Tücher fest zu einer Rolle aufgewickelt werden, damit aus der fertigen heißen Rolle nachher kein Wasser heraustropfen kann.

Ist die Rolle soweit vorbereitet, gießt man in die trichterartige Vertiefung einen Liter kochendes Wasser. Die vier Tüchter saugen dieses Wasser restlos auf. Jetzt wird die Rolle in das fünfte Frotteetuch, das als Hülltuch dient, eingeschlagen, so dass auf jeder Seite ein wenig vom Tuch übersteht, damit man hier die Rolle anfassen kann.

*Anwendung* der heißen Rolle: Vornehmlich setzt man sie ein bei chronischen Leber-Galle-Störungen (jedoch nicht während einer Kolik). Darüber hinaus eignet sich die heiße Rolle für alle Fälle, bei denen es auf eine intensive, örtliche Wärmezufuhr ankommt. Vor allem die muskulären Beschwerden bei degenerativ-rheumatischen Veränderungen der Wirbelsäule und der Gelenke sprechen gut auf diese Behandlung an.

Als *Beispiel für die technische Durchführung* sei die Behandlung der Leber-Gallengegend, also des rechten Oberbauches beschrieben. Mit sanftem Druck führt man die heiße Rolle vom Bauch her gegen den rechten Rippenbogen. Nach kurzer Berührungszeit hebt man sie einen Augenblick lang ab, um sie dann sofort wieder aufzulegen. So geht es in rhythmischem Wechsel weiter, bis sich die Haut an die Hitze gewöhnt hat. Nach und nach lässt man die Rolle immer etwas länger und schließlich ganz auf der Haut liegen, wobei man sanfte, massierende Rollbewegungen gegen den Rippenbogen ausführt. Auf diese Weise behandelt man den ganzen Rippenbogen vom Schwertfortsatz beginnend, allmählich seitlich absteigend, bis man den gesamten Leberbereich in die Behandlung einbezogen hat.

Eine Auskühlungsgefahr besteht nicht, denn erstens speichert die Haut hohe Wärmegrade und zweitens kommt die Rolle während der Behandlung immer wieder in kurzen Zeitabständen erneut auf das entsprechende Hautgebiet. Bereits nach kurzer Behandlungszeit zeigt sich eine intensive Rötung der Körperdecke, die noch nach beendeter Behandlung lange, meist mehr als eine Stunde, anhält. Die Körperkerntemperatur bleibt durch die heiße Rolle praktisch unverändert.

Ist das äußere Tuch nicht mehr heiß genug, so wickelt man es langsam ab. Die heiße Rolle hält in ihren Tuchwindungen die Anfangstemperatur bis zuletzt und bis in den innersten Kern fast unverändert. Diese *ausgezeichnete Wärmehaltung* in der heißen Rolle beruht auf der geringen Konvektion im Stoffgewebe und auf der hohen Wärmekapazität des Wassers. Nach und nach rollt man nun ein Tuch nach dem anderen ab. Das Abrolltempo richtet sich nach der Abkühlungsgeschwindigkeit der jeweils äußeren Tuchschicht und nach der Wärmeempfindlichkeit des Patienten. Verträgt der Kranke nur milde Wärmegrade, so zögert man mit dem Abrollen natürlich länger, als wenn er hohe Temperaturen aushält.

*Nach der Behandlung,* die etwa 15 bis 20 Minuten dauert, pudert man die Haut etwas ein, um die letzte Feuchtigkeit wegzunehmen und einer Verdunstungsabkühlung vorzubeugen (was besonders wichtig ist, wenn man rheumatische Erkrankungen mit der heißen Rolle behandelt hat). Dann deckt man die Haut mit einem trockenen Tuch ab und lässt den Patienten etwas *nachruhen.* Die heiße Rolle eignet sich auch sehr gut zur Selbstbehandlung, denn der Patient fühlt ja am besten, ob ihm die Rolle zu heiß ist oder nicht, beziehungsweise wann er sie wieder weiter abwickeln muss.

Bei chronischen Obstipationen wendet man die heiße Rolle mit gutem Erfolg im Sinne der *Segmenttherapie* (also ähnlich wie die Bindegewebsmassage) an. Hierbei sollte aber grundsätzlich die Leber mitbehandelt werden, weil Obstipation und Leberfunktionsstörungen oft miteinander in Zusammenhang stehen. Auch bei funktionellen Störungen der Unterleibsorgane hat sich die segmentale Anwendung gut bewährt.

**Breiumschläge (Kataplasmen)**
Als Hausmittel seit langer Zeit bekannt sind Breiumschläge verschiedener Art. Sie dienen ebenfalls der örtlichen Wärmezuführung und sind überall da angezeigt, wo man feuchte Hitze über längere Zeit auf den Körper einwirken lassen

will. Am leichtesten herzustellen sind Umschläge oder Packungen aus Kartoffeln, da diese im Hause fast immer vorrätig sind.

➤ *Kartoffelbreiumschlag:*
Man kocht Kartoffeln in der Schale, gießt das Wasser ab, schlägt die Kartoffeln in ein dem Behandlungsgebiet entsprechend großes Tuch (Handtuch, Serviette, Leinenbeutel) ein und zerstampft sie in dem Tuch zu Brei. Zwischen Haut und Umschlag legt man ein (eventuell mehrfach gefaltetes) trockenes Zwischentuch. Je dicker das Zwischentuch, desto langsamer wirkt die Hitze ein. Nach dem Auflegen deckt man den ganzen Umschlag mit einem Flanell- oder Frotteetuch ab. Der Umschlag bleibt so lange liegen, bis die Wärme deutlich nachlässt. Er kann mehrmals erneuert werden. Aus diesem Grunde ist es vorteilhaft, wenn man gleich so viele Kartoffeln kocht, dass sie für zwei gleichgroße Umschläge ausreichen. Ist der erste ausgekühlt, legt man den zweiten auf.

➤ *Leinsamenumschlag:*
Man verwendet hierzu pulverisierten Leinsamen, den man in einen Beutel gibt und dann in siedend heißes Wasser legt. Nach kurzer Zeit quillt der Leinsamen zu einer breiartigen Masse auf. Den Beutel schlägt man in ein Flanelltuch und legt ihn dann auf den Körper. Zwischen Haut und Beutel appliziert man ein trockenes Zwischentuch. Auch bei dieser Anwendung verwendet man möglichst zwei Beutel, die man wechselweise auflegen kann. In der gleichen Weise lassen sich aus *Bockshornklee* und *verschiedenen Kräutern* Umschläge herstellen.

**Heusack**
In der Kneippschen Heilmethode hat der Heusack einen festen Platz als Wärmeträger eingenommen. Gewöhnlich benutzt man einen Beutel aus Leinen oder Nessel in gewünschter Größe, füllt ihn mit Heublumensamen ca. 6 cm dick an und verschließt ihn. Ein so gefertigter Heusack ist mehrfach wiederverwendbar. Es sind aber auch fertig vorbereitete Heusäcke im Handel erhältlich. Weiterhin werden *Einmal-Heusäcke* angeboten, bei denen die Heublumensamen in Vliespapierbeuteln eingenäht sind.
Die *Erwärmung* des Heusacks geschieht zweckmäßigerweise mit Dampf. Während in größeren Einrichtungen dafür spezielle Dampfkammern vorhanden sind, bedient man sich im Einzelfall eines Kartoffeldämpfers oder eines aus-

reichend großen Topfes. In diesen Topf legt man zwei gleichgroße Steine (z.B. Ziegelsteine) und darüber einen Rost oder ein rostartiges Gestell aus Draht. Man gibt in den Topf etwas Wasser, das aber den Rost nicht erreichen darf, auf den man den mit Wasser benetzten Heusack legt. Der Topf wird gut zugedeckt und das Wasser zum Kochen gebracht. Der aufsteigende Dampf erhitzt den Heusack intensiv. Der Heusack wird dem Topf entnommen und mit einem Gummituch oder einer Wolldecke umhüllt, damit er nicht auskühlt, zum Patienten gebracht. Ein Ausdrücken des Heusackes ist nicht erforderlich. Zwischen Heusack und Haut wird ein trockenes Zwischentuch gelegt, das nach allen Richtungen ein paar Zentimeter größer als der Heusack sein soll. Dann wird der Heusack, der eine Temperatur von etwa 45 °C aufweist, aufgelegt. Wird er vom Patienten als zu heiß empfunden, nimmt man ihn zum Abkühlen noch einmal ab und schwenkt ihn, an zwei Zipfeln fassend, kurz hin und her. Dabei wird der Inhalt von der durchströmenden Luft etwas abgekühlt. Dann legt man ihn erneut auf und gibt dem Patienten Gelegenheit, sich an die Hitze zu gewöhnen. Das erreicht man durch mehrmaliges kurzes Auflegen und Abnehmen. Man deckt den Heusack zunächst nur lose ab. Erst wenn die Hitze für den Patienten erträglich geworden ist, wickelt man ihn fest ein. Der Heusack kann bis zu einer Stunde liegenbleiben.

Er hat sich vor allem *als schmerzstillendes Mittel bewährt* bei Gallen-, Nieren-, Darmkoliken, chronischen Entzündungen im Magen-Darm-Trakt, chronischen rheumatischen Beschwerden und M. Bechterew.

**Turbatherm**

Turbatherm ist ein Trockentorf-Granulat, das mit Kohlenhydraten und thermophilen Bakterien angereichert ist. Bei Kontakt mit Wärme und Wasser vermehren sich die Bakterien, verarbeiten die Kohlenhydrate und erzeugen selbst Wärme. Dieser Prozess dauert länger als 24 Stunden, so dass Turbatherm sehr gut für *Dauerpackungen* geeignet ist.

Die *Zubereitung* erfolgt folgendermaßen: Das Turbatherm wird mit 55 °C heißem Wasser durchfeuchtet, beispielsweise in einer großen Schüssel. Diese lässt man, gut mit Wolldecken abgedeckt, über Nacht stehen. Während dieser Zeit entwickelt sich in der Masse eine Temperatur von etwa 65 °C, die – je nach Dicke der Schicht – bis zu 48 Stunden gehalten werden kann. Dann füllt man das Material in Beutel, deren Größe dem Bedarf jeweils angepasst ist. Die Turbatherm-Packung legt man in einer Dicke von 8–10 cm an und packt sie, nachdem man den Patienten an die Hitze gewöhnt hat, fest in Wolldecken ein. Je nach Indikation und Verträglichkeit bleibt die Packung bis zu Stunden oder (bei Poliomyelitis) auch einen Tag liegen.

Die *speziellen Indikationen* sind ähnlich denen des Heusacks. Auch als Vorbehandlung zur Mobilisierung versteifter Gelenke sowie zur Dehnungsbehandlung von Kontrakturen werden Turbathermpackungen empfohlen.

**Peloidpackungen**

Unter dem Begriff Peloide fasst man Schlamme, Schlicke, Torfe (für welche sich allerdings meist die Bezeichnung Moore eingebürgert hat) und ähnliche Substanzen zusammen, die zu therapeutischen Zwecken verwendet werden. Nach den Begriffsbestimmungen des Deutschen Bäderverbandes sind Peloide folgendermaßen definiert: „Peloide sind durch geologische oder geologische und biologische Vorgänge entstandene anorganische oder organische Stoffe, die entweder bereits von Natur aus feinkörnig vorliegen oder durch einfache Aufbereitung in feinkörnigen beziehungsweise fein zerkleinerten Zustand gebracht werden und in der medizinischen Praxis in Form von schlämm- oder breiförmigen Bädern oder Packungen Verwendung finden. Peloide können in der Natur sowohl wasserhaltig, als auch trocken vorkommen. Ihre krankheitsheilenden, -lindernden oder -verhütenden Eigenschaften sind durch wissenschaftliche Gutachten eines Balneologischen Instituts oder eines anerkannten Balneologen nachzuweisen. Sie müssen sich ebenso wie die Heilwässer und -gase durch besondere Wirkungen auf den menschlichen Organismus bewährt haben. Ihre chemischen und physikalischen Eigenschaften sind durch ‚Peloidanalysen' nachzuweisen und durch Kontrollanalysen laufend zu überprüfen. Von jedem Peloid, das nach einer Lagerzeit von mindestens 10 Jahren erneut einer balneotherapeutischen Verwendung zugeführt werden soll, müssen Sonderuntersuchungen durchgeführt werden.

Peloide im balneologischen Sinne werden geologisch-genetisch in aquatische und terrestre Lockersedimente eingeteilt."

Zu den aquatischen Lockersedimenten (Unterwasserablagerungen) gehören die Torfe (Niedermoor- oder Hochmoortorf, Moorerde), die überwiegend orga-

nischer Herkunft sind, und die Schlamme (sowie Schlicke), die je nach ihrer Herkunft entweder vorwiegend anorganische oder organische Bestandteile aufweisen. Die Schlamme unterteilt man in
▷ bituminöse Schlamme    (Sapropel, Gyttja)
▷ Tonschlamme    (Schweb, Schluff)
▷ Kalkschlamme    (Seekreide, Alm)
▷ Kieselschlamme    (Diatomeen-, Radiolarien-, Spongiengur)
▷ Schlicke    (Süßwasser-, Salzwasserschlicke)
▷ Sonderschlamme    (Sulfid-, Ocker-, Phosphat-, Schwefelschlamm).

Die terrestren Lockersedimente (mineralische Verwitterungsprodukte) sind zum Teil auch als Heilerden bekannt. Zu ihnen gehören Ton, Lehm, Mergel, Löss und vulkanischer Tuff.

Wie aus der Definition der Peloide hervorgeht, werden sie in der Hydro- und Balneotherapie in Form von breiigen Bädern oder Packungen verabfolgt, wobei die Anwendung als Bad oder als Packung sich nach der Konsistenz, d.h. je nach dem Grad des Wasseranteils, richtet. Die Heilerden spielen in der Naturheilkunde eine große Rolle, insbesondere in dem Behandlungsverfahren nach Kneipp und dem „Lehmpastor" Felke.

Die *Wirksamkeit* der Peloide beruht überwiegend auf ihren thermophysikalischen Konstanten. Insbesondere die den aquatischen Lockersedimenten zuzurechnenden Schlamme (Schlicke) und Torfe sowie ihnen vergleichbare breiförmige Aufbereitungen von Zermahlungsprodukten vulkanischen Tuffs zeichnen sich durch *hohe Wärmekapazität bei niedrigem Wärmeleitvermögen* aus, d.h. sie geben über längere Zeit eine gleichmäßige, gut verträgliche Wärmemenge ab. Sie erwärmen sich langsamer als Wasser und haben einen geringen Wärmeverlust, d.h. sie bleiben länger heiß.

Die Frage, ob den Peloiden aufgrund ihrer breiigen Konsistenz und ihres Gewichts möglicherweise eine eigene *mechanische Wirkung* zukommen kann, darf für das breiförmige Bad bedingt bejaht, sollte aber bezüglich der therapeutischen Auswirkungen nicht allzu hoch veranschlagt werden. Die erhebliche Viskosität eines Peloidbreibades wirkt als Widerstand gegen Bewegungen und zwar aus jeder Ausgangslage *(Abb. 5.43)*. Für die Überwindung des zähen Widerstandes im Moorbreibad ist ein erheblicher Kraftaufwand erforderlich. Allerdings werden Moorbäder üblicherweise nicht gleichzeitig für eine Bewegungs-

**Abb. 5.43**
Moorbreibad.

behandlung mit Widerstandsübungen benutzt. Bei Packungen wird die erhöhte Gewichtslast vom Patienten zwar registriert, doch hat sie praktisch keine Auswirkungen, da bei den üblichen Schichtdicken durch den Auflagedruck keine druckpassiven Einschränkungen der Hautdurchblutung zu erwarten sind. Es werden immer wieder *chemische Einflüsse* bei der Anwendung von Peloiden diskutiert. Für die in ihnen enthaltenen Mineralstoffe liegt der Angriffspunkt ihrer Wirkung vorrangig in der Haut, d.h. sie können bei entsprechender Konzentration eine Hautreizwirkung entfalten. Daneben enthalten die organischen Peloide aber eine Reihe weiterer Stoffe, die möglicherweise resorbiert werden können. Von diesen beanspruchen hormonartige, östrogen wirksame Substanzen, wie sie vor allem in Torfen, allerdings in unterschiedlicher Konzentration, nachgewiesen sind, bevorzugtes Interesse. Insgesamt sind aber die Mengen dieser Verbindungen in den Badetorfen so gering, dass die selbst nach wiederholter Breibadanwendung beobachteten östrogenartigen Effekte einer solchen Badekur nicht als Ausdruck einer durch Resorption zustande gekommenen Östrogensubstitutionswirkung anzusehen sind. Vielmehr sind die östrogenartigen Wirkungen ausgelöst durch die thermischen Einflüsse im Rahmen einer vegetativ-hormonalen Gesamtumschaltung. Für Peloidpackungen, die nur einen begrenzten Teil der Körperoberfläche bedecken, hat eine mögliche Resorption solcher Substanzen praktisch keine Bedeutung. Auch weitere, bisher den che-

## 5.4 Wickel, Packungen, Auflagen

mischen Einflüssen der Peloide zugeschriebene Effekte sind nicht in letzter Konsequenz gesichert, sie sind zum Teil durch Bäder mit andersartigen Zusätzen oder durch chemisch völlig inerte, paraffinhaltige Packungen ebenfalls auszulösen. Die durch den Vertorfungsprozess im Torf entstandenen *Huminsäuren* sind hochgequollene Gele, die zur Wasserkapazität und zur plastischen Konsistenz dieses Peloids beitragen. Sie wirken adstringierend auf die Haut, fördern die Entquellung, doch dürfte ihnen darüber hinausgehend keine weitere Einflussnahme zukommen.

Nicht selten wird bei der Besprechung von Peloidwirkungen der Begriff der *Sorption* ins Gespräch gebracht. Man versteht darunter das Herauslösen von Stoffen aus der Haut. Abgesehen davon, dass die Sorption die mögliche perkutane Resorption von Peloidinhaltsstoffen hemmt, ist die therapeutische Bedeutung der sorptiven Effekte von Peloiden bisher noch keinesfalls als hinreichend geklärt anzusehen.

Die Vielzahl der unterschiedlichen Peloide, die besonders an ihren Fundorten (Meeresschlick an der Nord- und Ostseeküste, Limanschlamme an der Schwarzmeerküste, Schwefelschlamme in verschiedenen Kurorten) zu Packungen benutzt werden, kann an dieser Stelle nicht näher vorgestellt werden (vergleiche auch Moor-, Schlamm-, Schlickbäder). Vielmehr kommt es darauf an, Herkunft, Art, Aufbereitung und Anwendung derjenigen Materialien vorzustellen, die in medizinischen Badebetrieben, Kliniken, Physiotherapie- und Massagepraxen überwiegend Verwendung finden.

### *Fangopackungen*

Das Wort „fango" findet sich sowohl im Italienischen, als auch im Spanischen und bedeutet „heilkräftiger Schlamm". Es hat sich eingebürgert, unter diesem Ausdruck solche Schlamme zusammenzufassen, die überwiegend von mineralischer Substanz und vulkanischer Herkunft sind. An Orten, wo diese Mineralschlamme ständig durch Thermalwasser erwärmt werden, hat ihre Nutzung zu Packungen (und Bädern) eine zum Teil jahrtausendealte Tradition. Beispielsweise erwähnt Livius (59 v. Chr. bis 17 n. Chr.) bereits die heißen Schlammvorkommen unweit Padua im Bereich der Euganeischen Hügel, denen die Kurorte Abano, Montegrotto und Battaglia-Galzignano ihren heutigen internationalen Ruf verdanken. Zum Versand wird der dort aus vulkanisch gespeisten

Teichen herausgebaggerte anorganische Fangoschlamm getrocknet und als Sackware geliefert.

Seit etwa 1908 wird in der Umgebung von Bad Neuenahr ein eingetrockneter vulkanischer (anorganischer) Schlamm abgebaut. Das Material wird zerkleinert, getrocknet, feinst vermahlen (mittlerer Korndurchmesser etwa 0,036 mm) und bei 300 °C sterilisiert. Es wird unter dem Namen *Eifelfango* in Papiersäcken – zu Großabnehmern in Containern – versandt. Durch Feinstvermahlung vulkanischen Gesteins aus dem Bereich des Kaiserstuhls wird ein weiteres Fangopulver gewonnen, das als *Vulkanit* im Handel ist. Zu erwähnen ist auch der sogenannte *Jurafango,* er wird seit 1934 bei Bad Boll abgebaut. Ausgangsmaterial des Zermahlungsproduktes ist ein Posidonienschiefer mit deutlich organischem Anteil. Aus Pistyan, einem seit Jahrhunderten bekannten tschechoslowakischen Heilbad im Waagtal mit Schwefelschlammvorkommen, wird ebenfalls Fangopulver als Sackware exportiert.

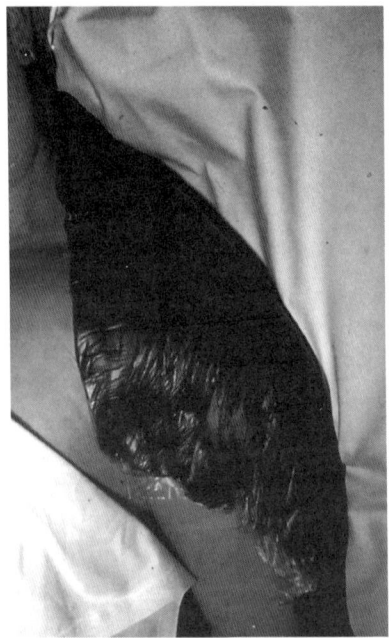

**Abb. 5.44** Fango-Behandlung der Schulter (Foto: Heisel/Jerosch, Die Schulter, Pflaum 2009).

Für die häusliche Anwendung kann entweder das Fangopulver in entsprechender Menge mit Wasser (etwa im Verhältnis 1:0,4) in einem Topf angerührt und erhitzt werden, oder man bedient sich handelsüblicher *Fangokompressen (Abb. 5.44).* Bei diesen ist eine geringe Menge Fangopulver zwischen Watteschichten eingestreut. Eine Umhüllung aus Gaze hält die Schichten zusammen. Die Erhitzung dieser Fangokompressen erfolgt durch Eintauchen in heißes Wasser. Nach leichtem Ausdrücken werden sie so heiß wie verträglich aufgelegt und mit Folie, Leinen und Wolltuch umhüllt. Nach Gebrauch getrocknet, sind die Kompressen mehrfach wiederverwendbar.

Als Fassware kommt ein organischer Binnenseeschlamm zum Versand, der aus einer mehrere Meter dicken Ablagerung

## 5.4 Wickel, Packungen, Auflagen

vom Seegrund bei Schollene in der Mark Brandenburg stammt. Diese *„Schollener Pelose"* ist von blaugrauer Farbe und guter plastischer Konsistenz. Sie wird dem Fass in erforderlicher Menge entnommen und gewöhnlich unverdünnt erhitzt.

**Fertigpackungen**

Moor-(Torf-)packungen unabhängig vom Gewinnungsort und von einer umständlichen Lagerhaltung anzuwenden, gestatten *Einweg-Naturmoorpackungen*. Bei ihnen ist ein leicht verfestigter Torf in etwa 0,5 cm dicker Schicht in eine mit Vliespapier auf der Auflageseite versehene Packung eingearbeitet. Diese Umhüllung behindert weder den Wärme- noch einen Stoffaustausch mit der Haut. Mehrere dieser Packungen werden in eine Plastikfolie eingeschweißt versandt und sind in dieser Folie über lange Zeit lagerfähig. Die Einweg-Naturmoorpackung wird in einem besonderen Erwärmungsgerät erhitzt, wobei durch geringe Feuchtigkeitsbeigabe ein Austrocknen des Torfes während des Erhitzungsvorganges vermieden wird. Weil die Packung während der Anlagezeit dagegen etwas austrocknet, wird der Torf bröckelig und die ursprünglich glatte Schicht in der Packung zerfällt. Dadurch ist eine Wiederverwendung der Packung in der üblichen Form nicht möglich.

Eine Variante dieses Vorgehens stellen die *Einweg-Naturmoorpackungen ascend* dar *(Abb. 5.45)*. Hier liegt im Prinzip das gleiche Packungsmaterial – das in mehreren Größen erhältlich ist – vor. Die Erwärmung der bei Zimmertemperatur angelegten Packung erfolgt hierbei jedoch nicht in einem besonderen Erwärmungsgerät, sondern durch Auflegen eines heißen Wärmeträgers. Dieser Wärmeträger besteht aus einem wiederverwendbaren, mit Moor gefülltem Plastikbeutel, der dann im Wasserbad auf ca. 60 °C erhitzt wird.

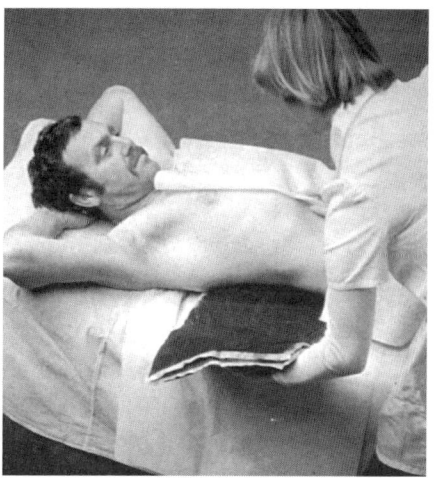

**Abb. 5.45** Anlegen einer Einweg-Naturmoorpackung.

Durch diesen Wärmeträger wird die Naturmoorpackung ascend im Verlauf von etwa zwei Minuten auf mehr als 45 °C „aszendierend" erwärmt. Es kommt dadurch zu keinem, wie sonst gelegentlich beim Auflegen von heißen Packungen vom Patienten als unangenehm empfundenen „Hitzeschock". Die aus dem Wärmeträger lang anhaltend nachströmende Wärme hält die dünne Naturmoorpackung lange Zeit (mehr als 30 Minuten) im therapeutisch optimalen Temperaturbereich. Selbstverständlich werden die angelegten Packungen einschließlich des Wärmeträgers durch Leinentuch und Wolldecke vor Wärmeverlusten nach außen geschützt und gleichzeitig am zu behandelnden Körperteil fest anmodelliert. Ein rationelles Arbeiten gestatten auch die Hydrocollator-Steam-Packs. Dieses aus den USA stammende Verfahren zur lokalen Wärmeapplikation benutzt Packungen, bei denen ein Silikatgel in abgesteppte Stoffhüllen gefüllt ist. Es besteht die Auswahl zwischen verschieden großen und auch unterschiedlich geformten Packungen *(Abb. 5.46a–c)*. Die Steam-Packs werden in einem fahrbaren, thermostatisch gesteuerten Aufbereitungsgerät erhitzt und vorrätig gehalten *(Abb. 5.47)*. Zur Anwendung werden die Packungen in besondere Frotteetaschen gegeben (oder mit einem Frotteetuch umhüllt) und aufgelegt.

*Applikationsdauer* etwa 20–30 Minuten bei guter Abdeckung nach außen. Die vielfach wiederverwendbaren Packungen werden nach Gebrauch in das Aufbereitungsgerät, die Frotteeumhüllungen in die Wäscherei gegeben.

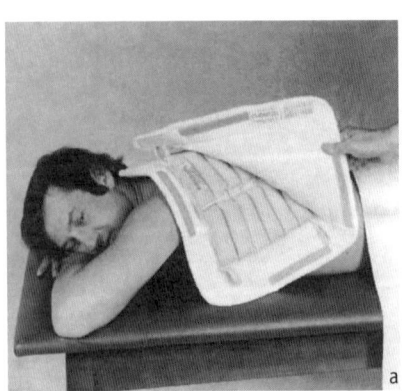

**Abb. 5.46a–c** Hydrocollator-Steam-Pack (unterschiedliche Applikationsformen).

## 5.4 Wickel, Packungen, Auflagen

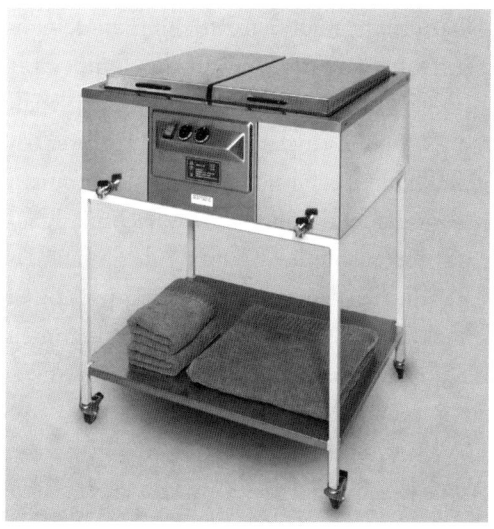

**Abb. 5.47**
Fahrbares Erwärmungsgerät
(Foto: Trautwein GmbH, Emmendingen).

*Zubereitung und Anlage von Peloidpackungen*
Soweit nicht bereits im vorigen Abschnitt bei einigen besonderen Packungsarten beschrieben, soll hier der Umgang mit den gebräuchlichsten Peloiden zu Packungszwecken geschildert werden.

Torf (Moor) wird in größerem Umfang in Kurorten zu Packungen bereitet. Der feuchte Torf wird dazu in so genannten Moormühlen vermählen, so dass eventuell nicht völlig vertorfte Bestandteile zerkleinert werden. Das Material wird danach mit einer entsprechenden Menge Wasser versetzt, so dass eine breiförmige Konsistenz entsteht, und dann auf ca. 50–60 °C erhitzt. Nach Entnahme aus dem Aufbereitungsgerät wird der heiße Torfbrei gewöhnlich in einem Eimer oder ähnlichem Gefäß zur Patientenliege transportiert. Üblicherweise hat man diese Ruheliege für die Packung bereits vorbereitet: Zunächst wird eine Wolldecke und darüber ein Leinentuch auf der Liege ausgebreitet. Dann legt man darauf ein entsprechend großes Gummituch oder eine Plastikfolie und anschließend ein gewaschenes, vom Torf bereits verfärbtes Leinentuch. Auf dieses Tuch wird der Torfbrei in etwa 3 cm dicker Schicht in der Größe des zu behandelnden Körperabschnittes aufgetragen. Man prüft danach mit dem eigenen Handrücken die Temperaturverträglichkeit. Gegebenenfalls muss noch eine kurze Zeit abgewartet werden, bis die Packung auf die zumutbare Temperatur von etwa 45 °C abgekühlt ist. Dann reibt man den Patienten an dem zu behandelnden Körperteil mit etwas Torfbrei ein, um ihn auf die Temperatur vorzubereiten und lässt ihn sich in die Packung legen. Jetzt „modelliert" man die Packung an, so dass der erkrankte Körperteil ringsum gut von Torfbrei bedeckt ist. Danach schlägt man das breite Leinentuch und dann das Gummituch um den Körper und sorgt dafür, dass die Packungsmasse sich gleichmäßig an den Körper anschmiegt und nirgends herausquillt. Zuletzt führt man das äußere Leinentuch und die Wolldecke um den Körper herum und packt den Patienten damit fest ein. Nur wenn der Kranke, was im Einzelfall vorkommen kann, über Beklemmungsgefühle durch diese „Fesselung" klagt, wird die Umhüllung über der Brust gelockert und aufgeschlagen.

Im Durchschnitt bleibt der Patient 30 Minuten in der Packung hegen. Besonders bei größeren Anwendungen kommt es schon in dieser Zeit zu einem kräftigen Schweißausbruch. Der Schweiß muss vom Gesicht des Patienten regelmäßig durch den Behandler abgetupft werden. Nach der Packung wird warm abgeduscht oder ein kurzes warmes Reinigungsbad genommen. Zugedeckt schließt sich eine möglichst mehr als 30 Minuten *dauernde* Nachruhe an. Bei guter Verträglichkeit kann die Packung kurmäßig täglich mit neuem Material wiederholt werden.

*Fangopackungen* werden im Grundsatz in ähnlicher Weise wie Torfpackungen bereitet, das trockene Pulver wird in besonderen thermostatisch gesteuerten Rührwerken etwa im Verhältnis 1:0,4 mit Wasser zu einem pastenartigen Brei gemischt und erhitzt. Entnahmen aus den Rührwerken entweder durch Schöpfkelle oder – heute überwiegend üblich – über einen mit Schieberventil versehenen Auslassstutzen, Transport mit Eimer zum vorbereiteten Ruhebett des Patienten. Weiteres Vorgehen analog demjenigen, wie bei den Torfpackungen oben beschrieben.

Nach Gebrauch sollte das Fangomaterial zur Abfallbeseitigung gegeben werden, zumal eine Wiederverwendung bei verschiedenen Personen aus hygienischen Gründen nicht zulässig ist, da die alte Packung nicht desinfiziert werden kann. Eine Wiederverwendung bei dem gleichen Patienten für weitere Anwendungen ist allerdings dann gestattet, wenn das Material bis zur erneuten Benutzung in einem namentlich gekennzeichneten Behälter (z.B. Plastikeimer) aufbewahrt wird. Die Erhitzung kann dann, wenn aus diesem Fango erneut eine Packung bereitet werden soll, in einem Wasserbad geschehen. Um wieder eine salbenartige Konsistenz zu erhalten, ist allerdings ein erneuter Wasserzusatz erforderlich.

**Paraffinpackungen**

Auch wenn Paraffinpackungen und die anschließend zu besprechenden Peloid-Paraffin-Gemische keine hydrotherapeutischen Verfahren im eigentlichen Sinne darstellen, so müssen sie nicht nur aus dem Grunde Erwähnung finden, weil sie in medizinischen Badeabteilungen häufig verabfolgt werden, sondern auch, da sie in ihrer Anwendungs- und Wirkungsweise den anderen, oben beschriebenen Packungen in vielerlei Hinsicht vergleichbar sind. Die *Wirkung* der Paraffinpackungen ist eine rein thermische. Paraffin ist ein relativ schlechter Wärmeleiter im Verhältnis zum Wasser und zu wasserhaltigen Packungssubstanzen. Es gibt die Wärme nur langsam an den Körper ab. Infolge dieses geringen Wärmeleitvermögens lassen sich Paraffinpackungen mit höherer Temperatur anwenden als wasserhaltige (Torf-, Fango-)Packungen. Hinzu kommt, dass bei besonderen Auftragungsweisen des Paraffins, z.B. durch Aufpinseln, die erste dünne Schicht des Materials sofort abkühlt und dann eine gewisse Isolierwirkung gegenüber dem Wärmefluss aus weiteren aufgetragenen Paraffinschichten darstellt.

Wichtig ist, dass bei der Verwendung von Paraffin kein Wasser mit der flüssigen Masse in Verbindung kommt, da das Material dadurch verändert wird. Auch kann durch Wasser der Wärmeübergang in die Haut ungünstig beeinflusst werden.

Die *Anwendung* des Paraffins kann in sehr unterschiedlicher Weise erfolgen. Besonders zur Gelenkbehandlung kommen speziell gefertigte Beutel zum Einsatz, in welche das flüssige Paraffin eingegossen wird. Für die Behandlung von Füßen und Händen können Packungen durch wiederholtes Eintauchen in ein Paraffin-Teilbad hergestellt werden. Weiterhin besteht die Möglichkeit, eine Paraffinpackung durch Aufpinseln oder Aufspritzen des flüssigen Materials zu bereiten.

Zur Anwendung eines *Paraffin-Teilbades* benutzt man heute genau auf die vorgesehenen Temperaturgrade einzustellende, thermostatisch regulierte Erwärmungsgeräte mit einer entsprechenden Teilbadewanne *(Abb. 5.48)*. Es wird

# Kapitel 5 Hydro- und Balneotherapie in der Praxis

Abb. 5.48
Paraffin-Teilbad.
(Beachte den Paraffinmantel an den Händen.)

unterschiedlich gradiges Paraffin, vorwiegend aber Parafinum durum DAB 7 mit einem Schmelzpunkt von etwas über 50 °C verwendet. Darüber hinaus kann für besondere Anforderungen der Schmelzpunkt der Substanz durch Beigabe von niedriger- oder höhergradigem Paraffin verändert werden und dadurch eine Anpassung der Anwendungstemperatur an die jeweiligen Erfordernisse erfolgen. Bei einer Temperatur von etwa 52 °C ist ein kurzes Eintauchen der Hand oder des Fußes durchaus üblich. Beim Herausnehmen verbleibt auf der Haut ein anfangs dünner, nach mehrmaligem, im Abstand von 2–3 Minuten wiederholtem Eintauchen aber zunehmend dicker werdender Paraffin-Überzug. Dieser geschmeidige Überzug wird besonders an der Hand dann nicht nur zum Wärmen, sondern auch zur Bewegungsbehandlung ausgenutzt. Nachdem man etwa 5 Minuten die Erwärmung durchgeführt hat, wird der Paraffinhandschuh, der jetzt zu erstarren beginnt, abgestreift und als Knetmasse für die nachfolgende Übungsbehandlung benutzt. Je nach Bedarf kann der geschilderte Vorgang mehrfach wiederholt werden. Bei einem anderen Vorgehen, dem *Aufpinseln*, bedient man sich ebenfalls geschmolzenen Paraffins im vergleichbaren Temperaturbereich. Zum Aufpinseln benutzt man einen flachen Pinsel, der keine Metallteile besitzen soll (das Metall als guter Wärmeleiter könnte Verbrennungen verursachen). Mit raschen Strichen trägt man eine dünne Schicht Paraffin auf die Haut auf. Diese Schicht erstarrt bereits während des Aufpinselns. Über die erste Schicht pinselt man noch fünf bis sechs weitere, packt das Ganze in ein Gummituch ein und wickelt eine Wolldecke herum.

## 5.4 Wickel, Packungen, Auflagen

Falls nötig, befestigt man die Packung mit einer Binde. Beim Auftragen der ersten Schicht empfindet der Patient die hohe Temperatur nicht sonderlich stark, da die dünne Bedeckung ja nur eine geringe Wärmekapazität beinhaltet. Erst wenn weitere Schichten aufgetragen werden, stellt sich ein zunehmendes Hitzegefühl ein. Verbrennungen kommen aber nicht vor, wenn eine gewisse Maximaltemperatur des Paraffins nicht überschritten wird. Man kann bei 60–65 °C Paraffintemperatur mit dem Aufpinseln beginnen, da das Material am Pinsel stark abkühlt, so dass es nur mit ungefähr 52 °C auf die Haut kommt.

*Paraffin* kann auch geschmolzen und dann *zu Schaum geschlagen* werden. Dieser Schaum wird aufgetragen oder aufgeschmiert. Beim Schaumschlagen, welches maschinell oder auch manuell durchgeführt wird, wird dem Paraffin Luft beigemengt. Die Wärmeleitung und -kapazität werden dadurch herabgesetzt. Hitzeempfindliche Patienten vertragen den Paraffinschaum oft besser als andere Anwendungsformen.

Bei ausgedehnten Paraffinpackungen oder Paraffin-Ganzpackungen kann das flüssige Paraffin auch *aufgespritzt* werden. Dafür sind jedoch besondere Sprühapparate erforderlich. Das Verfahren ist zwar relativ mühelos und geht rasch, jedoch kühlt das Paraffin beim Aufsprühen sehr schnell ab. Aus diesem Grunde muss es bei diesem Vorgehen auf ca. 80 °C erhitzt werden, damit es noch ausreichend warm auf den Körper gelangt. Ist das Paraffin in einer Schicht von einigen Millimetern aufgetragen, so packt man das Ganze ebenfalls mit Gummituch und Wolldecke ein.

**Peloid-Paraffinpackungen**

Sie haben eine außerordentliche Verbreitung gefunden und sind in der Mehrzahl aller medizinischen Badebetriebe und vergleichbarer Einrichtungen im Gebrauch. E. Hesse entwickelte Anfang der 50er Jahre ein Packungsmaterial, das neben Paraffinen verschiedener Schmelzpunkte trockenes Fangopulver aus Battaglia enthält sowie einen Stabilisator, der im geschmolzenen Zustand eine zu starke Sedimentation des Fangopulvers verzögert. Dieses unter dem Namen Para-fango di Battaglia (später Parafango Battaglia) eingeführte Präparat fand aus mehreren Gründen rasch Eingang in die Therapie. Einmal weist es nämlich außerordentlich günstige thermophysikalische Eigenschaften auf. So ist es als ca. 2 cm dicke Schicht nach Entnahme aus dem Aufbereitungsgerät deutlich heißer als wasserhaltige Substanzen anzulegen, nämlich mit gut 50 °C, besser noch mit 51–52 °C. Es kühlt dann während der üblichen Packungsdauer von 20–30 Minuten kaum ab, da bei etwa 50 °C die sogenannte Schmelzwärme bei der Kristallisation der Paraffine freigesetzt wird. Die Kurve des Temperaturverlaufs zeigt deshalb eine sogenannte „Plateaubildung" und erst nach Ablauf der normalen Packungszeit einen Abfall *(Abb. 5.49)*.

Die Beigabe von feinstkörnigem Peloidpulver zu den Paraffinen ist insofern von Vorteil, da es die Modellierbarkeit der Packung günstig beeinflusst und auch positive Auswirkungen auf das thermophysikalische Verhalten des Materials hat. Ein weiterer Vorteil der Peloid-Paraffinpackungen ist, dass sie unter bestimmten Bedingungen zur Wiederverwendung auch bei verschiedenen Patienten zugelassen sind. Dadurch wird außerordentlich wirtschaftliches Arbeiten möglich: Eine umfangreiche Lagerhaltung entfällt ebenso wie eine tägliche Abfallbeseitigung. Die Bedingungen für die Wiederverwendbarkeit von Peloid-Paraffingemischen – inzwischen ist eine Vielzahl von Moor-Paraffin-, Fango-Paraffin-, auch Moor- und Fango-Paraffin-Präparaten auf dem Markt – sind

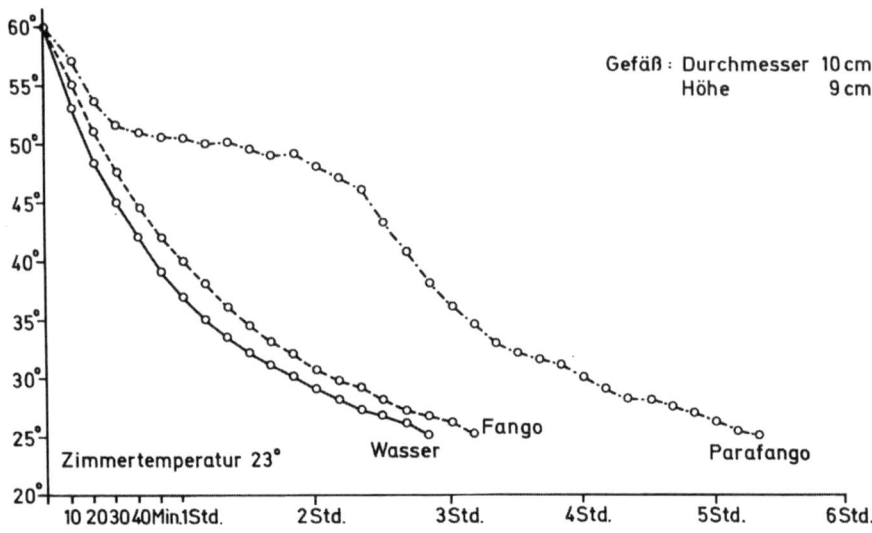

**Abb. 5.49** Abkühlungskurven von Wasser, wasserhaltigem Fangobrei und einem Fango-Paraffin-Gemisch. Beachte die „Plateaubildung" der Kurve des Fango-Paraffin-Präparates.

## 5.4 Wickel, Packungen, Auflagen

folgende: Insgesamt bis zu dreißigmalige Wiederverwendung des Materials, wenn es nach der Abnahme vom Patienten vom anhaftenden Schweiß und von sichtbaren Verunreinigungen befreit und durch Erhitzen auf 130 °C über mindestens 20 Minuten desinfiziert, d.h. frei von aktiven Krankheitskeimen gemacht wurde. Eine Sterilisation (d.h. Beseitigung sämtlicher Mikroorganismen, einschließlich Sporen) ist bei dem verwendeten Packungsmaterial jedoch nicht erforderlich und auch bei den einzuhaltenden Temperaturen nicht möglich. Insofern ist der Hinweis „Sterilisation", der sich auf vielen Aufbereitungsgeräten findet, irreführend. Packungsmaterial, welches mit den Ausscheidungsöffnungen oder Fußsohlen des Patienten in Berührung gekommen ist, muss verworfen werden, darf also nicht wieder verwendet werden.

Peloid-Paraffinpackungen entfalten ihre therapeutischen Wirkungen allein im thermophysikalischen Bereich. Die Resorption möglicherweise in ihren Beimengungen (Torf, Fango) enthaltener Stoffe wird durch das Paraffin absolut ausgeschlossen. Sämtliche Stoffpartikel werden in der Masse vollständig von Paraffin umschlossen, das letztlich auch die Kontaktfläche zum Körper darstellt.

*Zubereitung von Peloid-Paraffinpackungen:* Selbstverständlich kann ein Peloid-Paraffingemisch zur Herstellung der Packung auch in einem Topf auf dem Herd bei ständigem Umrühren geschmolzen und dann in etwa 2 cm dicker Schicht auf einer Folie (die den Transport zum Patienten erleichtert) ausgegossen werden. Insgesamt ist dieses Verfahren jedoch umständlich. Schon früh kamen thermostatisch gesteuerte, auch eine Desinfektion ermöglichende *Erwärmungsgeräte* auf den Markt, die etwa 10–15 l fassen. Aus ihnen wird das geschmolzene Peloid-Paraffingemisch bei etwa 65–70 °C mit einer Schöpfkelle entnommen und zur Packung ausgegossen. Diese Erwärmungsgeräte sind jedoch nicht mit einem Rührwerk versehen. Deshalb kann es besonders bei mehrfach wiederverwendetem Material in ihnen zu einem Absetzen des Peloidpulvers kommen, so dass vor der Entnahme ein mühsames Umrühren des Gemisches notwendig wird. Im Laufe der Zeit setzten sich deshalb – auch in Anpassung an den gestiegenen Verbrauch – mehr und mehr große, z.B. 60 oder 120 l fassende, automatisch gesteuerte, mit Rührwerk versehene Erhitzungsgeräte für Peloid-Paraffingemische durch *(Abb. 5.50)*. Das zur Wiederverwendung in diese Kessel eingegebene Material wird nach entsprechender

Abb. 5.50 Aufbereitungsgerät für Peloid-Paraffin-Präparate und Vorrats-Warmhalteschrank.

Schaltung erhitzt, geschmolzen, verrührt und desinfiziert. Da die anschließende Abkühlung des bei diesem Desinfektionsvorgang auf 130 °C erhitzten Präparates mehrere Stunden dauert, lässt man ihn üblicherweise abends nach Betriebsschluss anlaufen. Am anderen Morgen steht dann ein Gemisch zur Verfügung, dessen Temperatur annähernd der gewöhnlichen Entnahmetemperatur aus dem Gerät entspricht. Noch flüssig wird das Material entnommen und auf der Folie in ca. 2 cm dicker Schicht zu einer Fläche ausgestrichen. Um eine bis zum Rand gleichmäßig starke Packung zu erhalten, kann man Bleche in Packungsgröße mit entsprechend aufgebördelter Kante benutzen, auf denen zunächst eine Folie ausgebreitet und auf die dann das Peloid-Paraffingemisch gegeben und glattgestrichen wird. In diesem Zustand ist die Packung jedoch noch zu heiß zum Anlegen. Sie muss einige Minuten abkühlen. Bei großer Packungsfrequenz werden zur Beschleunigung des Abkühlvorganges gelegentlich spezielle *Kühltische,* deren Tafel von kaltem Wasser durchflossen wird, eingesetzt. Dieses Vorgehen ist im Hinblick auf die Wärmeentwicklung der Packung insofern nicht günstig, weil die Packung auf der körperfernen Seite abkühlt und ihr hier über Gebühr Wärme schon vor dem Anlegen entzogen wird. Dadurch wird das Wärmereservoir der Packung wesentlich reduziert, die thermophysikalischen Qualitäten des Materials erheblich beeinträchtigt, ebenso die sonst gute Modellierbarkeit ungünstig beeinflusst. Im Grunde ist eine Förderung der Verfestigung der Packungsoberfläche mittels eines *Ventilators* ebenfalls mit Nachteilen bezüglich der Anwendbarkeit der Packung ver-

## 5.4 Wickel, Packungen, Auflagen

bunden (zu starker Wärmeverlust, Abnahme der Modellierbarkeit usw.). Auch ohne eine forcierte Abkühlung erreicht die Packung in kurzer Zeit die *Anlegetemperatur.* Diese lässt sich daran erkennen, dass die zunächst glänzende Oberfläche der Substanz einen matten Überzug bekommt (die oberflächliche Paraffinschicht ist erstarrt) und dass an einer darauf getupften Fingerspitze kein Material mehr haften bleibt. Jetzt wird die Packung mit der Folie zum Patienten gebracht, angelegt, gut anmodelliert und die Umhüllung mit Leinentuch und Wolldecke ausgeführt *(Abb. 5.51).*

Die erwähnte *Schichtdicke der Peloid-Paraffinpackungen* von etwa 2 cm ist unbedingt einzuhalten, denn nur so kann die Anwendung auch optimal ihre thermische Wirkung entfalten. Wird nämlich eine Packung, z.B. infolge von Zeitdruck, zu dünnflüssiger Masse oder ungenügender apparativer Ausrüstung nur in 1 cm dicker Schicht bereitet, so ist sie im anlegefertigen Zustand (leicht matte Oberfläche, kein Haften von Material am Finger mehr) großteils – wie Messungen ergeben haben – schon auf 47 °C abgekühlt. Sie hat damit ihre *Schmelzwärme* bereits abgegeben und ist nach wenigen Minuten therapeutisch weitgehend wirkungslos!

Vielfach werden, da der Betrieb mit einer Füllung seines Aufbereitungsgerätes pro Tag nicht auskommt, *Vorrats-Warmhalteschränke* für Packungen verwendet. Beispielsweise wird zu Betriebsbeginn das Rührwerk entleert, die entnommenen Packungen in den Wärmeschrank gegeben und im Laufe des Vormittags verwendet. Inzwischen ist das Aufbereitungsgerät wieder neu mit Material beschickt worden, der Erhitzungs- und Desinfektionsvorgang abgelaufen. Die Masse im Gerät kann beispielsweise für die am Nachmittag benötigten Packungen einge-

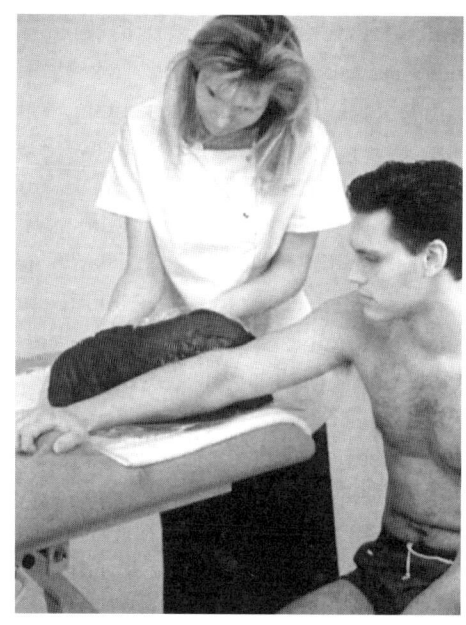

**Abb. 5.51** Anlegen einer Peloid-Paraffinpackung.

setzt werden. So bestechend die Idee der Warmhalteschränke für Peloid-Paraffinpackungen auch ist, so erfordert sie doch eine einwandfreie Handhabung dieser Vorratsbehälter. Wird deren Thermostat nämlich nur auf 50 °C eingestellt, so kühlt die Packung im Schrank zu weit ab und verliert ihre Schmelzwärme. Sie ist dann zwar noch ausreichend plastisch, um anmodelliert zu werden, doch hat sie einen bedeutenden Teil ihrer spezifischen Wärmekapazität bereits verloren. Dementsprechend muss der Thermostat des Warmhalteschranks höher eingestellt sein, so dass die Packung noch nicht in den Erstarrungsprozess eintritt, sondern bis zur Entnahme eine glänzende Oberfläche aufweist und bei der Fingerprobe noch Material an der Fingerspitze haften bleibt!

## 5.5 Sauna

**Christian Mittermaier**

Die Sauna ist ein trocken-heißes Raumluftbad im Wechsel mit Abkühlungen durch Frischluft und Wasser. Sie zeichnet sich durch eine hohe Lufttemperatur bei relativ niedriger Luftfeuchtigkeit aus. Nach Empfehlungen des Deutschen Saunabundes sollte die Deckentemperatur etwa 95–100 °C betragen, woraus sich eine Bodentemperatur von etwa 40–50 °C ergibt. Dies bedeutet, dass auf der oberen Sitzbank zirka 80–95 °C, auf der mittleren 60–70 °C und auf der unteren 40–60 °C gemessen werden. Für die relative Luftfeuchtigkeit liegen unterschiedliche Angaben zwischen 5 und 35 Prozent vor, wobei die Feuchtigkeit naturgemäß von oben nach unten ansteigt.
Der Saunaraum ist mit Holz ausgekleidet und mit zwei oder drei stufenförmig ansteigenden Bänken versehen. Die Banklatten werden aus Hölzern gefertigt, die ein relativ geringes Wärmeleitvermögen aufweisen. Heutzutage wird meist ein elektrisch beheizter Saunaofen verwendet, welcher mit Steinen (meist Granit, Diorit oder Peridotit) bestückt ist, die sich erhitzen und Speicherwärme abgeben. Die Steine müssen starke Temperaturschwankungen aushalten, dürfen nicht reißen und keine Gase abgeben.
Für ein angenehmes Raumklima ist eine entsprechende Lüftung nötig. Die Zuluftöffnung sollte sich unter oder hinter dem Saunaofen befinden, die Ab-

luftöffnung sollte gegenüber dem Saunaofen oder diagonal dazu im unteren Drittel des Raumes unter den Sitzbänken liegen.

Ein Saunabad besteht aus einem oder mehreren Saunagängen mit meist regelhaftem Ablauf. Auf eine Vorbereitungsphase mit Auskleiden und Reinigungsdusche folgt die Aufwärmphase in der Saunakammer mit Vorschwitzen, Aufguss und Nachschwitzen. An die Abkühlungsphase mit Frischluftaufenthalt und Kaltwasseranwendung schließt die Ruhephase an. Die Aufenthaltsdauer im Saunaraum hängt von individuellen Faktoren ab, liegt aber meist zwischen 5 und 20 Minuten.

## 5.5.1 Physiologische Wirkungen der Sauna

Es kann zu einer Beschleunigung der Herzfrequenz bis auf mehr als das Doppelte der Ruhefrequenz kommen. Die Pulserhöhung ist im Liegen weniger stark ausgeprägt als im Sitzen oder Stehen. Das Herzzeitvolumen steigt um etwa 70% über den Ruhezustand an, der gesamte periphere Gefäßwiderstand sinkt um ca. 40%. Über den systolischen Blutdruck liegen unterschiedliche Ergebnisse vor, wobei es maximal zu Veränderungen um ± 20 mmHg kommen sollte. Der diastolische Blutdruck und der mittlere arterielle Blutdruck sinken während der Aufwärmphase.

Die Hauttemperatur erhöht sich auf 38–42 °C, die Körpertemperatur um 1–2 °C.

Durch das Schwitzen kann es zu einem Gewichtsverlust von 0,5–1 kg kommen. Der Blutfluss in den oberflächlichen Blutgefäßen steigt von 0,5 auf 7 l/Minute (von 5–10% des Herzzeitvolumens auf 50–70%). Durch die Hitzeexposition kommt es initial zu einer Hämodilution und dann zur Hämokonzentration, die Kälteexposition führt zur Hämokonzentration.

Das sympathische Nervensystem und das Hypothalamus-Hypophysen-Nebennierenrinden-System werden zur Erhaltung des Temperaturgleichgewichts aktiviert. Die Noradrenalin-Plasmakonzentration wird erhöht. Die Adrenalinkonzentration war in verschiedenen Studien entweder unverändert oder ebenfalls erhöht (abhängig von der Art der Abkühlung). Es kommt zu allgemeinen Stressantworten wie einer ACTH-Erhöhung. Ferner steigen die Wachstumshormon-, Prolaktin- und β-Endorphin-Konzentrationen. Das reduzierte Plasma-

volumen und der Natriumverlust im Schweiß führen zu einer Aktivierung des Renin-Angiotensin-Aldosteron-Systems.
Bei einer relativen Luftfeuchtigkeit zwischen 15 und 30 Prozent bleiben die Schleimhäute der oberen Atemwege feucht. In der Sauna steigt das Atemminutenvolumen. Die Vitalkapazität, die maximale exspiratorische Atemstromstärke und die Einsekundenkapazität (FEV$_1$) steigen, d.h. die Lungenventilation wird verbessert. Alle Veränderungen sind relativ geringfügig (ca. 10%), und die Ausgangswerte werden rasch nach der Sauna wieder erreicht. Die Diffusionskapazität ändert sich bei Gesunden nicht.

## 5.5.2 Therapeutische Effekte der Sauna bei chronischen Erkrankungen

### Kardiovaskuläre Erkrankungen

Patienten in stabilem Zustand unter Medikation (z.B. essentielle Hypertonie, KHK, kompensierte Herzinsuffizienz) können ein Saunabad nehmen. Es bestehen auch keine Hinweise, dass ein Saunagang Thrombosen oder Blutungen verursacht.
Es zeigt sich vielmehr, dass ein Saunabad z.B. positive Effekte im Sinne einer Verringerung ventrikulärer Arhythmien ausüben kann. In einer anderen Studie wurde die Endothel-mediierte Vasodilatation und die Herzfunktion bei Patienten mit Herzinsuffizienz verbessert.

### Muskuloskelettale Erkrankungen

Saunagänge können zur Schmerzreduktion benutzt werden. Der schmerzdämpfende Effekt könnte über sensible Nervenendigungen in der Haut mediiert werden.
Bei Patienten mit rheumatoider Arthritis, Osteoarthritis oder Fibromyalgie kann es nach einer Verbesserung während des Saunabesuchs zu einer Schmerzverstärkung am nächsten Tag kommen. Dieser Effekt kann bei manchen Patienten durch intensives Abkühlen nach der Sauna verhindert werden.

## 5.5 Sauna

### Atemwegserkrankungen

Die Sauna scheint bei Patienten mit COPD keinen Schaden zu verursachen, aber auch keine längerdauernden Verbesserungen zu bewirken. Bei Asthmatikern zeigen sich während des Saunabades subjektive Verminderungen der Atemanstrengungen, es konnten aber keine messbaren Verbesserungen nachgewiesen werden.
In einer nichtrandomisierten Studie zeigte sich bei Sauna-Beginnern nach 3–6 Monaten eine gegenüber der Kontrollgruppe deutlich reduzierte Inzidenz an Erkältungen.

### Mögliche Gefahren

Siehe Kapitel 1.

### Medikamente und Sauna

Die Pharmakokinetik verschiedener Medikamente könnte durch Saunabäder beeinflusst werden, da dabei, wie oben beschrieben, Veränderungen der Körpertemperatur, des Flüssigkeitshaushalts, des Kreislaufs, etc. auftreten. Beta-Blocker verhindern die Herzfrequenzerhöhung, die durch Hitze hervorgerufen wird. Da durch antihypertensive Medikation eine mögliche Erniedrigung des (v.a. diastolischen) Blutdrucks durch die Entspannung nach der Sauna verstärkt werden kann, sollten diese Medikamente vor dem Saunagang nicht eingenommen werden. In einer Studie kam es durch Diltiazem nicht zu einer Potenzierung der Sauna-induzierten Vasodilatation bei Hypertonikern.
Durch eine Reduktion der Leberdurchblutung könnte die Wirkung von Medikamenten mit first-pass Metabolismus in der Leber beeinflusst werden. Der Metabolismus von Midazolam wurde jedoch nicht verändert.
Die renale Ephedrin-Ausscheidung wurde durch Saunabäder nicht beeinflusst. Die Sauna-Effekte auf die Pharmakokinetik von Tetrazyklinen waren bei Gesunden gering.
Systemische Sympathomimetika und Parasympatholytika können die Sauna-induzierte Sympathikusaktivität verstärken und sollten kurz vor dem Saunagang nur mit Vorsicht eingenommen werden. Medikamente, die das autonome Nervensystem beeinflussen, zeigten keine negativen Effekte auf gesunde junge Männer.

Die Absorption mittels transdermaler Pflaster applizierter Medikamente könnte durch den erhöhten Blutfluss gesteigert werden. Für Nitroglycerin und Nikotin konnte dabei eine erhöhte Plasmakonzentration bei Gesunden nach der Sauna nachgewiesen werden. Bei Diabetikern zeigte sich eine erhöhte Insulinabsorption nach subkutaner Injektion.

*Kontraindikationen*

▷ akuter Thoraxschmerz
▷ instabile Angina pectoris
▷ die ersten 4–8 Wochen nach einem Myokardinfarkt
▷ dekompensierte Herzinsuffizienz
▷ deutliche Aortenstenose
▷ schwere orthostatische Hypotonie bei älteren Personen
▷ akute muskuloskelettale Entzündungen
▷ Fieber
▷ Gestose
▷ verschiedene Hautinfektionen.

### Merke

▷ Die Sauna ist ein trocken-heißes Raumluftbad im Wechsel mit Abkühlungen durch Frischluft und Wasser.
▷ Es konnten positive Effekte auf den Organismus bei Gesunden und auch bei verschiedenen Erkrankungen nachgewiesen werden. Wichtig ist dabei die Beachtung der Kontraindikationen.

*Literatur zu Kap. 5.5*

Barkve TF, Langseth-Manrique K, Bredesen JE, Gjesdal K. Increased uptake of transdermal glyceryl trinitrate during physical exercise and during high ambient temperature. Am Heart J. 1986;112:537–41.

Eisalo A, Luurila OJ. The Finnish sauna and cardiovascular diseases. Ann Clin Res. 1988; 20: 267–70.

Ernst E, Pecho E, Wirz P, Saradeth T. Regular sauna bathing and the incidence of common colds. Ann Med. 1990; 22: 225–7.

## 5.5 Sauna

Gillert O, Rulffs W. Hydrotherapie und Balneotherapie. 11. Auflage. Pflaum Verlag München, 1990.

Hannuksela ML, Ellahham S. Benefits and risks of sauna bathing. Am J Med. 2001; 110: 118–26.

Isomaki H. The sauna and rheumatic diseases. Ann Clin Res. 1988;20:271–5.

Jezova D, Kvetnansky R, Vigas M. Sex differences in endocrine response to hyperthermia in sauna. Acta Physiol Scand. 1994; 150: 293–8.

Kauppinen K. Sauna, shower, and ice water immersion. Physiological responses to brief exposures to heat, cool, and cold. Part I. Body fluid balance. Arctic Med Res. 1989; 48: 55–63.

Kihara T, Biro S, Imamura M, Yoshifuku S, Takasaki K, Ikeda Y, Otuji Y, Minagoe S, Toyama Y, Tei C. Repeated sauna treatment improves vascular endothelial and cardiac function in patients with chronic heart failure. J Am Coll Cardiol. 2002; 39: 754–9.

Kihara T, Biro S, Ikeda Y, Fukudome T, Shinsato T, Masuda A, Miyata M, Hamasaki S, Otsuji Y, Minagoe S, Akiba S, Tei C. Effects of repeated sauna treatment on ventricular arrhythmias in patients with chronic heart failure. Circ J. 2004; 68: 1146–51.

Kauppinen K. Facts and fables about sauna. Ann N Y Acad Sci. 1997; 813: 654–62.

Kiss D, Popp W, Wagner C, Zwick H, Sertl K. Effects of the sauna on diffusing capacity, pulmonary function and cardiac output in healthy subjects. Respiration. 1994; 61: 86–8.

Koivisto VA. Sauna-induced acceleration in insulin absorption. Br Med J. 1980; 281: 621–2.

Kukkonen-Harjula H, Kauppinen K. Health effects and risks of sauna bathing. Int J Circumpolar Health 2006; 65: 195–205.

Kukkonen-Harjula K, Oja P, Laustiola K, Vuori I, Jolkkonen J, Siitonen S, Vapaatalo H. Haemodynamic and hormonal responses to heat exposure in a Finnish sauna bath. Eur J Appl Physiol Occup Physiol. 1989; 58: 543–50.

Kukkonen-Harjula K, Oja P, Vuori I, Pasanen M, Lange K, Siitonen S, Metsa-Ketela T, Vapaatalo H. Cardiovascular effects of Atenolol, scopamine and their combination on healthy men in Finnish sauna baths. Eur J Appl Physiol Occup Physiol. 1994; 69: 10–5.

Laitinen LA, Lindqvist A, Heino M. Lungs and ventilation in the sauna. Ann Clin Res. 1988; 20: 244–8.

Luurila OJ, Kohvakka A, Sundberg S. Comparison of blood pressure response to heat stress in sauna in young hypertensive patients treated with atenolol and diltiazem. Am J Cardiol. 1989; 64: 97–9.

Maruna, H. Sauna. Verlagshaus der Ärzte, Wien, 2005.

Nguyen Y, Naseer N, Frishman WH. Sauna as a therapeutic option for cardiovascular disease. Cardiol Rev. 2004;12:321–4.

Nurmikko T, Hietaharju A. Effect of exposure to sauna heat on neuropathic and rheumatoid pain. Pain. 1992;49:43–51.

Sanner B, Kreuzer I, Sturm A. Sauna bei arterieller Hypertonie. Dtsch Med Wochenschr. 1993; 118: 1698–703.

Vanakoski J, Idanpaan-Heikkila JJ, Olkkola KT, Seppala T. Effects of heat exposure in a Finnish sauna on the pharmacokinetics and metabolism of midazolam. Eur J Clin Pharmacol. 1996; 51: 335–8.

Vanakoski J, Seppala T, Sievi E, Lunell E. Exposure to high ambient temperature increases absorption and plasma concentrations of transdermal nicotine. Clin Pharmacol Ther. 1996; 60: 308–15.

Vanakoski J, Seppala T. Renal excretion of tetracycline is transiently decreased during short-term heat exposure. Int J Clin Pharmacol Ther. 1997; 35: 204–7.

Vanakoski J, Seppala T. Heat exposure and drugs. A review of the effects of hyperthermia on pharmacokinetics. Clin Pharmacokinet. 1998 Apr; 34: 311–22.

## 5.6 Wellness – eine Begriffsklärung
### Christian Mittermaier

Der Begriff Wellness fällt heute sehr oft in Zusammenhang mit Angeboten der Hydrotherapie. Eine nähere Beschäftigung mit dem Thema Wellness würde den Rahmen dieses Buches sprengen und ist entsprechenden spezifischen Publikationen vorbehalten. Es zeigt sich, dass der Begriff Wellness zwar sehr häufig und in vielen Bereichen (auch unterschiedlich definiert) verwendet wird, die wissenschaftliche Auseinandersetzung mit diesem Thema aber im deutschen Sprachraum noch nicht den Stellenwert hat, der ihm schon alleine durch das große Interesse der Menschen und die nicht unwesentliche wirtschaftliche Bedeutung der Wellness-„Bewegung" gebühren würde.

Die Wurzeln des Begriffs Wellness sind mehr als 350 Jahre alt und wurden erstmals 1654 in einer Monografie von Sir A. Johnson als „wealnesse" verwendet – ein Ausdruck, der im Oxford English Dictionary mit „Zustand des Wohlbefindens oder guter Gesundheit" erklärt wird.

Diese Bezeichnung wurde Ende der 1950er Jahre vom nordamerikanischen Arzt und Biostatistiker Halbert L. Dunn aufgegriffen und in einer Vortragsreihe verwendet, die später im Buch „High Level Wellness" zusammengefasst wurde. Dunn betonte die Wichtigkeit der Verbindungen zwischen Seele, Körper und Geist und der persönlichen Zufriedenheit. Er sah Gesundheit als wesentlich mehr als nur ‚Nicht-Kranksein', dabei auch Bezug nehmend auf die WHO-Gesundheitsdefinition. Die Menschen sollten durch bewusste Lebensweise vorbeugen und die individuell gegebenen Vitalpotenziale voll ausschöpfen, d.h. durch einen entsprechenden Lebensstil lässt sich ein höheres Niveau an physi-

## 5.6 Wellness – eine Begriffsklärung

schem und psychischem Wohlbefinden erzielen. Das Buch selbst hatte keinen wesentlichen unmittelbaren Einfluß und wurde nur in geringer Stückzahl verkauft. Es beeinflusste jedoch beginnend in den 70er und 80er Jahren des vergangenen Jahrhunderts die wichtigsten Promotoren der Wellness-Bewegung wie z.B. Don Ardell, John Travis und Bill Hettler.

Eine deutschsprachige Definition des Begriffs Wellness findet sich bei Lutz Hertel: „Wellness bezeichnet einen aktiven Prozess von guter Gesundheit und Wohlbefinden."

Ein wesentlicher Punkt dieser Definition ist die Betonung des Aktiven. Dies steht in Widerspruch zu vielen konsumorientierten Wellnessangeboten, bei welchen nach wie vor passive Ansätze im Vordergrund stehen. Häufig werden der Ausgleich für Stress und Anspannung und auch der Luxus- und Verwöhnaspekt von Wellness hervorgehoben. Es sollte in Zukunft vermehrt danach getrachtet werden, gesundheitsfördernde aktive Maßnahmen einzubeziehen und den ganzheitlichen Anspruch des Wellness-Konzeptes besser umzusetzen. Die Menschen sollten befähigt werden sich – mit Spaß und Lust – für die eigene Gesundheit und das eigene Wohlbefinden einzusetzen. Wie sich in den letzten Jahren zeigte, sind viele Menschen daran interessiert und auch durchaus bereit, finanzielle Beiträge dafür zu leisten. Zusätzlich ist es wünschenswert, die unterschiedlichen Wellnessangebote wissenschaftlich weiter zu erforschen und das originär sinnvolle Konstrukt nicht durch Verwässerungen und Veränderungen zu Ungunsten der Menschen, für die es gedacht ist, zu entwerten.

### *Literatur zu Kap. 5.6*

Ardell DB. High Level Wellness: An Alternative to Doctors, Drugs & Disease. Rodale Press, Emmaus, PA, 1977.

Ardell DB. The history and future of wellness. Health Values 1985; 9: 37–56.

Baumgarten K, Joensson N. Wellness & Gesundheitsförderung. Verlag für Gesundheitsförderung, Werbach-Gamburg, 2005.

Dunn HL. High Level Wellness. RW Beatty, Arlington, VA, 1961.

Hertel L. Der große Wellness Guide. Vehling Verlag, 2003.

Resch KL. Wellness im Kurort. Online im Internet, URL: <http://www.baederkalender.de/upload/broschuere/DDK-Kap-3-10.pdf>, Abruf 28.2.07 23:22.

# 6 Zusammenstellung bevorzugter Indikationen

In den jeweiligen Kapiteln wurde bereits auf die Indikationen und auch auf Kontraindikationen der einzelnen Anwendungen hingewiesen. Damit sollte der typische Anzeigenbereich jeder einzelnen Maßnahme beziehungsweise jedes einzelnen Bades umrissen werden. In der Praxis stellt sich aber nicht selten auch die umgekehrte Überlegung, nämlich welche Maßnahme für die Behandlung einer bestimmten Erkrankung, eines bekannten Leidens oder einer Behandlung aus anderem Anlass eingesetzt werden kann. Dafür möchte man möglichst auch noch eine Auswahl treffen und die angebotenen Möglichkeiten auf einen Blick übersehen können. Diesem Leserwunsch wird auf den folgenden Seiten nachgekommen. Es muss jedoch betont werden, dass diese Auflistung nur im Sinne ganz allgemein gehaltener informativer Hinweise zu sehen ist. Bei einem Rückgriff auf die einzelnen Empfehlungen muss eine Vielzahl von Einzelfaktoren berücksichtigt werden. Allein schon die konstitutionellen Unterschiede der einzelnen Menschen, das Vorherrschen des einen oder des anderen Reaktionstyps und die konditionellen Schwankungen, denen der Mensch unterworfen ist und die im Krankheitsfalle recht erheblich sein können, erfordern eine Bewertung und Berücksichtigung.

Nicht selten kommt hinzu, dass in einem Behandlungsfall mehr als nur ein Krankheitsbild zu berücksichtigen ist. Gerade der ältere Patient weist überwiegend eine Multimorbidität auf. Wie oft liegt beispielsweise neben einem Gelenkrheumatismus ein Herzschaden, neben einer Schlafstörung ein Bluthochdruck oder eine Arteriosklerose, neben einer Neuralgie ein angiospastisches Beschwerdebild vor. Auch wenn es primär ärztliche Aufgabe ist, die dem Einzelfall angepasste Verordnung zu erstellen, so bleibt aber dem Behandler immer noch die Verpflichtung, auf besondere Situationen Rücksicht zu nehmen, besonders hinsichtlich der Dosierung, die er der Konstitution des Kranken und seinem Reaktionsvermögen jeweils anzupassen hat. Aber nicht nur die in einem Behandlungsfall gleichzeitig, sozusagen nebeneinander bestehenden Beschwerden oder Leiden erfordern eine sorgfältige Auswahl der Maßnahmen und ein subtiles Abstimmen der Dosierung, sondern auch die verschiedenen Stadien ein und desselben Leidens; die während eines Krankheitsverlaufes oftmals erheblich wechselnden Reizzustände können unterschiedliche Anwendungen und abweichende Dosierungen verlangen. Der dem Körper zugeleitete Heilungsreiz muss bezüglich seiner Stärke meist im umgekehrten Verhältnis zum Reizzustand stehen. Es ist in den vorstehenden Abschnitten immer betont worden, dass akute Erscheinungen stets eine schonende Behandlung, d.h. die Auswahl mild wirkender Maßnahmen bei geringer Dosierung verlangen. Subakute Reizzustände sind anfangs genauso wie akute zu behandeln. Erst bei guter Verträglichkeit oder wenn man den Eindruck hat, dass eine Reizgewöhnung eingetreten ist, darf man versuchen, auf stärker wirkende Maßnahmen und kräftigere Dosierungen überzugehen. Stets muss man dem Körper Zeit lassen, den einmal gesetzten Heilungsreiz zu verarbeiten! Das bedeutet: Ausreichende Ruhe nach jeder Behandlung, Vermeiden aller den Reaktionsablauf störenden Einflüsse und oftmals eine nicht zu dichte Behandlungsfolge. Chronische Leiden hingegen, bei denen die natürliche Heilungstendenz des Organismus herabgesetzt ist, bedürfen in der Regel kräftigerer Reize, um die notwendige Umstimmung herbeizuführen und so die Heilungsvorgänge wieder zu aktivieren. Aber auch hier ist zu unterscheiden, ob es sich um die Reduktion der Heilungstendenz oder um einen allgemeinen Kräfteabbau des Körpers handelt, der die Belastung durch eine bestimmte Behandlung nicht mehr zulässt.

Um den vielfältigen Erfordernissen der Praxis gerecht zu werden und um die verschiedenen Situationen zu beherrschen, ist es von Vorteil, wenn man über ein ausreichendes therapeutisches Repertoire verfügt.

Die nachfolgende Übersicht will die Möglichkeit zu einer raschen Orientierung bieten. Sie soll aber nicht zu einer oberflächlichen Schematisierung oder gar zur Polypragmasie verleiten. Sie möchte Anregungen geben und verschiedenartig

## Kapitel 6 Bevorzugte Indikationen

wirkende Maßnahmen zur Auswahl nebeneinander stellen, um nötigenfalls auch einen sinnvollen Reizwechsel zu ermöglichen. Sie soll auch verhüten, dass durch tägliche Routinearbeit wertvolle Behandlungsweisen der Vergessenheit anheim fallen, die, im rechten Augenblick am richtigen Fall angewandt, eine entscheidende Hilfe sein können. Die Rangfolge der nachstehend angeführten Behandlungsverfahren hat keine Verbindung zur therapeutischen Wertigkeit.

# Indikationshinweise

| | |
|---|---|
| Abhärtung | Abreibungen, Flachgüsse, Rückenblitzguss, Vollblitzguss, kaltes Tauchvollbad, Waschungen (Ganz- oder Oberkörperwaschung). |
| Abwehrkräfte fördern | Solebad, Schaumbad, Überwärmungsbad, Sauna. |
| Abszess | Temperaturabsteigendes Teilbad, Kryotherapie, Kamillenteilbad, kalter Umschlag, kalte Packung. |
| Adnexitis | Temperaturansteigendes Sitzbad, Bäder mit Salizylmoor- oder Schwefelzusatz, Moor-, Schlamm- oder Schlickbäder, hydroelektrisches Vollbad. |
| Afterekzem | Eichenrindenbad. |
| Akne | Bäder mit Zusatz von Schwefel oder Weizenkleie, Sauna. |
| Akrozyanose | Rosmarinbad, temperaturansteigende Teilbäder, Unterwasserdruckstrahlmassage. |
| Allergie | Solebad, radioaktives Mineralbad. |
| Analfissur | Bad mit Kamillen- oder Eichenrindenzusatz, temperaturansteigendes Sitzbad. |
| Angina pectoris | Warmer Armwickel, warmer Armguss, warmes Armbad, temperaturansteigendes Armbad, Kohlensäurebad. |

# Indikationshinweise

| | |
|---|---|
| Anregung der Kreislaufregulation | Lakenbad, Flachgüsse, Waschungen. |
| Arteriosklerose | Temperaturansteigendes Unterschenkelbad, Jodbad, Kohlensäurebad, radioaktives Mineralbad. |
| Arthrose | Dämpfe, Bäder mit Jod-, Moorlaugen-, Moorextrakt-, Fichtenrinden-, Schwefelzusatz, Rheumabad, Moor-, Schlamm- oder Schlickbäder, Unterwasserdruckstrahlmassage. |
| Arthrose, aktivierte | Kryotherapie, kalte Packung, kalter Umschlag, wärmeentziehende Wickel. |
| Asthma bronchiale | Rückenguss, temperaturansteigendes Armbad, Bad mit Thymianzusatz, Waschungen. |
| Atmungsanregung | Abklatschung, Oberguss, Rückenguss. |
| Atrophie der Muskulatur | Unterwasserdruckstrahlmassage, Gymnastik im Wasser. |
| Auswurfförderung | Abklatschung, Kopfdampf, Rückenguss. |
| Bänderzerrung | Akut: Kryotherapie, später Unterwasserdruckstrahlmassage, Gymnastik im Wasser, Heißpackungen. |
| Blasenfunktionsstörungen (-katarrh) | Heißes Sitzbad, temperaturansteigendes Sitzbad, warmes/heißes Unterschenkelbad, Heißblitz-Rücken. |
| Blutandrang zum Kopf | Gesichtsguss, temperaturansteigendes Teilbad. |
| Bluterguss | Kryotherapie, kalter Umschlag, kalte Packung, später Rosmarinbad. |
| Bluthochdruck | Kohlensäurebad, Kohlendioxid-Gasbad, Luftsprudelbad, Sauerstoffbad, temperaturansteigendes Armbad, Wechsel-Unterschenkelbad. |
| Blutverteilungsstörungen (funktionell) | Abreibungen, Waschungen, Flachgüsse, Unterwasserdruckstrahlmassage. |

| | |
|---|---|
| Blutunterdruck | Abreibungen, Waschungen, Flachgüsse, Luftsprudelbad, Meerbad, Unterwasserdruckstrahlmassage. |
| Brachialgie | Hydroelektrisches Teil- oder Vollbad, Unterwasserdruckstrahlmassage, Kryotherapie. |
| Bronchiektasen | Wärmestauender Wickel, Thymianbad. |
| Bronchitis | Brustwickel, Sauna, Thymian-, Inhalationsbad, Waschungen. |
| Cholezystopathie | Siehe Gallenkolik |
| Claudicatio intermittens | Siehe Durchblutungsstörungen (arterielle periphere). |
| Darmfunktionsstörungen | Wärmeanwendungen, z.B. temperaturansteigendes Sitzbad, Heißpackung, Heißblitz-Rücken; subaquales Darmbad |
| Darmkolik | Intensive Wärmeanwendungen: warmes/heißes Sitzbad, Heusack oder andere Heißpackungen. |
| Dekubitus | Kohlensäurebad, Bäder mit Zusatz von Haferstrohextrakt, Kamillen-Badeöl, Kamillenblütenextrakt, Schachtelhalmextrakt. |
| Degenerative Gelenk- und Wirbelsäulenerkrankungen | Siehe Arthrosen und Osteochondrosen. |
| Distorsion, akut | Kryotherapie, kalter Umschlag, kalte Packung. |
| Distorsion, Zustand nach | Warmes/heißes Teilbad, Rosmarin-Teilbad, Unterwasserdruckstrahlmassage, Heißpackungen. |
| Durchblutungsanregung | Abreibungen, Flachgüsse, Blitzgüsse, Waschungen, Bäder mit Zusätzen von Rosmarin oder Jod, hydroelektrische Bäder. |
| Durchblutungsstörungen, arterielle periphere | Temperaturansteigende Teilbäder (ggf. kontralateral), Kohlensäurebad, Kohlendioxid-Gasbad, hydroelektrische Bäder, Bäder mit Zusätzen von Jod, Lavendel oder Rosmarin, Unterwasserdruckstrahlmassage, Heißpackungen am Stamm. |

# Indikationshinweise

| | |
|---|---|
| Durchblutungsstörungen, funktionelle | Kalte oder Wechsel-Teilbäder, Bäder mit Zusätzen von Lavendel, Melisse oder Rosmarin, Abreibungen, Flachgüsse, Blitzgüsse, Unterwasserdruckstrahlmassage, Waschungen. |
| Durchblutungsstörungen, koronare | Siehe Angina pectoris |
| Einschlafstörungen | Waschungen, Wickel, kalte Teilbäder, indifferente Vollbäder mit Zusätzen von Baldrian, Brom-Baldrian oder Melisse, Sedativbad. |
| Eiterungen, chronische | Überwärmungsbad, Bäder mit Zusätzen von Eichenrinden, Fichtenrinden, Kamille. |
| Eiterungen der Haut | Teil- oder Vollbäder mit Zusätzen von Jod, Kamille, Eichen- oder Fichtenrinden. |
| Ekzem, endogenes | Russisch-römisches/römisch-irisches Bad, Unterwasserdruckstrahlmassage. |
| Ekzem, juckendes | Bäder mit Zusätzen von Molke, Weizenkleie oder Teer. |
| Ekzem, nässendes | Teil- oder Vollbäder mit Eichen- oder Fichtenrindenextrakten. |
| Endangiitis obliterans | Temperaturansteigende Teilbäder, Kohlensäurebad. |
| Endo-Parametritis | Siehe Adnexitis. |
| Entzündungen, örtliche | Kryotherapie, wärmeentziehende Packungen, kalter Umschlag, Lehmwickel. |
| Entzündungen, chronische im Beckenbereich | Wechselsitzbad, temperaturansteigendes Sitzbad, Bäder mit Zusätzen von Moorlauge, Moorextrakt oder Salizylsäure-Huminsäure-Präparaten, Heißpackungen, Moor-, Schlamm- oder Schlickbäder. |
| Entmüdung | Flachgüsse, insbesondere Gesicht-, Ober- oder Vollguss. |

## Kapitel 6 Bevorzugte Indikationen

| | |
|---|---|
| Erfrierungen | Wärmezuführende Anwendungen, Unterwasserdruckstrahlmassage. |
| Erfrischung | Flachgüsse, Lakenbad. |
| Erkältungskrankheiten | Schweißtreibende Wickel oder Packungen, temperaturansteigendes Vollbad. |
| Erregungszustände | Lauwarme oder indifferente Vollbäder, besonders mit Zusätzen von Baldrian, Brom-Baldrian oder Melisse, Sedativ- oder Luftsprudelbad. |
| Erschöpfungszustände | Bäder mit Zusätzen von Baldrian, Brom-Baldrian, Fichtennadel oder Kalmus, Sedativ- oder Luftsprudelbad. |
| Expektorationsförderung | Siehe Auswurfförderung. |
| Fettsucht | Schweißtreibende Wickel, Schaumbad, Heißblitz-Rücken. |
| Fieber | Wärmeentziehende Wickel, nasse Socken, temperaturabsteigendes Teil- oder Vollbad. |
| Frauenleiden, chronische | Temperaturansteigendes Sitzbad, warm/heißes Sitzbad, Heißpackungen, Moor-, Schlamm-, Schlickbäder, Bäder mit Zusatz von Sole, Schwefel, Moorlauge, Moorextrakt oder Salizylsäure-Huminsäure-Präparaten, hydroelektrisches Vollbad. |
| Frostbeulen | Wechsel-Teilbäder, Bäder mit Zusatz von Rosmarin oder Lavendel, Kohlensäurebad. |
| Gallenkolik | Heißpackungen (Heusack, Moor, Fango), heiße Rolle. |
| Gangrän | Temperaturansteigendes Teilbad auf der kontralateralen Seite, Kohlendioxid-Gasbad. |
| Gastritis | Heißpackungen, Heißblitz-Rücken, Sedativbad. |

## Indikationshinweise

| | |
|---|---|
| Gelenkbeschwerden, chronische | Wickel (Heublumenwickel), Wechsel-Güsse, Blitzgüsse, warme/heiße Teilbäder, Heißpackungen, heiße Rolle, Überwärmungsbad, Bäder mit Zusatz von Sole, Fichtennadel, Fichtenrinden, Salizylsäure-, Huminsäurepräparaten oder Schwefel, Rheumabad, radioaktive Mineralbäder, russisch-römisches/römisch-irisches Bad, hydroelektrisches Vollbad, Paraffin-Tauchbad. Bei starker entzündlicher Komponente: kalter Umschlag, kalte Packung, Kryotherapie, Kaltgastherapie. |
| Gelenkrheumatismus | Siehe Gelenkbeschwerden, chronische. |
| Genitalorgane, chronische Entzündung der | Siehe Adnexitis. |
| Gesichtsneuralgien | Gesichtsguss. |
| Gichtanfall | Kalter Umschlag, kalte Packung, kaltes Teilbad, kalter Flachguss, Kryo- oder Kaltgastherapie. |
| Grippaler Infekt | Schweißtreibender Wickel oder Packung, Salzhemd, temperaturansteigendes Teilbad, Kopfdampfbad, Schaumbad. |
| Gynäkologische Erkrankungen, chronische | Siehe Frauenleiden, chronische. |
| Hämorrhoiden | Kaltes Sitzbad, Sitzbäder mit Eichenrinden- oder Kamillenzusatz. |
| Harnblasenentzündung | Temperaturansteigendes Sitz- oder Unterschenkelbad, warmes/heißes Sitzbad, Heißpackungen. |
| Harnleitersteine, tiefsitzende | Im kolikfreien Intervall subaquales Darmbad. |
| Harnleitersteinkolik | Temperaturansteigendes Sitz- oder Vollbad, Heißpackungen. |

## Kapitel 6 Bevorzugte Indikationen

| | |
|---|---|
| Hartspann | Dämpfe, wärmezuführende Anwendungen, Heißpackungen, Unterwasserdruckstrahlmassage. |
| Hautdurchblutung, Verbesserung der | Waschungen, Wickel (auch mit Sole- oder Essigzusatz), Sole-, Schwefel-, Kohlensäurebad, Bürstenbad. |
| Hautleiden | Siehe Ekzeme. |
| Heiserkeit | Halswickel, Kopfdampf. |
| Herzinfarkt, Zustand nach | Temperaturansteigendes Armbad, Kohlensäurebad, Sedativbad. |
| Herzklopfen | Kaltes Armbad. |
| Herz-Kreislauf-Beschwerden, funktionelle | Waschungen, Abreibungen, Flachgüsse in steigender Dosierung. |
| Herzmuskelschwäche, rekompensiert | Kohlensäurebad. |
| Hexenschuss | Heißblitz-Rücken, Heißpackungen, heiße Rolle, Moor-, Schlamm- oder Schlickbäder. |
| Hinken, anfallsweises | Warmer Beinwickel, siehe auch Durchblutungsstörungen, arterielle periphere. |
| Hitzebelastung | Kaltes Armbad. |
| Hyperhidrosis | Bad mit Eichenrindenextrakt. |
| Hypertonie | Siehe Bluthochdruck. |
| Hypotonie | Siehe Blutunterdruck |
| Hypotone Muskulatur | Unterwasserdruckstrahlmassage. |
| Inaktivitätsatrophie | Unterwasserdruckstrahlmassage, Gymnastik im Wasser. |

# Indikationshinweise

| | |
|---|---|
| Infekt | Siehe grippaler Infekt. |
| Ischias, Ischialgie | Heißblitz-Rücken, Heißpackungen, heiße Rolle, hydroelektrisches Vollbad, russisch-römisches/römisch-irisches Bad, Bäder mit Salizylsäure-Huminsäurepräparaten oder Heublumenextrakt, Moor-, Schlamm- oder Schlickbäder. |
| Katarrh der oberen Luftwege | Armguss, Inhalationsbad, Thymianbad. |
| Klimakterische Beschwerden | Bäder mit Zusatz von Fichtennadel oder Melisse, Sedativbad, Flachgüsse. |
| Kopfschmerzen | Armguss, temperaturansteigendes Teilbad. |
| Kolik | Heiße Wickel (Lendenwickel), warmes/heißes Sitzbad, Dampfkompressen, Heißpackungen, heiße Rolle. |
| Kontrakturen | Dämpfe, örtliche Wärmeanwendungen, Heißpackungen, Unterwasserdruckstrahlmassage, heiße Rolle. |
| Koronarinsuffizienz | Siehe Angina pectoris. |
| Krampfadern | Schenkelguss, Wassertreten, temperaturabsteigendes Unterschenkelbad. |
| Kreislaufbeschwerden, funktionelle, | Siehe Durchblutungsstörungen, funktionelle |
| Kreislaufentlastung | Waschungen. |
| Lähmung, periphere | Vierzellenbad, hydroelektrisches Vollbad, Bewegungsbad. |
| Lähmung, spastische | Bewegungsbad, Kryotherapie. |
| Lähmungsfolgen | Radioaktive Mineralbäder, Bewegungsbad. |
| Laryngitis | Russisch-römisch/römisch-irisches Bad, Inhalationsbad. |

# Kapitel 6 Bevorzugte Indikationen

| | |
|---|---|
| Leber-Galle-Beschwerden | Warmer Lendenwickel, heiße Rolle, Heißpackungen, Heißblitz-Rücken. |
| Lumbago | Heißpackungen, hydroelektrisches Vollbad, Unterwasserdruckstrahlmassage. |
| Magen-Darm-Beschwerden | Lendenwickel, Unterguss. |
| Magenschleimhautentzündung | Heißblitz-Rücken, Heißpackungen, Lendenwickel. |
| Mehrdurchblutung, Anregung im Becken-Bauch-Raum | Kaltes oder warmes/heißes Sitzbad, Heißpackungen, Lendenwickel. |
| Meteorismus | Unterguss, warmer Lendenwickel, Wechsel-Sitzbad. |
| Migräne | Gesichtsguss, Bäder mit Baldrianzusatz. |
| Mikroangiopathie, diabetische | Temperaturansteigendes Teilbad, Kohlensäurebad. |
| Morbus Bechterew | Überwärmungsbad, Heißblitz-Rücken, hydroelektrisches Vollbad, russisch-römisch/römisch-irisches Bad, Bad mit Schwefelzusatz, Rheumabad, Unterwasserdruckstrahlmassage, Kaltgastherapie. |
| Morbus Bürger | Kohlensäurebad, Kohlendioxid-Gasbad, temperaturansteigendes Teilbad. |
| Morbus Raynaud | Kohlensäurebad, temperaturansteigendes Teilbad, Teilbad mit Rosmarinzusatz. |
| Muskelhärten | Blitzgüsse, Dämpfe, Unterwasserdruckstrahlmassage. |
| Muskelrheumatismus | Siehe muskuläre Beschwerden. |

## Indikationshinweise

| | |
|---|---|
| Muskelzerrung | Kryotherapie, später Unterwasserdruckstrahlmassage, Rosmarinbad. |
| Muskuläre Beschwerden | Blitzgüsse, Unterwasserdruckstrahlmassage, Vierzellenbad, hydroelektrisches Vollbad, Bäder mit Zusatz von Moorlauge, Moorextrakt, Sole oder Schwefel, Rheumabad, Moor-, Schlamm- oder Schlickbäder, Heißpackungen, heiße Rolle. |
| Myalgie | Siehe muskuläre Beschwerden. |
| Myogelosen | Siehe Muskelhärten. |
| Nasennebenhöhlenentzündung | Russisch-römisch/römisch-irisches Bad, Kopf-Dampfbad. |
| Nervosität | Waschungen, Flachgüsse, indifferentes Vollbad, Bäder mit Zusatz von Baldrian, Brom, Fichtennadel oder Melisse, Sedativbad, Sauerstoffbad, Luftsprudelbad. |
| Neuralgie | Vierzellenbad, hydroelektrisches Vollbad, Bäder mit Zusatz von Jod, Heublumen, Salizylsäure-Huminsäure-präparaten. |
| Neurodermitis | Solebad. |
| Nierenentzündung, chronische | Warmer Lendenwickel, Heißpackungen, temperaturansteigendes Sitzbad. |
| Nierenkolik | Siehe Kolik. |
| Obstipation | Unterguss, kaltes Sitzbad, Lendenwickel, Unterwasserdruckstrahlmassage, subaquales Darmbad, heiße Rolle, Heißpackungen. |
| Osteochondrose | Heißblitz-Rücken, Bäder mit Zusatz von Jod, Moorextrakt oder Moorlauge, Rheumabad, Moor-, Schlamm- oder Schlickbäder, Heißpackungen, heiße Rolle, hydroelektrisches Vollbad. |

| | |
|---|---|
| Panaritium | Heißes Tauchbad |
| Paraesthesien | Wechsel-Güsse, Vierzellenbad, hydroelektrisches Vollbad |
| Paresen | Siehe Lähmung. |
| Pharyngitis | Russisch-römisches/römisch-irisches Bad, Inhalationsbad, Kopfdampf. |
| Phlebitis | Lehmwickel, kalter Umschlag, kalte Packung. |
| Pectanginöse Beschwerden | Siehe Angina pectoris. |
| Pleuritis | Brustwickel (Senfwickel) |
| Pleuropneumonie | Oberkörperwaschung, Brustwickel (Senfwickel). |
| Pneumonie | Abklatschung, Brustwickel, Oberkörperwaschung. |
| Poliomyelitis, Zustand nach | Überwärmungsbad, Bewegungsbad. |
| Polyarthritis, chronische | Siehe Gelenkbeschwerden, chronische |
| Polyneuritis | Vierzellenbad, hydroelektrisches Vollbad, Bewegungsbad. |
| Posttraumatische Beschwerden | Bäder mit Zusatz von Salizylsäure-Huminsäurepräparaten oder Moorlauge und Moorextrakt, Heißpackungen, heiße Rolle. |
| Prellungen | Kryotherapie, kalte Packung, später Rosmarinbad, Unterwasserdruckstrahlmassage. |
| Prostatitis | Temperaturansteigendes Sitzbad, Bäder mit Zusatz von Schwefel oder Salizylsäure-Huminsäurepräparaten, Moor-, Schlamm- oder Schlickbäder, Heißpackungen. |
| Psoriasis | Bäder mit Zusatz von Teer, Schwefel oder Sole, russisch-römisches/römisch-irisches Bad. |

| | |
|---|---|
| Pyodermie | Bäder mit Zusatz von Teer oder Schwefel. |
| Quetschungen | Kalter Umschlag, Kryotherapie, später Rosmarinbad, Unterwasserdruckstrahlmassage. |
| Regulationsstörungen, vegetative | Flachgüsse, Heißblitz-Rücken, Wickel. |
| Rekonvaleszenz | Bäder mit Zusatz von Sole oder Baldrian. |
| Retropatellararthrose | Siehe Arthrose. |
| Rheumatische Beschwerden | Siehe Gelenkbeschwerden, chronische und Osteochondrose. |
| Rhinitis | Russisch-römisches/römisch-irisches Bad, Kopfdampf. |
| Rigor | Unterwasserdruckstrahlmassage. |
| Schilddrüsenüberfunktion | Kaltes Armbad, kalte Packung der Halsregion. |
| Schlafstörungen | Teilwickel, Ganzwaschung, Wechsel-Unterschenkelbad, Bäder mit Zusatz von Brom, Baldrian, Melisse, Fichtennadel oder Kalmus, Sauerstoff- oder Luftsprudelbad, Sedativbad. |
| Schmerzschwelle, Beeinflussung der | Lokale wärmezuführende Anwendungen, Kryotherapie. |
| Schüttelfrost | Warme Wickel. |
| Schuppenflechte | Siehe Psoriasis. |
| Seborrhoe | Schwefelbad. |
| Sehnenscheidenentzündung | Siehe Gelenkbeschwerden, chronische. |
| Sklerodermie, zirkumskripte | Russisch-römisches/römisch-irisches Bad, örtliche wärme zuführende Anwendungen, Unterwasserdruckstrahlmassage. |

| | |
|---|---|
| Spasmus | Bewegungsbad, warmes/heißes Teilbad, Bad mit Zusatz von Salizylsäure-Huminsäurepräparaten, Unterwasserdruckstrahlmassage. |
| Spondylarthrosen | Siehe Osteochondrose, Arthrose. |
| Spondylarthritis ankylopoetica | Siehe Morbus Bechterew. |
| Spondylosis deformans | Siehe Osteochondrose. |
| Stauungszustände im Pfortaderkreislauf | Knie-, Schenkel- oder Unterguss, temperaturansteigendes Unterschenkelbad. |
| Stenokardie | Siehe Angina pectoris. |
| Stoffwechselanregung | Wärmestauende Wickel, schweißtreibende Wickel oder Dreiviertelpackung beziehungsweise Ganzpackung, Sauna, Schaumbad, Abreibungen, Lakenbad, temperaturansteigendes Vollbad, Vollguss, Vollblitz. |
| Stoffwechsel, Reduktion eines erhöhten | Kaltes Teilbad. |
| Stoffwechselkrankheiten | Bäder mit Zusatz von Sole oder Schwefel, Sauna. |
| Sudeck-Syndrom Stadium I | Temperaturabsteigende Teilbäder, kalter Umschlag, kalte Packung, wärmeentziehende Anwendungen, Kryotherapie. |
| Sudeck-Syndrom Stadium II | Temperaturansteigende Teilbäder, Wechsel-Teilbäder. |
| Symptomenkomplex, gastro-kardialer | Lendenwickel, Sedativbad. |
| Tennisellenbogen | Siehe Gelenkbeschwerden, chronische. |
| Thrombophlebitis | Wärmeentziehende Beinwickel, kalter Umschlag, kalte Packung, Kryotherapie. |

# Indikationshinweise

| | |
|---|---|
| Tonisierung der Rückenmuskulatur | Rückenguss, Vollguss, Rückenblitz, Vollblitz. |
| Tracheitis | Brustwickel, Thymianbad. |
| Überarbeitung | Baldrianbad, Sedativbad. |
| Überlastung der Muskulatur | Tonikumbad, radioaktives Mineralbad. |
| Ulcus cruris | Kohlensäurebad, Bäder mit Zusatz von Eichenrinden, Schachtelhalm oder Teer, Unterwasserdruckstrahlmassage (zur Entstauung in der Umgebung des Ulkus). |
| Umstimmung des vegetativen Nervensystems | Wärmestauende Ganzpackung, Rückenblitz, Überwärmungsbad, Schaumbad, Solebad, Unterwasserdruckstrahlmassage. |
| Unterschenkelgeschwür | Siehe Ulcus cruris. |
| Urticaria | Bäder mit Zusatz von Weizenkleie, Molke, Teer, russisch-römisches/römisch-irisches Bad. |
| Vagotonie, Förderung der | Blitzgussbad, wärmestauende Wickel oder Ganzpackungen, Heißpackungen, temperaturansteigendes Vollbad. |
| Varikosis | Siehe Krampfadern. |
| Vegetative Umstimmung | Siehe Umstimmung des vegetativen Nervensystems. |
| Vegetative Fehlsteuerung, Beeinflussung der | Kalte Teilbäder, Tonikumbad, radioaktives Mineralbad. |
| Venenentzündung | Siehe Trombophlebitis. |
| Verbrennungswunden | Kohlensäurebad, Bäder mit Zusatz von Eichenrinden-, Schachtelhalm- oder Haferstrohextrakt. |

| | |
|---|---|
| Vergiftungen, chronische | Subaquales Darmbad. |
| Verstopfung, chronische | Siehe Obstipation, chronische. |
| Verstauchung | Kalter Umschlag, kalte Packung, Kryotherapie, später Rosmarinbad, Unterwasserdruckstrahlmassage. |
| Wirbelsäulensyndrom | Siehe Osteochondrose und Lumbago. |
| Wunden, schlecht heilende | Kohlensäurebad, Bäder mit Zusatz von Kamille, Schachtelhalm, Haferstroh oder Schwefel |
| Wunden, septische | Heißes Tauchbad |
| Wundsein der Säuglinge | Zusatz von Eichenrinde, Fichtenrinde, Molke oder Weizenkleie. |
| Wurzelreizsyndrom | Wärmestauende Lenden- oder Kurzwickel, Heißpackungen, heiße Rolle, Vierzellenbad, hydroelektrisches Vollbad, Rheumabad, Moor-, Schlamm- oder Schlickbäder, Bäder mit Zusatz von Salizylsäure-Huminsäurepräparaten, Moorlauge oder Moorextrakt. |
| Zerrung | Kalter Umschlag, kalte Packung, Kryotherapie, später Rosmarinbad, warmes/heißes Teilbad, Unterwasserdruckstrahlmassage. |
| Zirkulationstraining | Wechsel-Teilbäder, Kohlensäurebad. |
| Zwölffingerdarmschleimhautentzündung | Heißpackungen, Heißblitz-Rücken, Sedativbad, Lendenwickel. |
| Zystitis | Siehe Blasenfunktionsstörungen (-katarrh). |

# Sachverzeichnis

**A**

Abgießungen nach Heißanwendungen 142
Abklatschungen 166
Abreibungen 161
Absorption 51
Adaptation, funktionelle 62, 64
–, trophisch-plastische 62, 69
adaptive Normalisierung 65
Adsorption 51
ankylosierende Spondylitis 85
Armabreibung 162
Armbad, heißes 186
–, kaltes 184
–, temperaturansteigendes 188
–, warmes 186
Armguss 135
Armwickel 249
Arthritis, rheumatoide 82
Arthrose 73
arzneiliche Badezusätze 197
Asthma bronchiale 30, 36, 38
Atmung 55
Aufpinseln 284
Auftrieb 48, 56, 93

**B**

Badewannen 107
Badezusätze, arzneiliche 197
–, mineralische 199
–, pflanzliche 216
Baldrianwurzelextrakt 220
Balneotherapie 76, 79
–, Indikationen 175
Behandlungsräume 106
Beinabreibung 163
Beinwickel 249
Beruhigungsbäder 172

Bewegungsbecken 111
Bewegungstherapie im Wasser 75, 78
Blitzguss 49, 56, 142
Blitzgussbad 161
Breiumschläge 271
bromhaltige Bäder 204
Brust- und Bauchabreibung 164
Brustguss 138
Brustwickel 247
Bürstenbad 226

**C**

chronische Bronchitis 36
chronische spastische Parese 97
COPD 36

**D**

Dampfbad 236
Dampfkompressen 269
Darmbad, subaquales 227
Dekonditionierung 100
Deposition 51
derivativer Effekt 22
dermatologische Bäder 172
Diabetes mellitus 31
Dreiviertelpackung 251
Duschenmassage 222

**E**

Effekt, derivativer 22
–, revulsiver 22
Eichenrindenextrakt 217
Einschleichen 125
Eintauchen in kaltes Wasser 20
– in warmes Wasser 21
Einweg-Naturmoorpackungen 279
Einzelwaschungen 118

## Sachverzeichnis

Eisbeutel 259
Eismassage 260
Elution 51
Epilepsie 39
Erkältungsbäder 173

### F

Fangopackungen 277, 282
Fertigpackungen 279
Fichtennadelextrakt 216
Fichtenrindenextrakt 217
Fingernekrose 37
Flachguss 123, 124, 125
funktionelle Adaptation 62, 64

### G

Ganzabreibung 164
Ganzpackung 252, 265
Ganzwaschungen 122
Gehbecken 111, 113
Gesichtsguss 141
Gießbatterie 110

### H

Haferstrohextrakt 218
Halswickel 246
Hautdurchblutung 14, 16
Heilgase 167
Heilwässer 167
Heilwasserbäder 167
Heilwassertrinkkuren 173
Heißblitz Rücken 158
heiße Rolle 269
– Tauchbäder 192
– Teilbäder 185
– Umschläge 268
– Waschung 119
heißes Armbad 186
– Sitzbad 185
– Unterschenkelbad 186
Heißpackungen 254

Hemiparese, spastische 97
Herz-Kreislauf-Regulation 34
Herz-Kreislauf-System 52
Herzerkrankung, koronare 27
Herzinfarkt 27
Herzinsuffizienz 27, 36
Heublumen-Bäder 171
Heublumenextrakt 217
Heusack 272
Hot tub lung 38
Hüftendoprothese 94
Hydrämie 54
Hydrocollator-Steam-Pack 280
hydroelektrische Bäder 229
hydroelektrisches Vollbad 232
Hydrogenkarbonatwirkungen 173
hydrostatischer Druck 18, 48, 52, 55, 93
hypertherme Vollbäder 59
Hyperthermie 17
Hypertonie 35

### I

indifferentes Vollbad 197
Indifferenztemperatur 11
Inhalationsbad 211
Inhalationswirkungen 174

### J

Jodbad 203

### K

Kalmuswurzelextrakt 220
kalte Packung 257
– Teilbäder 181
Kälte-Spezial-Kopfkompressen 259
Kälteallergie 128
Kältebelastung 17
kälteinduzierte Myokardischämie 37
Kältekammerbehandlung 261
kalter Umschlag 257
kaltes Armbad 184

kaltes Sitzbad 181
– Tauchvollbad 193
– Unterschenkelbad 182
Kälteschmerz 126
Kälteschock 20, 22
Kältevasodilatation 15
Kältewirkungen, lokale 60
–, systemische 61
Kaltgastherapie, lokale 260
Kaltpackungen 254
Kalziumwirkungen 174
Kamillenblütenextrakt 219
Kartoffelbreiumschlag 272
Kataplasmen 271
Kerntemperatur 11
Kneipp 124, 241
Kneipp-Güsse 123
Knieblitz 144, 146
Knieendoprothese 94
Knieguss 129
Kohlensäurebad 204
Kohlenstoffdioxidbäder 169
Kollateralzirkulationseffekt 23
Konduktion 12
koronare Herzerkrankung 27, 35
Körperkerntemperatur 13
kortikale Plastizität 70
Kreuzbandplastik 94
Kryogel 258
Kryotherapie 56, 257
Kurzwickel 250

**L**

Lakenbad 166
Lavendelblütenextrakt 221
Leinsamenumschlag 272
Lendenwickel 250
Lewis-Reaktion 15
Lifter 110
lokale Druckausübung 56
– Kältewirkungen 60

lokale Kaltgastherapie 260
– Wärmewirkungen 57
Lokalpackungen 265
Luftsprudelbad 210
Lumbalguss, heißer 142
Lungenerkrankungen 29
Lungenödem 38

**M**

Magnesiumwirkungen 174
Melissen-Badeöl 221
Meniskus-Operation 94
mineralische Badezusätze 199
Moor-(Torf-)packungen 279
Mooranwendung 89
Moorbreibad 276
Moorextraktbad 213
Moorkneten 260
Moorlaugenbad 213
Multiple Sklerose 97
Myokardischämie, kälteinduzierte 37

**N**

Nackenguss, heißer 141
Natriumchloridbäder 169
Neuroplastizität 70
Neutralzone, thermische 11

**O**

Oberguss 136
Oberkörperwaschung 119, 120
Ödeme 60
Osteoporose 87

**P**

Packung 244
–, kalte 257
Paraffin-Teilbad 283
Paraffinpackungen 283
Peitschen 143
Peloid-Paraffinpackungen 285, 287, 289

# Sachverzeichnis

Peloidbäder 167, 170
Peloidpackungen 167, 274, 281
perspiratio insensibilis 12, 16
perspiratio sensibilis 12
pflanzliche Badezusätze 216
plastische Adaptation 62
plötzlicher Herztod 37
Prießnitz 9, 242

## R
Radonbäder 170
revulsiver Effekt 22
Rhabdomyolyse 39
Rheumabäder 170
rheumatoide Arthritis 82
Rosmarinblätterextrakt 219
Rückenabreibung 163
Rückenblitz (kalt) 151
Rückenguss 134
Rückenschmerzen 77

## S
Salicylat-Bäder 171
Salizylmoorbad 214
Salzhemd 253
Sauerstoffbad 208
Sauna 33, 290
Schachtelhalmextrakt 218
Schaumbad 212
Schenkelblitz 149
Schenkelguss 131
Schmetterlingsbadewanne 115
Schneegehen 183
Schroth 9
Schüttelfrost 119
Schwefelbad 201
Schwefelwasserstoffbäder 169
Schweißsekretion 12
schweißtreibender Wickel 246
Schwimmbadlift 113
Schwitzpackungen 119

Segmentblitzguss Leber-Galle 158
– Magen-Darm 157
– Raute 156
Segmentblitzgüsse 156
Senfwickel 241
Serienwaschungen 117, 119
Sitzbad, kaltes 181
–, temperaturansteigendes 188
–, warmes 185
Solebad 199
spanischer Mantel 253
Spondylitis, ankylosierende 85
spontane arterielle Vasomotion 15
Sportverletzungen 92
Sprühregen 143
Stangerbad 233
subaquales Darmbad 227
substitutive Wirkungen 174
Sulfatwirkungen 173
systemische Kältewirkungen 61
– Wärmewirkungen 59

## T
Tauchbäder, heiße 192
Tauchreflex 23
Tauchvollbad, kaltes 193
Tautreten 183
Teer-Bad 222
Teilbäder 180, 185
–, kalte 181
–, temperaturansteigende 59, 187, 189
Teilpackungen 265
Teilwaschungen 123
temperaturabsteigendes Teilbad 189
– Vollbad 193
temperaturansteigendes Teilbad 59, 187
temperaturansteigendes Armbad 188
– Sitzbad 188
– Unterschenkelbad 188
– Vollbad 194
Tetraplegie 29

# Sachverzeichnis

Therapiebecken 111, 115
thermische Neutralzone 11
Thermoneutralpunkt 50, 55
Thermoregulation 13, 16, 17, 23, 26, 34
Thermosensoren 13
Thymiankrautextrakt 220
Trinkkuren 177, 179
trockene Wärmeabgabe 16
trophisch-plastische Adaptation 62, 69
Turbatherm 273

## U
Überwärmungsbad 195
Umschlag, kalter 257
–, heißer 268
Unterguss 132
Unterkörperwaschung 121
Unterschenkelbad 186
–, kaltes 182
–, temperaturansteigendes 188
Unterwasserdruckstrahlmassage 49, 223
Unterwassergymnastik 89

## V
Vasodilatation 57
Vasomotorik 13
Vierzellenbad 229
Viskosität 48, 56, 93
Vollbad 55, 192
–, hydroelektrisches 232
–, hyperthermes 59
–, indifferentes 197
–, temperaturabsteigendes 193
–, temperaturansteigendes 194
Vollblitz 153
Vollguss 138

## W
Wadenwickel 248
warme Teilbäder 185
Wärmeabgabe 12, 50

Wärmeabgabe, trockene 16
Wärmeaufnahme 12
Wärmebildung 12
wärmeentziehende Verfahren 255
wärmeentziehender Wickel 244
Wärmehaltung 267
Wärmehaushalt 12
Wärmekapazität 267, 275
Wärmeleitvermögen 266, 275
warmes Armbad 186
– Sitzbad 185
– Unterschenkelbad 186
wärmestauender Wickel 245
Wärmestrahlung 12
Wärmetransport 12
Wärmewirkungen, lokale 57
–, systemische 59
wärmezuführende Anwendungen 262
Waschungen 117
Wassertreten 183
Wasserverdunstung 12
Wechselarmbad 191
Wechselfußbad 191
Wechselknieblitz 148
Wechselschenkelblitz 151
Wechselsitzbad 190
Wechselteilbäder 189
Wechselunterschenkelbad 190
Wechselvollblitz 156
Weizenkleieextrakt 218
Wellness 296
Wickel 240
–, schweißtreibender 246
–, wärmeentziehender 244
–, wärmestauender 245

## Z
Zerebralparese 97
Zwerchfelldysfunktion 30
Zwerchfelllähmung 30

**Seit vielen Jahren ein Standardwerk
– lesen Sie jetzt die Neuausgabe auf
dem aktuellsten Stand
der Wissenschaft!**

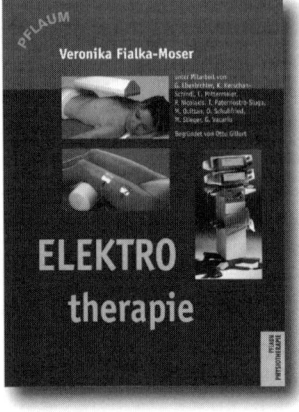

Veronika Fialka-Moser u.a.
**Elektrotherapie**
212 Seiten mit 168 Abbildungen,
kartoniert
ISBN 3-7905-0910-8

Das vorliegende Werk steht in der Nachfolge des von Otto Gillert vor etwa 50 Jahren begründeten Elektrotherapie-Buches, das als Standardwerk seinen festen Platz in der Ausbildung und in der täglichen Praxis von Physiotherapeuten hat. Auch die Neuausgabe geht von den gut verständlich präsentierten physikalischen und technischen Grundlagen aus. Anschließend werden die verschiedenen Anwendungsformen des elektrischen Stromes ausführlich und anwendungsorientiert dargestellt. Indikationen und Kontraindikationen sind jeweils aufgelistet. Besonderen Wert haben die Autoren auf die übersichtliche Gliederung und die didaktische Aufbereitung des Stoffes gelegt.

Ein Ausbildungs- und Praxisbuch für Physiotherapeuten, Masseure, medizinische Bademeister, Sportphysiotherapeuten, Sportmediziner, Trainer, Fachärzte für physikalische Medizin und Rehabilitation.

Aus dem Inhalt:
Elektrophysikalische Grundlagen – Terminologie – Therapie mit nieder- und mittelfrequenten Strömen (Elektrostimulation der innervierten Skelettmuskulatur, Schmerzbehandlung, Elektrostimulation denervierter Muskulatur, Elektrostimulation zenralnervöser Paresen) – Ultraschalltherapie – Hochfrequenztherapie – Magnetfeldtherapie – Lasertherapie.

Richard Pflaum Verlag GmbH & Co. KG
Lazarettstr. 4, 80636 München, Tel. 089/12607-0, Fax 089/12607-333
http://www.pflaum.de, e-mail: kundenservice@pflaum.de